KB197059

첫날밤만 세 번째

A.TEMPO MEDIA Inc

이 도서의 국립중앙도서관 출판시도서목록은 서지정보유통지원시스템 홈페이지(http://seoji.nl.go.kr)와 국가자료공동목록시스템(www.nl.go.kr/kolisnet)에서 이용하실 수 있습니다.

첫날밤만 세 번째

갓녀 장편소설

vol. 3

A.TEMPO MEDIA inc

Three First Nights

Illustration | KEI

Contents

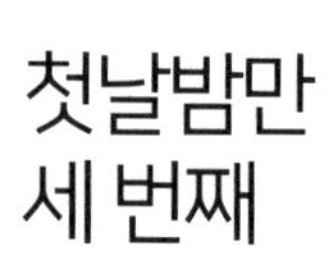

VOL. 3

Three First Nights

CHAPTER 14

더 많이 사랑한 쪽이 아프다

14

더 많이 사랑한 쪽이 아프다

"도희 씨."

엘리베이터를 타고 1층으로 올라온 도희는 아파트 밖으로 나갔다. 준원은 그녀의 뒤를 따라붙으며 몇 번이고 불러세웠으나 도희의 다리는 멈출 기미가 보이지 않았다.

"잠깐 멈춰 봐요. 오해하는 것 같은데……."

"오해?"

오해라는 말에 우뚝 멈춘 도희가 뒤를 돌아 준원을 똑바로 쳐다보았다.

"무슨? 이 집이 그쪽하고 차유나 신혼집이었다는 게 오해인가?"

"아니요. 그게 아니라……."

"난 그것도 모르고 좋다고 기어들어 와서 그쪽하고 먹고 자고 했고."

어이가 없는 상황에 도희는 헛웃음 쳤다.

"내 방이 차유나가 쓰던 방 맞죠?"

"차유나가 2년 전에 잠깐 살긴 했지만 그게 다예요. 비밀번호는 귀찮아서 안 바꾼 것뿐이고요.”

“내가 말하는 건 그게 아니잖아요?”

“어떤…….”

“이 집이 신혼집이었다고. 내 방이 차유나 그 기집애가 쓰던 방이라고, 저 집에서 같이 살았었다고 미리 말했어야죠, 나한테!”

언성이 높아지는 걸 막을 수 없었다.

“그럼 애초에 내가 이 집에 들어올 일도 없었을 거 아니에요! 난 진짜…….”

하, 도희에게서 허탈한 숨이 터졌다.

“그래요. 뭔 말을 해도 무덤덤한 사람 앞에서 나 혼자 열 내 봐야 뭐 해. 그냥 그만할래요.”

“……네?”

준원의 한쪽 눈썹이 구겨졌다. 그대로 뒤를 돈 도희는 곧장 도로로 나가 택시를 잡았다.

“잠깐만요, 도희 씨.”

멈춰 선 택시에 올라탄 도희는 준원에게는 눈길 한번 주지 않고 문을 굳게 닫았다.

“도희 씨…….”

곧 멀어지는 택시의 뒷모습을 보며 준원이 깊게 한숨을 내쉬었다. 왜 일이 이렇게 된 건지 몰라 속이 답답했다.

그 길로 누리와 그녀의 집 근처 카페에서 만난 도희는 지금까지

있었던 일들을 몇 가지 털어놓았다.

“뭐라고? 헐…….”

차유나와 얽힌 이야기를 들은 누리는 노발대발하며 쾅 테이블을 내리쳤다.

“하, 차유나 그 어마어마한 쌍년. 진짜 징글징글하다, 징글징글해.”

“나 걔한테 뺨도 얻어맞았잖아.”

“네가 더 많이 때렸으니까, 네가 이긴 거야. 그 나쁜 년 누가 안 잡아가나 몰라?”

누리는 지긋지긋하다는 듯 몸서리쳤다.

“근데 너도 참 희한하다. 사귀면 그냥 사귀는 거지, 무슨 연애 수칙을 제안해?”

처음 준원과 만나기로 했을 때, 도희는 준원에게 연애 수칙을 제안했었다.

“뭐, 너라면 충분히 그럴 수 있는 캐릭터긴 한데……. 서준원 씨도 이거에 동의했었던 거지?”

“응. 그 사람도 동의했지.”

세 가지 조항들을 본 누리는 황당할 뿐이었다. 3개월만 조건부로 만난다느니, 서로의 사생활을 존중하고 그에 대해 절대 묻지 않는다느니, 의무적인 데이트와 보고성 연락은 생략한다느니. 연인 사이에서 자연스럽게 이루어지는 일들을 완벽히 배제하는 수칙들이었다.

“그건 처음 서준원하고 만날 때…… 내가 정해 둔 마지막 방어선 같은 거였어.”

“방어선?”

“응. 이렇게 해 둬야…… 나중에 깔끔하게 끝낼 수 있지 않을까 싶어서.”

“왜 지레 끝낼 생각부터 해?”

“그냥…… 추해지기 싫어서.”

도희는 다 녹아 버린 프라푸치노를 빨대로 하릴없이 휘저으며 공허한 한숨만 내뱉었다.

“관계를 그만두더라도 서로 얼굴 보기 껄끄럽지 않도록…… 너무 깊이 빠지진 않고 싶어서.”

“…….”

“그래서 정해 둔 최후의 방어선 같은 거였어. 그런데…….”

이미 헤어나올 수 없이 깊이 빠지고 말아 버렸다. 도희의 손에 힘이 바짝 들어가자 연약한 빨대가 반으로 접혔다.

“사랑하는데 어떻게 안 추해지니?”

“맞아. 사실 이미 추해질 대로 추해졌지.”

태어나서 처음으로 사랑을 알아 버렸고, 서준원을 이렇게까지 미치도록 사랑하게 되어 버렸는데.

“근데 나…… 그 남자 말에는 영혼이 안 담겨 있는 것 같다고 생각해.”

“무슨 뜻이야?”

“건조하고…… 행동이나 말에 색깔이 없는 느낌이라고 해야 할까.”

그가 자주 하는 귀엽다는 말이나, 언뜻 보여주는 미소나, 자상하게 느껴지는 행동들이나……. 분명히 모두 다정한 말과 행동들인데도 이상하게 그 모든 것들이 어딘가 건조하게 느껴졌다.

“사람이 뭐랄까…… 전부 무채색이야.”

그리고 그 색깔 없는 말에, 밤마다 베갯잇이 웃음으로 다 젖을 정도로 설레는 도희가 있었다.

"그리고 서준원 말이야……."

"응, 응."

"……아, 아니야."

"뭔데 그래?"

도희는 아무것도 아니라는 듯 고개를 내저었다. 누리에게 많은 걸 털어놓았다고 해도, 이 말까지는 하고 싶지 않았다.

'서준원 그 남자, 끝내 사랑한다는 말을 안 해 줬어…….'

도희는 깊게 숨을 들이마시었다가 내쉬었다. 명치에 커다란 바위가 박힌 듯이 속이 답답했다.

"천하의 백도희 인생에 사랑같이 짜치는 일이 있을 줄은 몰랐는데……."

도희가 픽 웃음을 터뜨렸다.

"더 많이 사랑한 쪽이 아파."

서른 살, 열병처럼 찾아온 첫사랑은 도희에게 너무도 아프고 쓰라렸다. 첫사랑은 이루어지지 않는 거니까.

지이잉, 그때 테이블 위에 올려놨던 도희의 휴대전화가 진동했다. 흘끔 액정을 확인한 도희는 도로 휴대전화를 내려놓고 다 녹은 프라푸치노를 한 모금 머금었다.

"안 받게?"

슬쩍 곁눈질로 준원에게 온 전화라는 것을 확인한 누리가 넌지시 물었다.

"응. 안 받아. 더 좋아하는 쪽이 지고 들어가야 한다는 건 개소리야."

세상에서 자존심 세기로는 탑클래스인 도희는 절대 수그리고 들어갈 생각이 없었다.

"난 안 져. 차라리 헤어지고 말지."

누리와 헤어진 뒤 도희는 준원의 집으로 돌아가지 않고, 원래 혼자 살던 집으로 다시 돌아와 잠을 청했다. 그 이후로도 준원에게 몇 번이고 전화가 왔지만 전부 무시하고 억지로 눈을 감았다. 하지만 심란한 탓에 거의 잠을 자지 못한 도희는 뜬눈으로 밤을 지새운 채 월요일을 맞이하고 말았다.

아침이 되어서야 잠깐 선잠을 잔 후 일어난 도희는 천근만근인 몸을 이끌고 출근했다. 같은 회사이니 싸워도 얼굴을 봐야 한다는 게 보통 껄끄러운 일이 아니었다. 하지만 포커페이스에 능한 두 사람은 회사에서는 언제나 그렇듯 서로를 비즈니스적으로만 딱딱하게 대했다. 준원의 얼굴을 마주할 때마다 도희는 계속해서 울컥했지만, 최대한 사적인 감정을 섞지 않으려고 노력했다.

"팀장님. 언제든지 자유롭게 구매할 수 있는 제품보다는 리미티드 에디션을 선호하는 심리를 활용해 보는 건 어떨까요?"

"어떻게 말입니까?"

"이를테면 봄에만 먹을 수 있는 도시락을 출시하는 거죠."

아침 회의에서도 도희와 준원은 팀장과 팀원으로만 대화를 나눌 뿐이었다.

"소비자들은 봄이라는 계절을 유의미하게 생각하잖아요. 봄이 찾아오면 벚꽃과 관련된 노래가 음악 차트에서 갑자기 올라오듯이, 식품에서도 마찬가지로 봄에만 먹을 수 있는 프리미엄 리미티드 에디션 도시락을 만드는 거죠."

"나쁘지 않은 아이디어네요. 사람들의 니즈를 고려한 기획이라고 보입니다. 백 과장이 한번 그 방향으로 잘 발전시켜 보세요."

"네, 알겠습니다."

무덤덤하게 답하는 듯했으나 도희는 준원의 눈을 제대로 쳐다보지 않았다. 준원은 제 눈을 피하는 도희 때문에 가슴이 꽉 막힌 듯 답답했다.

……분명히 여행 첫날까지만 해도 좋았는데. 준원은 얽힌 오해를 어디서부터 어떻게 풀어야 할지 갈피를 잡을 수가 없었다.

퇴근 시간이 되자마자 준원에게 인사한 후 칼같이 사무실을 나온 도희는 잠시 어디로 가야 할지 고민했다. 그래서 혼자 저녁밥을 먹고, 한강에 들렀다가, 한참을 이리저리 배회했다. 그렇게 3시간이 흐르고 시간은 어느덧 9시를 넘겼다. 짧았던 방황의 끝에 도희는 결국 준원의 집으로 향하는 택시에 올라탔다.

마음 같아서는 그의 집으로 돌아가고 싶지 않았으나, 짐이 전부 집에 있었기에 어쩔 수 없이 돌아가야만 했다. 온갖 걱정으로 복잡한 머릿속을 안고서 어렵게 집 안으로 들어왔으나, 그 모든 고민이 무색하게도 준원은 집에 없었다.

"……아직도 퇴근을 안 했나?"

늦은 저녁인데 어디서 뭘 하길래 집에 없는 건지. 핸드폰을 뒤적거려 봤으나 그에게는 연락 하나 없었다. 푹 한숨을 내쉰 도희는 욕실로 들어가 뜨거운 물을 틀었다. 깨끗이 샤워하고 나올 때까지도 준원은 집에 들어오지 않았다.

멍하니 소파에 앉아서 현관문만 가만히 쳐다보고 있기를 약 30분. 기다리기를 포기한 도희는 일찍 잠들기 위해 침실로 향했다. 한때 차유나의 방이었던 곳에서 자고 싶지 않았지만, 오늘만큼은 준원과 한 침대에서 자는 게 더 싫었다. 아직 10시도 되지 않은 시간이었지만 침대에 누워 이불을 머리 위까지 바짝 올렸다. 그렇게 얼마나 시간이 흘렀을까. 끙끙 앓는 소리를 내던 도희가 확 이불을 치워내고 서러움에 소리쳤다.

"대체 어디서 뭘 하는 거야……."

어제 내가 집에 안 들어왔다고, 자기도 시위하는 거야, 뭐야.

"진짜 짜증 나……."

어디 가면 간다고, 늦으면 늦는다고, 문자 보내 놓으면 어디가 덧나? 이상하게 눈물이 날 것만 같은 기분에 도희가 욕설을 뱉었다. 어느덧 붉게 충혈된 그녀의 눈은 촉촉해지고 말았다.

"한 마디면 되는 걸……."

사랑한다는 말 한마디면, 자존심이고 뭐고 다 갖다 버릴 수 있을 것 같은데.

"사랑한다고, 그 한마디를 하지 않았어……."

그 말 하는 게 그렇게 어려워? 왜. 아직도 사랑이 아니야?

"이게 사랑이 아니면 뭔데, 대체……."

그를 사랑하게 된 만큼, 그에게 바라는 게 많아지고, 원래 이런 남자라는 걸 알고 있었으면서도, 속상하고 몸과 마음이 지치는 도희였다.

……얼마나 시간이 흘렀을까. 잠금장치가 열리는 소리와 함께 침대 위에서 웅크리고 있던 도희의 심장이 쿵 내려앉았다. 이불을 다시 머리 위까지 쓴 도희는 숨을 죽이고 자는 척했다.

"도희 씨, 집에 들어왔어요?"

똑똑, 방문을 두드리고 들어온 준원은 도희에게 가까이 다가와 그녀를 살폈다.

"자요?"

대답이 없자, 준원은 도희가 머리 위까지 쓴 이불 위를 가볍게 쓸었다.

"……잘 자요."

숨죽인 도희의 동공이 거칠게 흔들렸다. 준원은 그대로 느릿하게 움직여 방 밖으로 나갔다. 탁, 문이 닫히는 소리와 함께 도희의 얼굴이 형편없이 일그러졌다. 도희는 울음이 나올 것 같아 입을 꽉 틀어막았지만, 끝내 눈가에 눈물방울이 고이고 말았다.

"하……."

파르르 떨리는 입술이 허탈하게 벌어졌다.

"……나쁜 놈."

조금 전, 서준원에게서 여자 향수 냄새가 났다.

대체 왜…… 서준원에게서 여자 향수 냄새가 나는 거지? 지금까

지 어디서 누구와 있었길래…….

가슴이 무너지는 듯한 착각에 도희가 침대 시트를 세게 움켜쥐었다.

'설마 차유나와 같이 있었던 건가?'

여러 복잡한 의혹이 머릿속을 아프게 파고들었다. 이어서 떠오르는 것은 일전에 준원이 제게 했던 말이었다.

'차유나 말은 무시했으면 좋겠어요. 누가 뭐라고 해도 지금 나한테는 도희 씨밖에 없으니까.'

서준원이 책임지지 못할 말을 꺼내지 않는 남자라는 것쯤은 도희도 잘 알고 있었다. 하지만…… 연락도 없이 늦게 집에 온 주제에, 여자 향수 냄새까지 풍기며 들어온 것은 도무지 이해하려야 이해할 수 없는 선이었다.

"그냥 짐 싸서 집으로 돌아갈걸……."

여기서 서준원은 왜 기다려서. 깊은 한숨과 함께 후회가 밀려오는 순간이었다.

한편 도희를 살피고 나온 준원은 곧장 욕실로 들어가 샤워를 했다. 물기에 젖은 몸을 제대로 닦을 생각도 하지 않고 느슨하게 가운을 걸치고선 소파에 대충 걸터앉았다.

"……."

탁자에 놓인 작은 쇼핑백을 물끄러미 바라보던 준원이 작게 한숨을 내쉬었다. 명품 브랜드의 베스트셀러 향수가 들어 있는 쇼핑백을 하릴없이 만지작거렸다.

“오늘 주고 싶었는데…….”

이 향수는 거래처 사람과의 저녁 식사가 끝나고 집에 돌아가는 길에 문득 도희 생각이 나서 백화점을 들러 산 선물이었다. 도희에게 잘 어울리는 향수를 고르려고 이것저것 전부 시향한 탓에, 샤워했는데도 여전히 온몸에서 향수 냄새가 어른거렸다.

“…….”

조금 전 도희가 자지 않는다는 것쯤, 준원도 알고 있었다. 이제는 제 얼굴도 보기 싫은 건지, 도희는 이불을 뒤집어쓰고 대답도 하지 않았다.

“……어떻게 해야 할까.”

사막 한복판에서 길을 잃은 기분이었다. 느슨하게 시선을 들어 올린 준원은 벽에 걸린 어머니의 그림들을 가만히 바라보았다.

세간에서는 전희선의 그림을 결혼 전과 후로 구분했는데, 이유는 그 작품 세계가 극명하게 달라지기 때문이었다. 결혼 전에는 화려하고 밝은 색채로 희망을 그리던 전희선 화백은 결혼 후에 어둡고 우울한 색채로 좌절을 그렸다.

‘내가 지금 도희 씨를 힘들게 하는 건가…….’

아버지처럼 제 이기심으로 한 여자를 가둬 두고 그녀의 인생을 망치고 싶지 않았다. 스스로가 얼마나 결핍되고 모자란 인간인지를 잘 아니까.

‘역시 나 같은 건…….’

그녀를 행복하게 해 줄 수 없는 걸까.

하지만 그렇다고 하더라도 준원은 계속 그녀 옆에 있고 싶었다. 더없이 이기적인 욕심이라고 해도…… 결코 그녀를 놓고 싶지 않았다.

이 세상에서 단 하나, 백도희만은 유일하게 미련을 두고 싶었다.

도희는 밤새 쪽잠 한숨 이루지 못했다. 꼬박 상념에 빠졌던 도희는 이제 준원의 얼굴을 보고 싶지 않았다. 아침에 일찍 일어나서 최대한 빠르게 출근 준비를 마치고, 식사하고 가라는 준원의 말에 대꾸도 하지 않고 그대로 나가 버렸다. 그렇게 도착한 회사에서는 언제나 그랬듯 똑같은 일상이 이루어졌다. 준원과 사이가 좋지 않다고 해도 달라질 것은 아무것도 없었다.

"과장님! 정리한 거 과장님 메일로 다 보내 놨어요."

웃으며 말하는 지예에게 도희가 고개를 끄덕였다.

"그래, 확인할게. 수고했어."

"네! 그런데 과장님, 어디 아프세요?"

"응? 아니, 안 아픈데."

"얼굴에 핏기가 하나도 없으세요. 무슨 안 좋은 일 있으신 거 아니죠?"

"별걱정을 다 한다. 안 좋은 일은 무슨……."

누가 보더라도 지금 도희의 낯빛은 하얗게 질려 창백한 상태였다.

"피곤해서 그럴 거야. 잠을 좀 못 잤거든."

걱정스레 바라보는 양 대리에게 도희가 아무 문제 없다며 헛웃음 쳤다.

"잠깐 바람이나 쐬고 와야겠다."

"네! 다녀오세요."

아무렇지 않은 척했지만 사실 도희의 속은 엉망진창이었다. 답답한 가슴을 부여잡고 사무실을 빠져나온 도희는 곧장 비상구로 향했다. 위태롭게 솟은 높은 구두 굽이 비상계단을 천천히 한 칸씩 밟아 올라갔다. 최고층에 도달해 무의식적으로 굳게 닫혀 있는 옥상 문을 연 도희의 동공이 흔들렸다.

"……."

그곳에는 준원이 있었다. 혼자 옥상 난간에 기대고 서 있는 그의 입술 사이에는 새하얀 담배가 물려 있었다. 서준원답지 않게 단정하지 못한 삐딱한 자세와 길쭉한 담배는 어딘가 그를 난잡하게 보이도록 했다.

……금연 중인 거 아니었어? 미간을 좁힌 도희의 입술 사이로 숨이 흘렀다. 흘끔 곁눈질로 도희를 바라본 준원이 제 입술 사이에 물려 있는 담배를 손가락으로 부러뜨렸다. 준원은 돌연 도희에게로 성큼성큼 걸어왔다. 움찔 놀란 도희는 저도 모르게 뒷걸음질 쳤다. 하지만 저돌적으로 다가오던 준원은 그대로 도희를 지나쳐서 옥상 문을 열고 밖으로 나가 버렸다.

"……하."

동시에 도희는 치밀어오르는 화로 이를 갈았다. 준원이 사라진 옥상 문을 노려보다가 어이가 없어 헛숨을 터뜨렸다.

'아니, 지금 무시해야 할 사람이 누군데……!'

코트 안에 넣어 두었던 손을 빼 머리를 아무렇게나 헝클어뜨렸다. 구두 앞코로 바닥을 한 번 치고 옥상 난간에 서서 폭발할 것 같은 속을 삭였다. 꾸욱, 난간을 붙잡은 손에 힘이 들어갔다.

'완전 적반하장 아니야?'

또 모든 게 허무해지며 혼자 상처받기 시작했다. 우리는 대체 언제까지 이렇게 계속 삐걱거릴까.

'아마도 내가 서준원을 더 좋아하는 이상…… 난 계속 혼자 상처받고 서운하겠지.'

서로 사랑하는 마음의 크기가 같을 수는 없다는 것쯤은 알고 있었다. 더 많이 좋아하는 쪽이 아픈 건 너무도 당연한 일이니까. 하지만…….

'서준원은, 날 좋아하긴 하는 걸까…….'

이대로 만나는 게 맞는 건지…….

'역시 그냥 다 그만두는 게…….'

생각이 꼬리에 꼬리를 물고 증폭되는 찰나였다. 단단한 팔이 도희는 몸을 감싸고선 확 끌어당겼다.

"……!"

등 뒤로 쏟아지는 준원의 뜨거운 체온에 놀란 도희의 눈이 커졌다. 다시 돌아온 준원이 도희를 뒤에서 꽉 끌어안은 것이었다.

"도희 씨……."

짙고 낮은 음성이 도희의 귓가에서 동굴처럼 울리며 촉촉하게 적셨다.

"기다릴게요. 돌아올 때까지."

단단한 팔은 도희의 몸을 더욱 세게 가두듯이 끌어당겼다. 저항할 새도 없이 준원의 품에 안겨 버린 도희는 이 와중에 코끝에서 어른거리는 그의 시원한 체향에 심장이 두근거렸다. 정신이 혼미한 가운데 도희의 코트 주머니 속으로 커다란 준원의 손이 들어왔다. 깊이 파고드는 감각에 가파르게 내려간 시선 끝에는 무더운 열기가 맺혔다.

"……."

따뜻한 캔 커피였다. 도희의 눈꺼풀이 가늘게 떨렸다. 준원은 말없이 도희를 끌어안은 채 가녀린 어깨에 힘없이 숨을 내몰아 쉬었다. 그 호흡에 따라 도희의 심장도 떨렸다. 그의 간지러운 숨결에는 담배 냄새가 전혀 나지 않았다. 조금 전, 그는 담배를 피운 것이 아니라 그저 물고만 있었던 것이었다. 그녀와 한 약속을 지키기 위해.

"……."

도희는 뭐라 말을 해야 할지 몰라 입술을 달싹거렸다. 제 귓가로 쏟아지는 숨이 뜨거워 떨리는 눈을 지그시 감았다. 한참 동안 도희를 안고 있던 준원은 아쉬움을 뒤로하고 두 팔을 풀었다. 그가 미련 없이 옥상을 빠져나가고, 홀로 남겨진 도희는 터질 것처럼 쿵쿵, 뛰는 가슴을 느꼈다.

"하……."

무너지듯 주저앉아 버렸다.

"한심해……."

사랑이란 정말 바보 같다. 혼자 들떴다가 가라앉았다가, 얼었다가 녹았다가, 사소한 일에도 미치도록 서운하고.

또…… 이렇게 사소한 말과 행동에 미치도록 가슴이 떨리고.

"아무래도 나……."

진짜 사랑을 하는 것 같다.

홀로 퇴근한 도희는 오늘도 바로 집에 들어가지 않았다. 집 근처

공원 벤치에 앉아 멍하니 호수를 바라보며 떠오르는 상념들을 하나 둘 죽일 뿐이었다. 생각에 잠겨 있는 도희의 사색을 깨운 것은 준원으로부터의 전화였다. 잠시 고민하던 도희는 느슨하게 손을 들어 전화를 받았다.

"……여보세요?"

–도희 씨.

익숙한 목소리가 귓가를 두드렸다.

–집에 안 들어오길래 전화했어요.

"……."

–오늘도 밖에서 잘 거예요?

도희가 작게 한숨을 내쉬었다.

"서준원 씨. 나 사실 좀 지쳐서 그래요."

나만 좋아하는 것 같아서. 나만 사랑하는 것 같아서. 내가 당신한테 목매다는 꼴이 되는 거 같아서.

지금 우리 관계가, 내가 손 놓으면 끝나는 관계 같아서…….

–……지금 어디예요? 내가 데리러 갈게요.

그래서 이젠 잘 모르겠어.

"아니요."

이 무의미한 관계를 계속 이어가는 게 맞는 건지.

"나, 그 집은 다시 안 들어갈 거예요."

도희는 그 어느 때보다도 차갑게 식은 음성으로 건조하게 말했다.

"짐은 주말에 가지러 갈게요."

–…….

준원은 한참 동안 대답이 없었다. 이어지는 길고 긴 침묵을 묵묵히 견디던 도희는 결국 기다리기를 포기했다.

"……할 말 따로 없으면 끊을게요."

가차 없이 전화를 끊은 도희는 입술을 아프게 짓씹었다. 서서히 내려앉는 고개와 함께 누군가 심장을 잡고 쥐어짜는 듯했다.

"……그래."

결국 우리 사이의 선은 여기까지다. 내가 선을 넘고 싶어진 순간, 우리의 균형은 부서졌고, 그는 결코 내가 그를 사랑하는 만큼 날 채워 줄 수 없을 거라고…….

그렇게 곱씹는 도희의 마음은 온통 준원으로 멍들어있었다.

다음 날, 12월 16일 수요일. 도희는 같이 점심을 먹자는 유현록 본부장의 제안에 옷매무새를 고치고 식당으로 향했다. 프라이빗한 룸으로 이루어져 있는 일식집에 단둘이 마주 앉은 도희와 유 본부장 사이에는 가벼운 이야기들이 오고 갔다.

"낮이지만 딱 한 잔씩만 기울이자고. 괜찮지?"

유 본부장이 청주가 담긴 도자기를 집어 들자 도희가 깍듯하게 잔을 받쳤다.

"그럼요. 본부장님께서 주시는 잔인데, 자다가도 벌떡 일어나서 꿀떡 마셔야죠."

너스레를 떨자 유 본부장이 큰 소리로 호탕하게 웃었다. 그런 그를 응대하는 도희의 속은 타들어 가고 있었으나, 겉으로는 환하게 비즈니스 미소를 띨 뿐이었다. 건배한 두 사람이 술을 마시고, 유 본부장은 회를 한 점 입에 넣고 쩝쩝거렸다.

“자, 어서 들어.”

“네. 감사히 먹겠습니다.”

도희도 젓가락을 들었고, 식사자리는 천천히 무르익어갔다.

“요즘 일은 좀 어때? 서 팀장하고 호흡은 잘 맞는 것 같던데.”

“네, 정말 좋아요. 팀장님께서도 잘 이끌어 주시고, 또 배울 점이 많은 분이세요.”

“그래, 그래. 역시 백 과장은 깔끔해, 사람이. 뒤끝이 없고.”

팀장 대행이었던 도희의 자리를 외부에서 온 준원이 꿰찼던 것을 염두에 두고 하는 말이었다.

“내가 백 과장을 제일 아끼는 거 알지? 내 밑에서 큰 세월이 얼마인데.”

“아휴, 그럼요. 본부장님은 제 아버지나 다름없는 분이시죠. 덕분에 여기까지 올라왔는데요.”

“하하, 그래. 사석이니 편하게 말하는 거지만, 난 서 팀장 같은 딱딱한 타입보다 백 과장이 더 정이 가.”

도희는 뭐라고 대답해야 할지 몰라 일단 미소로 대신 회답했다.

“이제 연차도 쌓였는데 언제까지 과장 자리에 있을 수는 없잖아? 더 높이 올라가려면 성과 하나 큰 거 만들어야지.”

“아, 네. 염두에 두고 있습니다.”

“좋아. 그래서 내가 물어보는 건데…….”

유 본부장의 눈이 가늘어졌다.

“전략기획팀으로 옮기는 게 어떨까?”

“네? 전략기획팀이요?”

갑작스러운 부서 이동 제안에 도희의 눈이 동그랗게 뜨여졌다.

"그래. 전략기획팀. 백 과장 그릇이 그곳에 있기에는 너무 아깝잖아? 더 큰 역량을 발휘할 수 있는 부서로 이동을 하는 게 순리고."

"아…… 저야 당연히 너무 감사하죠."

갑작스럽기는 했지만 도희에게는 나쁜 것 없는 제안이었다. 중추적 역할을 하는 부서로의 이동은 미래의 진급에 있어서 도움이 될 터였다.

"지금 TO가 났는데, 우리 백 과장은 능력이나 인성으로 보나 뭐 하나 부족한 것도 없고, 이번에 평가도 나쁘지 않아서 말이지."

유 본부장이 허허, 웃으며 말을 이었다.

"아마 기회가 될 수 있을 거야."

웃던 그의 목소리가 돌연 낮게 깔렸다.

"그러니까 그때까지 괜한 소란 만들지 말고."

"아…… 네. 알겠습니다."

"떠들기 좋아하는 호사가들 입에 오르내리지 말라는 뜻이야. 스캔들 같은 거. 무슨 뜻인지 알지?"

"네. 명심하겠습니다."

사내 연애는 절대 금물이라는 것을 다시금 강조한 것이었다.

"그래, 백 과장이야 7년째 스캔들 없이 이미지 쌓아 온 엘리트니까 믿어, 믿어. 하하하!"

순간 준원과의 관계를 들킨 건가 싶어 오싹했으나, 다행히도 그건 아닌 듯 보였다.

"그래, 이제 맛있게 먹자고."

그렇게 말하며 두툼한 손을 뻗은 유 본부장이 도희의 팔뚝을 턱 움켜쥐었다. 순간 흠칫한 도희의 어깨가 쭈뼛했다. 이내 팔뚝을 쭈물거리는 손길에 온몸에 소름이 돋은 도희의 심장이 쿵 내려앉았다.

"하여간 백 과장은 미모에 능력이 가려져. 안 그래?"

씨익 입꼬리를 올리자 누런 이가 번들거렸다.

"내가 이제껏 그래 왔듯이 팍팍 밀어줄 테니까."

스읏, 뱀처럼 팔뚝을 한번 훑은 손이 천천히 물러났다.

"……네. 알겠습니다."

그제야 서늘해진 가슴을 수습하며 도희가 억지로 입꼬리를 들어 올렸다.

유 본부장과 식사를 마치고 회사로 돌아온 도희는 바로 화장실로 직행했다. 불편한 자리에서 먹은 게 잘못된 건지 속이 메스꺼워 속에 있는 것을 전부 다 게워 냈다.

"하아……."

토악질이 끝나고 입가를 닦으며 도희가 낮게 욕설을 뱉었다. 제 팔뚝을 주물럭거리던 더러운 손길이 아직도 살갗에 생생했다.

"……돌겠네."

요즘 왜 이렇게 되는 일이 하나도 없을까. 준원과 사이도 안 좋은 차에 좋은 제안이다 싶었는데, 이런 꼴을 당하다니.

"짜증 나, 진짜……."

후으, 깊은숨을 뱉었다. 얼굴을 찡그린 도희는 찝찝한 입 안을 양치하기 위해 칫솔 케이스를 꺼내 들었다.

지이이잉. 휴대전화가 시끄럽게 진동했다.

"……뭐야."

핸드폰 액정에 뜬 번호를 확인한 도희의 미간이 좁아졌다. 전화가 걸려 온 곳은 식물인간이 된 친모가 입원한 병원이었다.

"여기서 왜 전화가……?"

설마 또 병원비 밀렸다고 하는 건가. 작게 한숨을 내쉰 도희가 꾹, 통화 버튼을 눌렀다.

"네, 여보세요."

수화기 너머에서 다소 상기된 여자의 목소리가 들려왔다. 이내 그녀가 전하는 말에 놀란 도희의 눈이 커다랗게 뜨여졌다.

"……네?"

충격받은 동공이 거칠게 흔들렸다.

"그 여자가 깨어났다고요?"

식물인간이었던 친모가 깨어났다는 소식이었다.

친모가 깨어났다는 소식에 도희의 손발은 거칠게 떨려 왔다. 밀려오는 충격에 심장이 요동치고 견딜 수 없는 혼란이 몰려왔다. 저도 모르게 툭 전화를 끊어버린 도희는 어쩔 줄 모르고 서 있다가 후들거리는 다리로 사무실에 돌아갔다.

하지만 이러한 소식을 접하고 일에 집중할 수 있을 리 만무했다. 한참을 고민하고 또 고민하던 도희는 결국 회사를 조퇴하고 병원으로 달려갔다. 친모를 만나면 무슨 말부터 해야 할지 몰라 머릿속이 뒤죽박죽이었다. 사실 제일 묻고 싶었던 것은 단 하나였다.

'당신은 왜 날 버렸어? 버릴 거면, 왜 날 낳은 거야?'

이 질문에 대한 대답을 반드시 듣고 싶었다. 규정 속도를 아슬아슬하게 곡예하며 병원으로 향하는 도희의 심장은 엄청난 속도로 뛰었다. 긴장한 도희가 막 병원에 도착하여 차를 주차하려고 하는데…….

"……뭐야?"

병원 앞은 굉장히 소란스러운 상태였다. 응급실 입구에는 경찰차 여러 대가 사이렌을 켠 채 서 있었다. 도희는 무슨 상황인지 이해가 되지 않아 주변을 어수선하게 둘러보았다. 그러다 문득 시선이 닿은 병원 입구에서 한 남자가 양쪽에 거구의 경찰들에게 끌려 나오는 것이 보였다.

"이거 놔! 놓으라고! 놔!"

도희의 등골이 서늘해졌다. 바락바락 소리를 지르며 경찰들에게 체포되어 끌려 나오는 남자는 다름 아닌, 새아버지였다.

'뭐야……?'

대체 뭐가 어떻게 돌아가는 거야? 전혀 이해되지 않아 머리가 혼란스러웠다.

이윽고 도희가 맞이한 것은 친모가 조금 전 숨을 거두었다는 소식이었다.

지옥 같은 날들이 흐르고 금요일이 되었다. 이틀간 진실의 앞에서 괴로운 시간을 보내던 도희는 한참의 고뇌 끝에 유치장에 구금되어

있는 새아버지의 면회를 하러 갔다.

경찰서에서 접견을 기다리는 동안, 도희의 머릿속은 그 어느 때보다도 패닉이었다. 친모가 식물인간 상태에서 깨어난 날, 병원으로 곧장 달려온 새아버지가 그녀의 목을 졸라 죽인 것이었다. 믿기지 않는 현실이었다.

당시 어떻게 병원 한복판에서 살인이 일어날 수 있느냐고 따져도 보았는데, 의료인들과 보안요원들의 제지에도 이미 쇠약해져 있던 친모는 그 자리에서 숨을 거두었다고 했다. 그리고 도희가 보았던 장면은 계부가 체포되어 끌려가는 모습이었다.

"하……."

하지만 이어진 경찰의 조사 결과, 밝혀진 진실은 더욱더 충격적이었다. 알고 보니 친모가 애초에 식물인간이 된 것조차…… 전부 새아버지의 소행이었다. 보험금을 타기 위해 계부가 고의로 교통사고를 일으킨 후, 계획대로 보험금 1억 원을 챙긴 것이었다. 그리고 혼수상태에서 깨어난 친모가 진실을 발설하는 게 두려워 그 전에 목을 졸라 죽이고 사실을 은폐하려던 것이었다.

"……."

수면으로 올라온 진실을 알게 된 도희는 미칠 듯한 혼란과 괴로움에 몸부림쳤다. 친엄마가 죽었다는 사실이 슬픈 것은 아니었다. 평생을 원망하며 자란 여자의 죽음이 그리 절망스러울 리 없었다. 다만…….

'결국, 타임 루프로도 사람의 운명은 바꿀 수 없다는 건가?'

20년 전, 인생 최초의 타임 루프 때. 원래의 팔자대로라면 친모는 계부가 후려친 술병에 맞아 과다출혈로 사망할 운명이었다. 하지만 도희가 스스로 부모에게 버려지기를 택하면서, 계부는 살인자가 되는 것을 면했고 친모는 죽지 않았었다.

그런데…… 20년이 지난 지금. 친모는 결국 계부에게 살해당했고, 그는 끝내 살인범이 되었다.

'어떻게 이런 일이…….'

심연에 빠진 도희는 혼란 속에 허우적거릴 뿐이었다.

서울의 한 유치장 접견실. 도희는 혼이 나간 얼굴로 멍하니 노숙자 같은 몰골의 계부를 바라보았다.

"……대체 왜 그랬어요?"

힘없이 건조한 음성으로 물었다.

"왜 그 여자를 죽인 거예요? 어떻게 자기 아내를……!"

친어머니였지만, 도희는 계속하여 '그 여자'라는 표현을 사용하였다.

"아내는 무슨……. 그년하고 나는 서로 웬수야, 웬수."

"……웬수라니. 20년 전, 날 버리고 둘이 해외로 도피까지 했으면서……!"

발끈한 도희가 격양되어 소리쳤다.

"그래, 그땐 그랬었지."

남자가 가만히 고개를 끄덕였다.

"내가 네 엄마한테 널 버리자고 꼬드겼었다. 널 버리지 않으면 이혼하겠다고."

지금껏 일부러 버린 것이 아니라고 우기던 계부가 모든 걸 포기한 듯 인정하는 순간이었다.

“피 한 방울 안 섞인, 어디서 태어났는지도 모른 더러운 계집년을 책임지고 싶지 않았으니까.”

책임, 계부의 말에 도희는 제 무릎 위에 올려놓은 주먹을 꽈악 움켜쥐었다.

“그딴 건 됐고. 대체 어떻게 한때는 사랑했던 여자를 죽일 수 있어요? 당신이 그러고도 사람이에요?”

“사랑?”

그는 어이가 없다는 듯 낄낄 폭소를 터뜨렸다.

“사랑은 무슨. 내가 그 애까지 딸린 년하고 결혼한 건 그년이 임신해서 그랬다.”

“……뭐라고요?”

“넌 어려서 몰랐겠지. 네 동생이라고 봐야 하나? 그렇게 유산될 줄 알았으면 애초에 그런 년하고 결혼도 안 하는 건데. 지우라고 그렇게 말해도 낳겠다고 우겨서 할 수 없이, 쯧.”

“…….”

“근데 그거 아냐? 네 엄마랑 너는 팔자가 똑같아.”

……내가 지금 무슨 소리를 듣고 있는 거지. 도희의 주먹을 쥔 손이 부들부들 떨렸다.

“너 같은 계집년을 누가 진심으로 좋아해 주겠냐. 반반한 몸뚱이에만 침 줄줄 흘리는 거지.”

울컥한 도희는 속이 타들어 가는 기분이었다. 눈앞이 분노로 노랗게 물드는 듯했다.

“사랑? 널 사랑해 줄 놈은 아무도 없어.”

계부가 도희를 비웃으며 낄낄댔다.

"넌 네 아빠가 누군지도 모르지? 보나 마나 그 엄마에 그 딸이지."

"……."

"하나 예언해 주랴? 너도 네 엄마 팔자 똑같이 따라갈 거야."

눈을 부릅뜬 도희는 남자를 죽일 듯이 노려보았다. 그러거나 말거나, 이미 막 나가는 인생을 사는 남자는 거침없이 말을 이었다.

"특별히 한 가지 충고해 주지."

그는 도희의 속을 엉망진창으로 긁어 놓았다.

"아무도 믿지 말고 살아. 그래야 네 엄마 팔자 안 밟을 수 있어."

가슴이 깨질 듯이 욱신거렸다. 도희는 입술을 꽉 깨물고 벌떡 일어나 뒤를 돌았다. 하지만 도희의 귓가에는 자꾸만 그의 목소리가 어른거렸다.

'아무도 믿지 말고 살아.'

그래야 네 엄마 팔자 안 밟을 수 있어.

그 길로 차에 올라탄 도희는 어지럽게 부유하는 상념들에 시달렸다. 운전하는 내내 뿌옇게 흐려진 시야 때문에 자동차들의 라이트가 물감처럼 번져 보였다.

"……하."

눈물이 새어 나올 것만 같았다. 핸들을 쥔 손에 꾹 힘이 들어갔다. 도무지 제가 처한 이 상황을 납득할 수가 없었다.

'……진짜 저딴 인간을 사랑했어?'

말해 봐, 엄마. 사랑해서 결혼한 거야? 그래서 이 나이 먹도록 같이 살다가, 이렇게 형편없이 함께 침몰한 거야?

'대체 난 왜 버렸어?'

저 쓰레기 같은 인간과는 20년을 넘게 함께 지냈으면서…… 도대체 난 왜 버렸어?

"……지긋지긋해."

왜 낳았어. 버릴 거면 왜 낳았어. 차라리 날 버리고 잘 살지 그랬어! 왜 날 버리고 더 불행해져서 이 꼴이 돼……!

울컥한 도희의 눈가가 빨갛게 부어올랐다. 울음이 터질 것 같아 입술을 앞니로 꽉 깨물었다.

……증오해. 나 당신을 증오해.

"하지만……."

그래도 역시 불쌍하게 느껴져. 날 버린 인간인데도, 같은 여자로서 그 인생이 가엾게 여겨져.

그래서 너무 힘들고, 미칠 것 같아…….

"하아……."

이렇게 죽고 싶을 만큼 힘든 순간, 제일 보고 싶은 건 역시…….

"서준원……."

당신은 날 너무 약해지게 해. 날 완전히 바보로 만들어. 20년 전 부모에게 버려진 이후…… 그 누구도 믿지 않기로 다짐하고 살아왔는데. 더욱 날을 세우고 강하게 살려고 했는데…… 계속 눈물이 날 것 같고, 약해지는 건 전부 당신 때문이야. 의지하게 되니까.

그런데 이제 그런 당신을 믿지 못하겠어. 난 이제 아무도 믿지 못하겠어.

"……돌아가야 해."

난 원래의 나로 돌아가야겠어. 아무도 믿지 않던 그때 그 시절, 혼자로 돌아가야겠어. 그래야 살 수 있으니까……. 날 흔드는 그 무엇도 없어야, 평온을 되찾을 수 있을 테니까.

한참을 독백하는 도희의 손에는 여전히 힘이 들어가 있었다.

금요일 밤, 준원은 자정을 넘긴 시간까지 잠을 이루지 못했다. 눈을 감으면 도희의 얼굴이 어른거리고, 그녀의 목소리가 들리는 탓이었다.

회사에서 매일 함께 일하지만, 준원이 그리워하는 것은 그런 도희의 모습이 아니었다. 단둘이 있을 때 도희가 보여 줬던 일면들……. 환하게 미소 지으며 안겨 오는 모습, 빨개진 얼굴로 발끈해서 씩씩거리는 모습, 선홍빛으로 달아오른 뺨으로 수줍게 웃는 모습……. 남들은 볼 수 없는 그런 도희의 모습들이 준원을 늘 웃음 짓게 했었다.

근래 부쩍 차가워진 도희의 태도를 볼 때마다, 누군가 심장에 날붙이를 푹, 푹, 꽂아 넣는 기분이었다. 도희가 집에서 나간 뒤, 준원은 홀로 밤을 지새우며 제 얼어붙은 마음을 다시금 돌아보게 되었다. 언제까지 과거에 매여 있을 수는 없었다. 트라우마를 이기고 나아가야만 했다.

"보고 싶어……."

백도희가 보고 싶어서 미칠 것 같았다. 준원은 지끈거리는 이마를 짚으며 불안정한 숨을 내쉬었다. 이렇게 미칠 듯이 그녀가 보고 싶은데. 이대로 그녀가 떠나 버리면, 살아갈 수가 없을 것 같은데…….
이제 그녀 없이는 아무것도 할 수 없다는 것을 깨달아 버렸는데.

"……말하자."

지금 당장 그녀를 만나 전부 털어놓아야만 했다. 준원은 도희에게 선물하기 위해 샀던 향수가 들어 있는 쇼핑백을 꽉 움켜쥐었다. 이 선물을 전해 주면서, 마음도 함께 전달할 생각이었다.

자리를 박차고 일어난 준원은 곧장 외출복으로 옷을 갈아입었다. 그답지 않게 조급한 걸음걸이로 현관을 향해 걸으며 문고리로 손을 뻗었다. 그리고 그와 동시에 비밀번호 누르는 소리가 울리고 천천히 현관문이 열렸다.

"……도희 씨?"

준원은 순간 제 눈을 믿을 수가 없었다. 이 집으로 다시는 돌아오지 않을 줄 알았던 도희가 문 앞에 서 있었기 때문이었다.

"안 올 줄 알았는데……."

나지막이 웃은 준원은 손을 뻗어 도희의 얼굴을 쓰다듬었다.

"고마워요, 다시 와 줘서."

"……."

"얼굴 보니까 기쁘네요."

커다란 손이 흰 볼을 소중하게 쓸어내렸다. 도희의 안색은 꼭 아픈 사람처럼 하얗고 창백했다.

"그런데 무슨 일 있어요? 표정이 너무 안 좋은데……."

준원이 말끝을 흐렸다. 코끝을 찌르는 알싸한 알코올의 향기 때문이었다.

"혹시 술 마셨어요?"

알코올에 젖은 도희는 대답이 없었다. 몽롱하게 풀어진 눈으로 가만히 준원을 올려다볼 뿐이었다.

"도희 씨……?"

그녀의 상태가 어딘가 이상하다고 생각한 순간, 쪽. 위태롭게 까치발을 든 도희가 준원의 입술에 가볍게 입을 맞추었다. 갑작스러운 키스에 놀란 준원의 눈이 미세하게 커졌다.

그 까만 동공을 보며 흐릿하게 웃은 도희는 가느다란 팔을 뻗어 부드럽게 준원의 목덜미를 끌어당겼다. 입술을 포개고 빨아들이다가 깊숙이 안으로 파고드는 행동은 꽤 적극적이었다. 잠시 넋이 나간 듯 가만히 있던 준원은 이내 정신을 차리고 잘록한 허리를 감아 당기며 키스했다.

쪽, 쪽……. 야릇한 소리와 함께 그 어느 때보다도 농염하고 진한 입맞춤이 이어졌다. 이제까지의 냉전이 거짓말처럼 느껴질 정도로 농밀하고 아찔한 순간이었다. 격렬하게 퍼붓는 키스에 그의 목에 감긴 여린 팔이 파르르 떨렸다. 두 입술 사이에 끈적한 감각이 오고 가고, 한참 후에 입술을 뗀 도희가 준원의 얼굴을 쓰다듬었다.

"준원 씨……."

애타게 부르는 목소리와 함께 아쉽게 떨어진 입술은 도로 겹쳐졌다.

"나, 빨리…… 안아 줘요."

입술 위에서 쏟아지는 도희의 재촉에 준원이 조급한 숨을 터뜨렸다. 침대로 향하는 동안 도희는 무언가에 홀린 사람처럼 준원에게 매달리며 키스했다. 이런 반응은 항상 꼿꼿하던 도희답지 않은 태도였다. 부드럽게 도희를 침대에 눕힌 준원은 제 겉옷을 벗어 던졌다. 가파르게 내려간 입술이 도희의 목덜미로 내려앉았다.

"……!"

움찔한 도희가 고개를 뒤로 젖혔다. 예민하게 반응하는 감각과 달리 도희의 손은 멀어지지 말라는 듯 준원의 어깨를 잡고 끌어당겼다. 사락, 섬유가 벗겨지는 소리가 어둑한 방 안에서 고요하게 울렸다. 쪽, 쪽, 아찔한 숨결이 하얀 피부를 온통 데웠다. 그의 입술이 닿는 부위가 화상을 입을 듯이 뜨거워 도희가 눈을 질끈 감았다. 부어오른 살갗을 달래듯이 핥는 감각에 도희는 들끓으며 준원의 근육들을 꾹 움켜잡았다.

……이제는 낯설지 않은 그의 온기. 이토록 사랑하는 남자가, 자신을 좋아해 준다는 것만으로도 이미 기적일지도 모른다. 그러나…….

'사랑하게 되니 자꾸 욕심이 생겨…….'

자신보다 소중한 게 없었으면 하는 욕심. 그의 사생활보다 자신이 우위에 있었으면 하는 욕심. 자신이 그를 사랑하는 만큼, 그 이상으로 자신을 사랑해 줬으면 하는 욕심.

'……하지만.'

그에게 자신이 그만큼 중요하지 않고, 그는 자신의 이런 욕심을 채워 줄 수 없을지도 모른다는 걸 도희는 알았다. 이윽고 깊게 뱉어지는 숨과 함께 도희의 호흡이 불안정해졌다. 이어진 절차들에 도희의 상념은 산산이 부서졌다.

길고 긴 열락의 화염이 휩쓸고 지나간 새벽. 준원은 한숨도 자지 않고 자신의 품에서 녹초가 된 채 잠들어 있는 도희를 가만히 지켜

보았다. 그는 미동도 없이, 눈 감는 찰나의 순간마저도 아깝다는 듯 도희의 자는 얼굴을 한참 동안 바라보았다.

"……."

그는 입술을 꼭 사리물며 도희의 얼굴에 드리운 머리카락을 부드럽게 넘겨 주었다. 그렇게 또다시 오랜 시간을 가만히 그녀의 얼굴을 내려다보는 일에 썼다.

……세상에서 가장 소중한 여자인데, 이제 아프게 하고 싶지 않은데.

"솔직히 고백하자……."

내 마음을.

다음 날, 정오가 가까워진 시각 도희가 눈을 떴다. 두 눈을 찡그리고 상황 파악을 하기 위해 주변을 둘러보았다.

"일어났어요?"

이미 오래전에 일어난 듯, 아니, 애초에 잔 적이 없는 것처럼 준원의 음성은 잠겨 있지 않았다. 그리고 그 익숙한 목소리에 도희의 가슴은 욱신거렸다. 간밤의 그 달콤한 쾌락의 시간 동안, 도희는 그 어느 때보다도 역설적인 감정을 느꼈다. 그야말로 기쁨과 슬픔이 공존하는 기묘한 시간이었다. 지금은 그와 눈을 마주치기가 힘들어 차갑게 고개를 돌렸다.

"나 먼저 씻고 나올게요."

그 한마디를 남기고 곧장 욕실로 들어갔다. 그런 도희의 뒷모습을 보며 준원은 한숨을 내쉬고 제 머리를 쓸어올렸다.

샤워 후 욕실에서 나온 도희는 머리를 말리고 거실로 향했다. 차분한 걸음걸이로 소파에 앉아 있는 준원에게 다가가자 뜨거운 시선이 쏟아졌다.

"씻고 나왔어요?"

준원도 샤워하고 나온 듯 물기가 서려 있었다. 고개를 끄덕이자 그의 눈매가 진하게 길어졌다.

"어제 말인데, 왠지 평소의 도희 씨와 좀 다른 것 같았어요."

"……네, 뭐."

"술 많이 마신 거예요?"

"조금요."

애매하게 건성으로 대답하자 준원의 입술이 일자로 다물렸다. 아무도 입을 열지 않자 무거운 정적이 이어졌다. 잠시 망설이던 그는 제 옆에 놓여 있는 향수가 든 쇼핑백을 집으며 느슨하게 시선을 들어 올렸다.

"나, 도희 씨한테 하고 싶은 말이 있는데……."

"아니요. 그 전에."

칼같이 준원의 말을 끊은 도희가 시선을 내리깔았다.

"나도 준원 씨한테 하고 싶은 말이 있거든요."

덤덤한 음성이 이어지자 준원의 미간이 좁아졌다. 눈꺼풀을 올린 도희는 그의 까만 눈동자를 똑바로 응시하며 입술을 벌렸다.

"우리, 이제 헤어져요."

준원의 심장이 철렁 내려앉았다.

"……네?"

"그만하자고요, 우리."

충격에 휩싸인 준원의 동공이 거칠게 흔들렸다.

심장이 엄청난 속도로 빠르게 뛰며 준원의 머릿속은 백지가 되었다.

"……갑자기 왜……."

떨리는 입술을 가까스로 움직여 조용히 물었다. 그에 반해 도희의 표정은 너무도 담담했고, 헤어지자는 말을 뱉는 음성은 눈 서리보다도 차가웠다.

"사랑하게 돼서요, 서준원 씨를."

"……네?"

준원은 도희가 하는 말을 이해할 수가 없었다. 그녀가 뱉는 모든 말들이 그저 농담이기를 바랐다. 하지만 도희의 표정에는 조금의 웃음기도 서려 있지 않았고, 그 어느 때보다도 냉담했다.

"내가 서준원 씨를 진심으로 사랑하게 되어 버려서…… 이제 그만해야겠어요."

할 말을 잃은 준원은 그저 굳게 다물린 입술만 달싹거렸다. 작게 숨을 고른 도희는 그 어느 때보다도 침착하게 말을 이었다.

"난 요즘 준원 씨가 어디서 뭐 하는지 24시간 내내 궁금하고, 사소한 말 하나에 바보처럼 얼었다가 녹았다가 해요."

"……."

"같이 아침 점심 저녁 다 먹었으면 좋겠고, 다른 여자랑 말 섞는 것도 싫어요. 남들처럼 평범하게 손잡고 길거리 걷고 싶고, 영화도 보러 가고 싶고……."

그녀가 픽 허탈한 숨을 뱉었다.

"사랑한다는 말도 듣고 싶어요."

당신을 이만큼이나 사랑하니까.

"하지만 서준원 씨는 아직도 사랑이 뭔지조차 몰라요. 그렇죠?"

"……."

심장이 떨어지는 듯한 기분에 준원의 눈꺼풀이 흔들렸다.

"준원 씨가 아무렇지 않게 던지는 행동, 말 하나하나에, 하루에도 수백 번 오르락내리락하는 거…… 나 이제 정말 지긋지긋해요."

뭐라고 말을 해야 할지 몰라 준원은 그저 가만히 도희를 응시할 뿐이었다. 그런 그를 똑바로 주시하며 도희는 흔들림 없는 음성으로 말했다.

"무엇보다도, 난 더 이상 약해지고 싶지 않아요."

욱신거리는 가슴을 부여잡으며 도희는 진심 어린 속삭임을 이어갔다.

"이제 행복해질 자신이 없거든요. 평생 불행을 안고 살아가는 게 내 운명인 것 같아서……. 그래서 원래의 나로 돌아가고 싶어요."

서준원을 알기 전의 그녀로. 스스로 아픈 것도 괴로운 것도 모르고, 피투성이가 된 채로 그저 묵묵히 살아 내던 그때로. 그 누구도 사랑하지 않던 그때로……. 심지어는 자신까지도 사랑하지 못했던.

"나 너무 지쳤어요. 그냥 다 포기하고 싶어요."

도희는 힘 풀린 손으로 제 머리카락을 쓸어올렸다.
“전에 준원 씨가 그랬죠? 이대로 평탄하게 죽을 때까지 아무런 특이점이 발생하지 않는 게 꿈이라고.”
“…….”
“나도 그게 꿈이에요.”
쏟아지는 시선을 도희는 피하지 않고 정면으로 맞닥뜨렸다.
“그러니까 헤어지자는 거예요.”
“왜 이야기가 그렇게 되는 겁니까?”
도저히 이해할 수가 없던 탓에, 준원은 자신의 미간을 좁혔다. 하지만 들려오는 도희의 대답은 너무도 의외였다.
“서준원 씨가 내 인생의 특이점이니까.”
어둑한 동공이 휑하니 울렸다.
“불행한 주제에 불행한지조차도 모르고 치열하게 살아가던 나한테, 너 지금 지쳤다고, 이 정도면 충분히 오래 버텼다고…….”
꿋꿋하게 잇는 도희의 목소리가 안쓰럽도록 떨렸다.
“나한테 기대도 된다고, 서준원 씨가 내게 알려 줬으니까. 그래서 내가 약해졌으니까.”
미세하게 갈라진 음조가 텅 빈 거실을 메웠다.
“아무것도 모를 때는 불행을 견딜 수 있었어요. 그런데 당신이 나한테 행복을 가르쳐 줘서…….”
울컥한 도희의 숨이 가늘게 떨려 왔다.
“그래서 이제 더 힘들어졌어요.”
행복을 알고 나니 불행을 이겨 낼 수가 없었다. 사랑을 알고 나니 그만한 아픔이 따라왔다.

"그러니까 헤어져요, 우리."

그녀는 더 이상 이 모든 것을 견딜 힘이 없었다.

"……."

준원은 충격에 말을 이룰 수 없었다. 무언가에 머리를 한 대 얻어맞은 사람처럼 아무 말이 없었다. 잠시 멍하니 도희를 바라보던 준원은 시야가 부서져 내리는 듯한 착각에 휩싸였다. 맥 풀린 얼굴로 한참을 멍하니 있던 준원은 지금 이 상황을 이해할 수 없다는 듯 고개를 저었다.

"내 용건은 이걸로 끝이에요."

왜 그게 우리가 헤어져야 하는 이유인 건지…….

"서준원 씨 할 말은 뭐예요?"

"……."

도희의 물음에 준원은 아무런 대답을 할 수 없었다. 꼭 언어를 잃은 사람처럼 입술만 달싹거릴 뿐이었다.

"……할 말 없나 봐요. 그렇죠?"

도희는 픽 헛웃음을 터뜨렸다. 이러한 상황에서 붙잡긴커녕 아무 말도 하지 않다니. 예상은 했지만 역시 처음부터 끝까지 참 한결같은 남자였다. 온갖 서러운 감정이 도희의 안에서 소용돌이쳤다.

"어쨌든 알아들은 걸로 알게요."

그 모든 감정을 꾹꾹 숨기고서 도도하게 한마디를 뱉었다. 속으로는 따지고 싶은 말들이 혀끝까지 차 있었으나, 이 한마디로 갈음했다. 준원은 아무 말도 하지 않고 도희를 가만히 내려다볼 뿐이었다.

"……."

그 뜨거운 시선을 받는 도희는 왠지 울컥해 눈물이 날 것만 같았다. 아프게 입술을 짓씹으며 울음을 견뎌 냈다. 크게 심호흡하며 마음을 가라앉히고 얼굴색을 완벽히 바꾸었다.

"……도희 씨."

한참 동안 침묵을 유지하던 준원이 처음으로 뱉은 것은 도희의 이름이었다.

"난……."

타들어 가는 화염이 목구멍을 불태우는 듯했으나, 이를 악물고 한 마디, 한 마디를 내뱉었다.

"이렇게 끝내고 싶지 않아요. 나는……."

"아버님 상속 때문이라면."

도희는 차갑게 말을 끊었다.

"상속 조건인 한 달 셀카는 내일이면 끝이고, 남은 하루분 인증 사진은 전에 예비로 찍어 둔 거 많으니까 상관없잖아요? 그리고 아버님한텐 헤어졌다고 말 안 할 거니까 걱정할 필요 없어요."

"……."

준원이 말하고자 하는 것은 그런 게 아니었다. 이제 상속 따위는 아무래도 좋았다. 하지만 이미 도희는 마음의 문을 굳게 닫은 듯 냉정하게 고개를 돌렸다.

"뭔가 헤어질 사이에 불장난한 것처럼 돼서 조금 그렇긴 하지만……."

미리 챙겨 두었던 제 가방을 들며 도희가 준원을 흘끔 곁눈질로 보았다.

"어쨌든 어제 서준원 씨와의 밤은 좋았어요."

뚜벅뚜벅 걸어 현관문의 문고리를 잡았다.

"후회하지는 않아요."

쾅, 그 말과 동시에 현관문이 닫혔다. 그 뒤로 홀로 남은 준원이 굳게 닫힌 문을 가만히 바라보았다. 여러 생각이 뒤죽박죽으로 섞인 그의 속은 그야말로 엉망진창이었다.

"……하."

곧 자리를 박차고 일어난 준원이 현관문을 열고 집 밖으로 뛰어나가 도희를 찾았다. 그녀는 막 엘리베이터를 타려고 하고 있었다. 준원이 서둘러 그녀의 어깨를 잡아 살짝 당겼다.

"잠깐 나하고 제대로 얘기 좀……."

채 말을 이을 수 없었다. 도희의 하얀 뺨이 눈물로 흠뻑 적셔져 있었기 때문이었다. 놀란 그의 동공이 거칠게 흔들렸다. 그대로 딱딱하게 굳어 우는 도희를 멍하니 바라보았다.

"……."

그대로 준원의 팔을 뿌리친 도희는 도망치듯 엘리베이터 안으로 뛰었다. 쿵, 엘리베이터 문이 닫히고 준원은 그 자리에 발이 묶인 사람처럼 한참을 우두커니 서 있었다. 넋이 나간 채로 망연하게 도희가 떠난 자리를 묵묵히 응시할 뿐이었다.

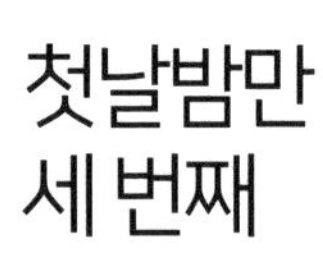

첫날밤만 세 번째

VOL. 3

Three First Nights

CHAPTER 15

그대에게 들려주고 싶은 말

15

그대에게 들려주고 싶은 말

무작정 거리로 나온 도희는 목적지 없이 다리를 옮겼다. 12월의 찬 바람이 공연히 옷깃 사이로 깊숙이 파고들었다가 빠져나갔다. 무표정하게 걷던 도희의 눈꺼풀이 미세하게 경련했다. 이내 다시금 눈가가 촉촉해지며 투명한 눈물이 볼을 타고 굴러떨어졌다.

"……흐윽……."

입술을 질끈 깨물었다.

"흑……. 흐윽……."

울고 싶지 않은데 바보처럼 눈물이 멈추지를 않았다. 결국 도희는 그대로 길 한가운데에 주저앉아서 엉엉 아이처럼 울어 버렸다.

'끝까지 사랑한다는 말을 안 해 줬어, 넌…….'

치솟는 서러움에 핸드폰을 들어 바닥에 세게 던져 버렸다. 아스팔트에 부딪힌 액정이 산산이 깨졌으나, 그보다 더욱 아프게 조각난 것은 도희의 가슴이었다.

"……흐윽, 흑……."

오늘까지만 울 거야. 이제 다시는 상처 받지 않을 거야.

'제발…….'

이제는 나에게 평온이 찾아오기를. 내가 약해지는 일이 생기지 않고, 내 감정을 흔드는 일도 생기지 않고…… 사랑에 휘청거리는 일도 생기지 않기를. 도희는 그렇게 되뇌고, 또 되뇌었다.

홀로 집에 남은 준원은 한참 동안 멍하니 소파에 앉아 넋을 놓고 있었다. 지금 이 상황이 현실이라는 것을 믿을 수가 없었다.

……왜 일이 이렇게 된 거지? 대체 어디서부터 잘못된 건지…….

속이 답답해서 미칠 것만 같았다. 준원은 가빠지는 숨과 함께 옥죄어 오는 가슴을 한 손으로 움켜쥐었다.

"……도희 씨."

왜 이렇게 된 건지 모르겠어. 우리는 분명히 서로 좋아했는데. 지난밤만 해도 그녀는 날 보고 웃어 줬는데. 환하게 웃으며 내 품에 안겼으면서, 도대체 왜…….

"하……."

준원은 고통스러운 숨을 뱉으며 고개를 떨구었다. 밀려오는 충격에 손끝이 떨려 왔다. 준원의 옆에 놓여 있는 것은 끝내 도희에게 주지 못했던 선물이었다. 준원은 그 향수가 담긴 쇼핑백을 가만히 바라보다가 지난 일들을 돌이켜 보았다.

"……어떻게 해야 했던 걸까."

그날 밤, 자는 척 등 돌리고 있던 도희를 깨우고 향수를 선물했다면?

아니, 그녀가 조금 전 할 말이 뭐냐고 물었을 때도 늦지 않았을 터였다. 그때 진심을 말했었다면, 마음을 돌릴 수 있을지도 몰랐는데…….

자책과 함께 고통과 괴로움이 밀려왔다.

어느덧 그로부터 나흘이라는 시간이 흘렀다. 두 사람은 매일 회사에서 얼굴을 마주했으나, 도희는 준원을 회사 상사, 그 이상으로도 이하로도 대하지 않았다.

아직 아무런 정리를 하지 못한 준원에 비해, 도희는 벌써 마음 정리를 한 듯 보였다. 심지어 도희는 부서 이동을 하고 싶다는 얘기까지 조금의 표정 변화도 없이 준원에게 덤덤히 알려 왔다. 점점 하나둘 도희와의 접점이 사라지고 있었다.

……정말 이대로 아무런 관계도 없는 남이 되어 끝나는 걸까.

수요일 밤, 이 상황을 받아들일 수 없었던 준원은 도희를 만나 다시금 대화를 나누기로 했다. 자정이 가까워진 늦은 시간이었지만, 준원은 도저히 이대로 끝낼 수는 없어 도희의 집 앞으로 찾아갔다. 근처에 차를 주차하고 도희에게 전화를 거는데, 의미 없는 연결음만 길게 늘어질 뿐 도희는 전화를 받지 않았다.

"……하아."

깊게 한숨을 내쉬며 초조하게 도희의 아파트 입구를 망연히 바라보았다. 이내 아파트 입구에서 익숙한 실루엣이 걸어 나오는 것을 발견한 준원의 눈이 커졌다. 도희였다. 때마침 운 좋게 아파트 밖으로 걸어 나온 것이었다. 반색한 준원은 차에서 내리기 위해 문고리를 잡았다.

"……."

그러나 뒤이어 도희의 집에서 나오는 한 남자에 준원의 눈동자가 고요히 흔들렸다. 뒤이어 나온 거구의 남자는 다름 아닌, 강이언이었다. 무슨 얘기를 하는지 두 사람은 바쁘게 떠들고 있었고, 그녀는 휴대전화에 걸려 온 준원의 전화를 흘끔 보고는 곧바로 거절을 누르고 꺼 버렸다.

심장이 쿵 내려앉은 준원은 그대로 떨리는 손을 내렸다. 지금 이 순간, 정말로 그녀와의 관계가 끝이 났음을 실감했다. 숨이 턱턱 막히는 듯한 느낌에 제 가슴을 세게 두드렸다. 언제까지나 그녀가 제 곁에 있는 것이 아니었다는 걸, 끝이 나고서야 깨닫고 말았다.

다른 남자 옆에서 환하게 웃는 도희의 모습을 보니 숨이 잘 쉬어지지 않았다. 준원은 핸들에 머리를 대고 겨우 힘겹게 숨만 몰아쉬었다. 미쳐 버릴 것만 같았다. 내면에서 무언가가 폭발하는 듯했다. 이런 감정은 20년 전, 어머니가 돌아가신 이후 처음이었다.

"하……."

쾅, 저도 모르게 핸들을 내리쳤다. 이제 정말 기회는 없는 걸까. 준원은 밀려오는 후회에 눈을 질끈 감았다. 다시 한번 도희가 제게 웃어 준다면, 다시 한번 그녀를 안을 수 있다면, 다시 한번 그녀의 손을 잡을 수 있다면, 준원은 속으로 바라고 또 바랐다.

"야, 형광등 교체해 줘서 고맙다. 커버 벗기는 거부터 막혔는데."

집 형광등 교체를 도와준 이언의 배웅을 나온 도희가 그의 어깨를 툭 쳤다.

“하여간 이 끝내주는 형님 없으면 어떻게 사냐, 너는?”

이언이 너스레를 떨며 도희의 어깨에 팔을 둘렀다. 오랜만에 도희를 만난 이언은 아쉬움에 쉽사리 떠나지 못하고 아파트 입구에서 도희에게 연신 말을 걸었다.

“야, 근데 생각해 보니까 네 남친은 얻다 팔아먹고 나한테 부탁하냐? 그 사람 키도 나만큼 크던…….”

“헤어졌어.”

놀란 이언이 움찔했다.

“……어?”

당황한 이언이 어리숙하게 뒷머리를 긁적이며 눈을 크게 떴다.

“왜? 서로 좋아 죽는 것 같더니.”

“서로 아니야. 나만 좋아했어. 그래서 헤어졌고.”

“…….”

‘너만 좋아했다고? 그건 아닌 것 같은데…….’

이언은 도희가 헤어졌다는 소식이 그다지 기쁘지 않았다. 누가 보더라도 그녀의 얼굴에는 아직 미련이 가득했기 때문이었다.

“……야.”

서로 사랑하는데 이별한 상황에, 양심 없이 끼어들 생각은 없었다. 도희를 사랑하는 사람이기 이전에, 그녀를 가족처럼 아끼는 절친으로서 그녀의 행복이 무엇보다도 최우선이었다.

“그…… 있잖아. 백또.”

“응?”

"남자들은 종종 표현을 못 할 때가 있다? 그래서 오해받을 때도 많아."

고민하는 듯 이언이 천천히 말을 이었다.

"물론 감정의 속도가 똑같을 수는 없지만 결국 흐름은 같거든."

"……."

"내가 봤을 때…… 그 사람이 널 사랑하지 않았던 게 아니고, 그냥 그게 그 사람 사랑 방식 아니었을까…… 싶은데."

그가 모호하게 힌트를 주듯이 말하자 도희가 픽 웃음을 터뜨렸다.

"네가 그런 말 하니까 조금…… 놀랍다."

"큼……."

약간 머쓱해진 이언이 큼큼, 헛기침했다. 확실히 좋아하는 여자의 전 남자 친구를 두둔하는 건 정상적인 사고에서 나오는 행동은 아니었다.

"난 뭐, 어쨌든!"

도희를 향해 환하게 웃어 보인 이언은 그녀의 어깨를 툭툭 두드렸다.

"그냥 네가 행복했으면 좋겠어."

오로지 너의 행복이 전부야. 정말로 그뿐이니까.

이른 아침, 준원은 천천히 눈꺼풀을 들어 올렸다. 멍하니 허공을 바라보던 그는 이내 제 옆자리를 손으로 짚었다.

"……."

당연하게도 아무것도 손에 잡히지 않았다. 늘 봐 왔던 도희의 가느다란 손도, 둥근 어깨도, 하얀 얼굴도. 어느 것도 그의 옆에는 존재하지 않았다.

"……하."

서른세 살이 될 때까지 준원은 한평생을 외롭게 살아왔다. 수십 년의 세월 동안, 혼자 자고 일어나는 것이 너무도 당연했는데…….

딱 한 달이었다. 겨우 한 달이라는 시간 동안, 눈 뜨고 일어나면 도희의 얼굴이 보였었다. 함께 잠들고, 함께 눈을 뜨고. 단 한 달 동안 그렇게 지냈는데, 그녀가 사라지자 마치 평생을 함께했던 무언가를 잃은 기분이었다. 도희의 빈자리가 이토록 크게 느껴질 줄은 몰랐다. 눈을 떴을 때 그 하얀 얼굴이 옆에서 새근새근 자고 있지 않다는 게 이토록 공허한 일인 줄은…… 그는 지금껏 모르고 있었다.

"……."

혼자 잠자리에 들고, 혼자 아침을 먹고, 혼자 출근 준비를 하고, 집에 돌아왔을 때도 홀로…….

"제발……."

준원은 20년 만에 처음으로 외로움이란 감정을 느꼈다. 모든 게 억울하면서도 미칠 것 같았다. 괴로움에 숨이 잘 쉬어지지 않는 와중, 벽에 걸린 LED 시계에 적힌 오늘의 날짜가 시야에 들어왔다.

12월 24일. 오늘은 크리스마스이브, 도희의 생일이었다. 잠시 고민하던 준원은 서재로 향해 펜을 집어 들었다.

'잘 잤니, 우리 딸?'

……그만.

'일곱 번째 생일 축하해. 오늘 엄마랑 아빠랑 셋이 놀이공원 놀러 갈까?'

그만……!

'잘 잤니, 우리 딸?'

제발 그만……!!!

'일곱 번째 생일 축하해. 오늘 엄마랑 아빠랑 셋이 놀이공원 놀러 갈까?'

계속해서 머릿속에서 재생되는 과거의 악몽에 도희는 몸부림쳤다. 꿈인 걸 알면서도 깨어나지 않는 탓에 미쳐 버릴 것만 같았다.

'잘 잤니, 우리 딸?'

확 몸을 일으킨 도희는 거친 호흡을 산발적으로 토해 냈다. 힘겹게 숨을 고르며 땀에 젖은 이마를 짚었다.

"하아, 하아……."

잠시 동안 공황에 빠졌던 도희는 몸을 움츠리며 바들바들 떨었다. 눈물 젖은 눈가를 꾹 눌렀다가 떼며 계속해서 불안정한 호흡을 이어갔다.

"……싫어."

도희는 생일이 세상에서 제일 싫었다. 생일이라고는 하지만 부모에게 버려진 날이었기에 이날만 되면 악몽을 꾸고는 했다.

"가지 마……."

도희는 머리를 좌우로 세차게 흔들며 울부짖었다.

"제발, 나 버리지 마……!"

아직도 꿈에서 벗어나지 못해 도희는 눈물을 쏟아 내며 소리쳤다.

두 손을 모아 허공에 대고 빌고 또 빌며 버리지 말라고 애원했다. 격해진 감정으로 그렇게 한참을 허우적거리고 있는데, 돌연 따뜻한 온기가 도희의 몸을 감싸 안았다.

'알겠어요. 내가 같이 있어 줄게요.'

귀에 익은 저음이 달콤하게 울리며 얼어붙은 심장을 다독였다.

'내가 옆에 있어 줄 테니까…….'

느릿하게 흘러가는 목소리.

'울어도 괜찮아요.'

준원의 속삭임에 울컥한 도희의 눈가에 촉촉한 물기가 차올랐다. 주르륵 흐른 눈물이 아무렇게나 쏟아졌다.

"……흐윽."

정신을 차린 도희의 얼굴이 형편없이 일그러졌다. 눈물은 멈출 줄 모르고 쏟아지고 도희의 손은 파르르 떨려 왔다.

"……서준원."

역시나 전부 허상이었다. 저를 위로하는 서준원마저도 꿈의 일부였다. 자고 일어난 도희가 맞이한 것은 아무도 없는 쓸쓸한 새벽의 공기였다.

"보고 싶어……."

지금 이 순간, 그가 보고 싶어서 미칠 것만 같았다. ……대체 언제쯤 무뎌질 수 있을까. 언제쯤 당신을 잊을 수 있을까. 난 언제쯤 당신을 알기 전의 나로 돌아갈 수 있을까…….

아니, 돌아갈 수 있기는 할까?

지금껏 살아왔던 30년의 세월보다, 서준원과 함께한 4개월이…….

"흐윽…… 흑……."

……더 빛났어.

도희는 서러움에 참았던 눈물을 전부 터뜨려 버렸다.

"좋은 아침."

몇 시간 뒤, 도희는 언제 울었냐는 듯 평소보다 배는 밝은 모습으로 회사에 출근했다.

"과장님, 생일 축하드려요!"

"응, 고마워, 새봄 씨."

"오늘 기분 되게 좋으신가 봐요! 생일이셔서 그런가?"

어깨를 으쓱한 도희는 환하게 웃었다. 억지로 들어 올리는 입꼬리가 욱신거렸으나, 이렇게라도 하지 않으면 금방이라도 눈물이 터질 것만 같았다.

'……대체 왜 이렇게까지 약해진 거지, 나.'

자꾸만 감정을 억누르지 못하고, 느끼는 그대로 표출하게 되었다. 이건 전부 준원을 사랑하게 되면서 얻은 증상들이었다.

"과장님, 오늘 생일이시죠? 축하드려요! 이건 선물."

"뭘 이런 걸 다 준비했어. 어쨌든 고마워, 양 대리."

"크리스마스이브가 생일이라니, 너무 낭만적이에요!"

생일에 얽힌 사연을 전혀 모르는 지예가 신이 나서 떠들자 도희는 그저 웃음으로 회답할 뿐이었다. 새봄과 지예를 제외하고도 얼굴을 마주한 동료들은 모두 도희의 생일을 축하해 주었다. 단 한 사람, 준원을 제외하고. 그는 끝내 도희에게 생일을 축하한다고 말하지 않았다.

‘이제 아무래도 좋아.’

더 이상 그의 행동 하나에 일희일비하며 상처받지 않기로 마음먹은 도희였다. 그러기 위해 이별도 감내한 것이니 도희는 하루빨리 예전의 냉철한 모습을 되찾아야만 했다.

그날 저녁, 퇴근한 준원은 멍하니 소파에 누워 천장을 바라보았다. 오늘 회사에서 본 도희의 얼굴은 그 어느 때보다도 안쓰러웠다. 트라우마의 아픔을 숨기고 억지로 입꼬리를 올리는 모습에 다른 사람들은 모두 그녀가 오늘따라 기분이 좋다며 떠들어 댔었다. 오로지 준원만이 눈치챌 수 있었다. 웃는 얼굴 아래에 숨겨진 깊고도 어두운 심연을.

“하아…….”

부쩍 한숨이 늘어난 준원은 오늘도 길게 숨을 내뱉었다. 아무렇게나 머리를 쓸어올린 순간 초인종이 울려 퍼졌다.

“…….”

혹시, 하는 생각에 빠른 속도로 자리에서 일어난 준원은 조급하게 현관으로 걸어갔다. 벌컥 문을 열자 문 앞에는 그토록 그리웠던 얼굴이 서 있었다.

“이제 문 따고 막 들어오기 좀 그렇더라고요.”

퉁명스러운 말투였으나 준원은 도희가 왔다는 사실 자체에 울컥하고 말았다.

“오늘 나머지 짐 가지러 왔어요. 내일 휴일이기도 하니까 그냥 오늘 전부 빼는 게 나을 것 같아서."
"……."
하지만 그녀가 찾아온 이유는 너무도 허무한 것이었다. 힘 빠진 준원의 동공이 고요하게 떨렸다.
"……그래요."
멀뚱히 서 있는 준원을 스쳐 지나간 도희는 자신의 방으로 들어가 커다란 캐리어에 짐을 담기 시작했다. 그런 도희를 뒤에서 지그시 바라보며 준원은 조심스레 입을 열었다.
"혹시……."
"네?"
"요즘 강이언 씨, 만나고 있어요?"
"……제가 누구를 만나든 말든. 그게 팀장님하고 무슨 상관인지 모르겠네요."
도희는 준원 쪽으로는 시선도 주지 않고 짐을 싸는 데에만 열중했다. 그런 도희를 앞에 두고 준원은 이제 슬슬 미묘한 기분이 되려고 했다.
"대체 왜 그러는 거예요?"
그의 말투는 마치 화가 난 듯이 들렸다. 도희는 대꾸하지 않고 묵묵히 남은 짐을 캐리어에 차곡차곡 넣었다. 차분하게 짐 정리를 마치고 느슨하게 캐리어 손잡이를 끌며 현관문 쪽으로 향했다. 말없이 문고리를 쥔 도희는 천천히 눈동자를 들어 올려 준원을 올려다보았다. 시선을 내리깐 준원은 도희의 동공을 뚫어져라 응시했다.
"그거 알아요?"
붉은 입술이 벌어졌다.

"사랑 하나 때문에, 사람이 살아요."

그렇게 말하는 도희의 눈가는 붉게 부풀어 올라 있었다.

"또 사랑 때문에, 사람이 죽기도 하고요."

"……."

"절대 그거 무시하면 안 돼요. 생각보다 더 엄청나고…… 무서운 거더라고."

금방이라도 눈물을 터뜨릴 것 같은 눈이었다. 촉촉하게 젖은 눈이 준원을 직선으로 응시하며 말을 건넸다.

"그걸 서준원 씨도 언젠간 깨닫길 바라요."

그 말을 끝으로 도희는 차갑게 뒤를 돌았다. 동시에 무언가가 끊긴 준원은 곧장 도희의 어깨를 잡아 세웠다.

"아직 난 말 안 끝났어요. 거기 서요!"

"싫어요! 그쪽이 뭔데 서라 마라야!"

"왜 자꾸 내 말은 듣지 않는 건데요?"

"듣지 않았다고요? 내가 언제 듣지 않았는데?"

울컥한 도희의 눈가에는 결국 눈물이 고이고 말았다.

"난 계속 기다렸어요! 서준원 씨 마음이 내 마음과 같아지기를!"

울음을 터뜨린 도희는 악에 받쳐 소리쳤다.

"이제 와서는 전부 소용없어요. 난 이미 그쪽 정리하기로 마음먹었고! 지금 무슨 말을 해도 전부 변명으로밖에 안 들릴 테니까!"

충격에 젖은 까만 눈동자는 풍랑을 맞은 돛단배처럼 흔들렸다. 그 동공에 담긴 도희는 거칠게 숨을 몰아쉬며 눈을 지그시 감았다가 떴다.

"……예전에 나 때문에 사랑이란 말에 무게가 생겼다고 했죠?"

"……."

"포장하지 마요. 그건 비겁한 거야. 뱉은 말에 책임지고 싶지 않으니까 아꼈던 거야."

차갑게 쏘아붙인 도희는 그대로 확 뒤를 돌았다. 그러나 한 걸음도 채 디디기 전에 준원이 도희의 손을 잡아 확 끌어당겼다. 속절없이 끌려간 도희는 준원의 품에 안기고 말았다.

"……."

도희의 눈꺼풀이 하르르 떨렸다. 갑작스럽게 느껴지는 온기에 당황한 도희는 어쩔 줄 모르고 서 있었다. 이내 퍼뜩 정신을 차리고 그의 가슴을 퍽 밀치며 소리쳤다.

"이거 놔요……! 뭐 하는……!"

흠칫한 도희는 뒷말을 이을 수 없었다. 우뚝 마주한 준원의 눈이 너무도 슬퍼 보인 탓이었다. 서준원이란 남자를 알게 된 이후, 처음으로 맞이한 표정이었다. 그 미치도록 괴로운 표정에 악독하게 힘이 들어갔던 도희의 손은 느슨하게 아래로 떨어지고 말았다.

"……."

두 사람은 말없이 서로를 응시했다. 준원은 낮은 시선으로 도희를 갈구하듯 내려다보았다. 그 열 오른 시선을 한 몸에 받으며 악에 찬 도희의 얼굴이 서서히 풀어졌다. 파도처럼 일렁이는 긴장이 두 남녀 사이에서 가파르게 오고 갔다. 결국 누가 먼저라고 할 것도 없이 준원과 도희는 동시에 서로의 입술을 찾아들었다.

쾅!

확 밀어붙이며 도희를 벽으로 몰아세운 준원은 거칠게 키스를 퍼부었다. 입술을 탐하고 그 내부까지 깊숙이 파고들어 무례하게 헤집어 놓는 행위는 평소의 준원답지 않게 조급하고 위압적이었다. 가느다란 팔로 그런 준원의 목덜미를 꽉 조인 도희는 거친 준원의 움직임에 맞춰 아무렇게나 몸을 맡겼다.

몇 번이고 거세게 턱이 비틀렸다. 도희는 준원의 척추를 손으로 더듬어 올라갔다. 그와 더욱 닿고 싶다는 욕망이 폭발하며 준원의 티셔츠 안을 깊게 파고들어 그의 맨살을 떨리는 손으로 쓸어내렸다.

물론 그 마음은 준원도 마찬가지였다. 아무래도 좋다는 듯 섬유를 잡아 뜯은 그는 무작정 입술을 묻었고, 도희도 아무렇게나 고개를 젖혔다. 이성을 잃은 두 남녀는 잠시 거친 호흡 속에 섞여 서로에게 빠져들었다. 열기 속에 타들어 가며 힘겹게 호흡하던 도희의 눈이 이내 우뚝 굳었다.

"……!"

퍼뜩 정신을 차린 도희가 확 준원을 밀치고 섰다. 당황한 듯 놀란 눈으로 황급히 제 앞섶을 정리했다. 완전히 엉망이 된 셔츠를 닫을 수가 없어 코트의 단추를 목 아래까지 잠그고서 뒤를 돌았다. 캐리어를 움켜쥔 도희는 그 어떠한 말도 없이 차갑게 문을 열고 나갔다.

'……미쳤어!'

완전히 미쳤다고! 제정신이 아니야, 백도희!

홀로 엘리베이터를 기다리는 도희는 자책하며 제 머리를 감싸 쥐었다. 이렇게 충동적으로 행동하면 안 됐는데……. 바보 같은 스스로를 원망하며 입술을 깨물었다. 다시는 이런 행동을 하지 말자고 다짐하며, 열린 엘리베이터 문 사이로 들어갔다.

그때, 덜컹, 닫히려는 엘리베이터 문 사이로 들어온 단단한 팔이 거칠게 문을 열어 버렸다. 흠칫 놀란 도희가 동그랗게 뜨여진 눈으로 준원을 올려다보았다.

"……뭐예요?"

당혹스러운 시선이 미끄러지듯 준원의 얼굴을 타고 아래로 향했다.

"이걸 주고 싶어서요."

흘러내려 도달한 곳은 준원의 손에 걸린 작은 쇼핑백 하나였다.

"그리고 도희 씨가 생일을 싫어할 것 같아서……."

흐릿해진 도희의 눈동자가 준원을 올려다보았다.

"축하한다고 말하고 싶지 않았어요."

그가 오늘 제게 생일 축하한다고 말하지 않은 것은 저를 배려한 행동이었다.

"대신……."

준원은 계속해서 주지 못했던 향수가 담긴 쇼핑백을 도희에게 건넸다.

"태어나 줘서 고마워요, 정말……."

가녀린 몸을 터뜨릴 듯이 꽉 끌어안은 준원은 도희의 귓불에 대고 낮게 속삭였다. 혼이 나간 도희가 멍하니 있는 동안 준원은 엘리베이터 밖으로 나갔고, 문은 쿵 닫혔다. 도희는 한참 동안 넋을 잃고 그 자세 그대로 멍하니 서 있었다.

트렁크에 캐리어를 넣고 집으로 향하는 택시에 올라탄 도희는 준원이 준 쇼핑백을 만지작거렸다. 얼떨결에 받아 오긴 했지만 내용물이 뭔지는 전혀 모르는 상태였다. 슬쩍 입구를 벌려 안을 확인한 도희는 이중 포장된 상자 케이스를 열어 보았다.

"……향수?"

눈동자가 초점을 잃고 멍하게 풀어졌다. 살짝 코끝에 가져다 대자 어디선가 많이 맡아본 향기가 어른거렸다.

"이건……."

저번 주, 준원이 여자 향수 냄새를 풍기고 밤늦게 들어왔을 때 났던 향수 냄새였다.

"이게 왜……?"

한쪽 눈썹을 찌푸린 도희는 이내 쇼핑백 안쪽에 작은 쪽지가 있다는 사실을 깨달았다. 천천히 꺼내서 펼쳐본 순간, 도희의 동공은 거칠게 요동쳤다.

〈저번 주에 거래처와 미팅 끝나고, 도희 씨 생각나서 백화점 들러서 하나 샀었어요.〉

단정한 필체는 준원의 것이었다.

〈여자 향수는 잘 몰라서 다 시향해보고, 잘 어울릴 것 같은 걸로 샀는데…… 마음에 들지 모르겠네요.〉

……난 대체 무슨 오해를 한 거야.

도희의 두 눈이 빨갛게 충혈되며 촉촉하게 눈물이 차올랐다.

"하……."

나한테 어울리는 향수를 고르겠다고 온몸에 향기가 밸 정도로 고심해서 선물을 산 사람인데……. 다른 여자를 만났다고 오해나 하고. 도희는 스스로가 바보처럼 느껴져 고개를 떨구었다. 눈물이 터질 것 같아 꾹 눈꺼풀을 누르고 이어진 활자들을 천천히 읽었다.

〈도희 씨, 난 이제 행복하고 싶은 욕심이 생겼어요.〉

발갛게 부어오른 눈가가 따끔거렸다.

〈하지만, 우리가 헤어지고 나서…… 내 인생에 도희 씨를 빼면 아무것도 남지 않는다는 걸 깨달았어요.〉

울컥한 도희는 제 입술을 꾹 짓눌렀다.

〈나한텐 도희 씨가 필요해요.〉

함께 행복해지고 싶으니까……. 마지막 문장을 읽는 도희의 시야가 뿌옇게 흐려졌다. 결국 또다시 터져 버린 눈물은 하얀 볼을 타고 하염없이 흘렀다.

"기사님, 아까 거기로 돌아가 주세요."

내리는 빗물이 창문을 두드리며 도희의 가슴도 촉촉이 적셨다. 도희는 곧장 준원에게 전화를 걸었으나 그는 받지 않았다.

"왜 안 받아……."

제발 받아. 지금 당장 만나고 싶단 말이야…….

터질 것 같은 가슴을 손으로 부여잡으며 도희는 택시에서 내렸다. 계속해서 전화를 받지 않는 통에 도희는 빠르게 신호등으로 뛰어갔다.

"……어?"

숨이 우뚝 끊겼다. 건널목 저편에 가만히 서 있는 익숙한 남자를 본 탓이었다.

"서준원 씨!"

큰 소리로 그를 부르자 그가 고개를 들어 도희를 바라보았다. 놀란 준원의 눈이 커졌다. 그는 순간 제 눈이 잘못된 것인가 싶어 두 눈을 감았다가 떴다. 술을 사러 잠시 밖에 나왔는데, 분명히 택시를 타고 떠났던 도희가 건널목 저편에서 손을 흔들고 있었던 탓이었다.

"준원 씨. 내가 그쪽으로 갈게요! 기다려요!"

그녀의 외침을 듣는 준원은 난생 겪어 본 적 없는 고양감을 느꼈다. 신호가 초록 불로 바뀌고, 그 어느 때보다도 밝게 웃는 얼굴로 준원은 조급하게 걸음을 옮겼다. 그런 그에게 향하는 도희의 걸음도 준원 못지않게 빨랐다.

빗물에 거리가 미끄러운데도 도희는 다급한 걸음걸이로 건널목에 올랐다. 찰박찰박, 빗소리가 요란하게 울리는 찰나. 준원의 고막으로 끼이이익, 하는 소리가 들려왔다. 반사적으로 돌아본 곳에서는 승용차 한 대가 도희를 향해 달려오고 있었다. 순식간이었다.

쾅!!!

맹렬한 기세로 질주하는 승용차는 그대로 가녀린 몸을 부서뜨렸다. 엄청난 굉음과 함께 튀어 오른 뒤 떨어지는 광경은 준원의 두 눈에 똑똑히 그려졌다. 그 경로를 따라 준원의 심장도 곤두박질쳤다. 준원은 그대로 들고 있던 우산을 툭, 떨어뜨렸다. 쏟아지는 빗물에 섞여 붉은 선혈이 심장의 파동처럼 서서히 번져 갔다.

툭, 떨어진 우산처럼 준원의 심장도 저 멀리 곤두박질쳤다. 망가진 인형처럼 아무렇게나 널브러진 도희 주변으로 붉은 선혈이 심장의 파동처럼 번져 갔다.

"안 돼……."

탁 풀린 까만 동공이 거칠게 뒤흔들렸다.

"도희 씨!"

하얗게 질린 준원은 곧장 달려가 바닥에 축 늘어진 도희를 안아올렸다.

"왜……."

충격에 말을 채 이루지 못하는 준원의 동공이 떨렸다. 패닉이 온 준원은 도희를 안고 어쩔 줄 모르며 입만 벙긋거렸다.

"……빨리."

구급차를 부르기 위해 정신이 나간 사람처럼 더듬더듬 핸드폰을 주워 들었으나, 아까 달려올 때 떨어뜨린 탓인지 화면이 들어오지 않았다.

"여기 119 불러 주세요! 어서!"

"네, 네!"

주변에 웅성거리며 모여든 사람들에게 구급차를 불러 달라고 요청하자 그중 한 사람이 다급하게 119에 연락했다. 도희를 떨리는 손으로 안은 준원은 그녀의 상태를 살폈다. 외상은 말을 이룰 수 없을 정도로 심각했다. 관절은 다 부서진 듯했고, 머리에서는 피가 멈추지 않고 계속해서 흘러나왔다.

"……하."

피와 수분이 전부 증발한 사람처럼 준원의 낯이 창백해졌다. 시체처럼 축 늘어진 도희는 몸이 깨지는 듯한 고통에 천천히 숨을 내몰아 쉬었다.

"하아……."

도희의 미간이 고통스럽게 일그러졌다. 온몸을 옥죄어 오는 통증에 손가락 하나 까딱하기 힘들었다.

"……왜."

왜 이렇게 된 거지. 이렇게까지 운이 없을 일이던가. 어이가 없어 도희는 숨소리처럼 헛웃음 쳤다.

'역시 거지 같은 인생…….'

이렇게 허무하게 끝날 운명이었구나. 질끈 눈을 감자 머리로 뜨끈한 감각이 더욱 옥죄어 왔다.

"조금만 참아요……."

붉은 피를 흘리는 도희의 손을 움켜쥐며 준원은 떨리는 입술을 움직였다.

"곧…… 구급차 올 거예요."

도희는 정신이 끊어질 것만 같았지만 몇 번이고 다잡으며 이를 악물었다.

"……준원 씨……."

점점 몸에서 힘이 빠지는 느낌에 막연한 공포가 몰려왔다. 도희가 힘겹게 입술을 움직여 한마디를 뱉었다.

"나…… 무서워요……."

눈가가 일그러지며 빨갛게 충혈된 도희의 눈가에 눈물이 고였다. 그 눈물을 떨리는 손으로 닦은 준원이 단호하게 고개를 저었다.

"걱정하지 마요. 괜찮을 거예요……."

피로 뒤덮인 뺨을 쓰다듬자 가려져 있던 하얀 피부가 드러났다. 완전히 피범벅이 된 도희는 의식을 잃어 가는 듯 눈을 감았다가 떴다가를 반복했다.

"……."

그럴수록 점차 증폭되는 것은 준원의 불안감이었다. 충격적인 상황에 이성이 끊어질 것 같았으나 악으로 버티며 도희를 지탱했다.

"아무 일도 없을 거예요."

"……준원……씨……."

도희는 의식이 흐려지는 와중에도 힘겹게 한 자, 한 자, 준원의 이름을 불렀다.

"아침……으로……."

시간이 되돌아갔으면 좋겠어. 끊어지듯 더듬거리던 도희는 뒷말을 채 잇지 못했다. 더는 말을 할 기운이 남아 있지 않은 탓이었다.

"제……발……."

무서워. 나 너무 무서워. 왠지 이대로면……. 이대로 가면 영영 눈을 못 뜰 것 같은데…….

"……하아."

사람은 자신이 죽을 때를 본능적으로 느낀다고 했던가. 도희는 피로 물든 시야에 담긴 준원의 얼굴 때문에 심장이 뜯겨 나가는 듯이 아팠다. 그의 표정은 난생처음 본 표정이었다. 모든 걸 잃은 사람처럼 절망에 휩싸인 얼굴……. 지금 그녀의 죽음이 그에게 다가가 새로운 상처로, 새로운 트라우마로 남게 될 것을 알기에 가슴이 미치도록 조여 왔다.

"나……."

하지만 꼭 그에게 하고 싶은 말이 있다. 만약 이대로 눈을 감는다면, 죽기 전에 당신에게 꼭 해 주고 싶은 말…….

"준원 씨를…… 만나고…… 4개월이……."

도희가 떨리는 숨을 뱉었다.

"30년 내 인생에서 가장 따뜻……했어……."

애쓰지 않아도 된다고. 가끔은 무너져도 좋다고. 그 한마디 해 줄 사람이 생겼으니까.

피로 뭉개진 발음은 알아듣기 어려웠으나 준원은 그녀의 말을 명확히 들었다. 두려움을 느끼는 것처럼 준원은 일그러진 얼굴을 도희의 손등에 묻었다. 파르르 떨리는 가냘픈 손끝이 준원의 얼굴을 스쳤다.

"사랑해요……."

그 말을 끝으로 툭, 추락하는 가느다란 팔의 경로를 따라 준원의 이성이 무너졌다.

"……도희 씨."

그의 입술이 파르르 경련했다. 사색이 된 준원의 몸이 거칠게 떨려 왔다.

"잠깐만요. 눈 떠요. 어서……."

정신이 나간 사람처럼 준원은 도희의 이름을 되뇌고 또 되뇌었다.

"도희 씨, 도희 씨……. 빨리……!"

쏟아지는 빗속, 준원의 처절한 외침이 일대를 울렸다.

"도희 씨!"

사고를 낸 차량은 음주운전으로 면허가 취소되었던 전적이 있는 무면허 차량이었다. 구급차에 실려 병원에 도착한 도희는 곧장 응급수술에 들어갔다. 불 켜진 수술실 앞에 멍하니 선 준원은 넋을 놓고 굳게 닫힌 문을 바라보았다. 온몸은 도희의 선혈이 묻어 범벅이 되었고, 옷은 내리는 비를 고스란히 맞아 엉망이었다. 하지만 준원은 제 차림새 따위는 전혀 신경 쓰지 않았다. 오로지 그의 머릿속을 채우는 것은…….

"왜……."

대체 왜 이렇게 된 걸까. 어쩌다 이렇게 된 거지?

……혹시 이건 악몽인가? 차라리 다 꿈이었으면…….

준원은 한 발짝도 움직이지 않고 서서 넋을 놓고 수술실 문을 바라보았다.

"……."

왜 그녀가 저 문 너머 수술대에 올라 있어야 하는 걸까.

"……하."

누군가 심장을 움켜잡고 뜯어내는 것 같았다. 깨질 듯 머리가 아프고, 못으로 쑤시는 듯 가슴이 아파 숨을 쉴 수 없었다. 칼로 생살을 도려낸다 한들 이보다 아플 수는 없었다. 산산이 부서지는 가슴을 움켜쥐는 그의 얼굴이 어그러졌다.

"……."

후들거리는 손에 들린 도희의 시계를 생명줄이라도 되는 양 꽉 움켜쥐었다. 시계의 깨진 유리판 조각이 살갗을 파고들며 쓰라린 생채기를 만들었지만, 그는 고통조차 느끼지 못했다.

"제발……."

한평생 입에 담아 본 적 없는 단어였다. 늘 건조한 그에게 '제발' 같은 간절함이 담긴 단어는 어울리지 않았다. 하지만 지금 그에게는 그 무엇보다도 도희의 안위가 중요했다. 제발 무사히 저 수술실 안에서 나오기를…….

"백도희 환자 보호자 분이시죠?"

그때, 수술실 문이 열리고 푸른 수술복을 입은 의사가 걸어 나왔다.

"네, 접니다. 그런데 왜 벌써……."

수술실에 들어간 지 약 한 시간도 지나지 않은 시간이었다. 벌써 수술이 끝났을 리 만무한데 집도의가 나온 것은 이상한 일이었다.

"무슨 문제라도……."

준원이 묻자 의사는 건조하게 기계적인 음성으로 말했다.

"정말 유감입니다만, 조금 전 환자분 사망하셨습니다."

준원의 심장이 아래로 떨어졌다.

"……네?"

"9시 59분, 백도희 환자분 운명하셨습니다."

까만 동공이 파들파들 떨렸다. 시야가 흐려지며 캄캄해졌다. 믿을 수 없다는 듯 준원은 고개를 저었다.

"응급실에 이송되었을 때부터 이미 손 쓸 수 없는 상태였습니다."

"……."

"유감입니다."

그렇게 말한 뒤 의사는 곧바로 저벅저벅 걸어 복도를 따라 사라졌다. 홀로 남은 준원은 도저히 이 상황을 믿을 수 없었다.

"……."

죽었다고……? 도희 씨가 죽었다고?

"아니야, 그럴 리 없어."

몸을 떨던 준원은 비틀거리며 이성을 잃은 사람처럼 벽을 쾅, 주먹으로 내리쳤다. 벽에 부딪힌 주먹은 뼈가 으스러지고 피가 터졌으나 준원은 그저 그럴 리 없다며 고개만 내저었다.

"아니야. 아니야……."

과호흡이라도 온 것처럼 거칠게 숨을 쉬던 준원이 그대로 자리에 주저앉았다. 제발 모든 게 꿈이기만을 빌고 또 빌었다. 그때, 어렴풋

한 시야의 저 멀리서 누군가가 황망하게 달려오는 모습이 보였다. 준원을 발견한 누리와 이언은 미친 사람처럼 다가와 준원을 둘러쌌다.

“서, 서준원 씨……!”

빨갛게 부어오른 눈을 한 누리는 곧바로 주저앉아 있는 준원의 양어깨를 붙잡고 따지듯 물어 왔다.

“대체 무슨 일이에요?! 도희는요? 네?”

“…….”

“도희가 저한테 서준원 씨 집에, 짐 가지러 간다고 했는데…… 둘이 같이 있었던 거 아니에요?”

누리는 울부짖으며 찢어지듯 소리쳤다.

“교통사고라니! 왜 갑자기 이렇게 된 거예요! 대체 그쪽은 뭘 하고 있었길래!!!”

목이 쉬도록 소리친 누리는 시뻘겋게 충혈된 눈으로 준원을 노려보았다.

“……죄송합니다.”

갈라진 목소리로 한마디를 뱉은 준원은 고개를 떨구었다.

“……흐윽…….”

왈칵 울음을 터뜨린 누리는 고개를 좌우로 저으며 오열했다. 입을 틀어막고 꺽꺽 숨도 잘 쉬지 못하는 누리를 뒤로 보낸 이언이 준원의 어깨를 퍽 쳤다.

“됐고, 도희 지금 어디 있어요?”

이성을 잃기 직전이었던 이언이 차분하게 물었으나 준원은 묵묵부답이었다.

“왜 말 안 합니까? 도희 어떻게 된 거냐고 묻잖아요!”

혼이 나간 사람처럼 허공을 응시하는 까만 동공은 그녀의 비보를 예감하게 했다. 커다란 손이 준원의 멱살을 콱 움켜쥐었다.

"도희 어디 있냐고!!!"

모든 걸 잃은 사람처럼 늘어진 준원의 옷깃을 붙잡고 이성이 끊긴 이언은 고함을 질렀다.

"빨리 대답해, 이 새끼야!!!"

그러나 이미 감당할 수 없는 절망감에 휩싸인 준원은 아무 말도, 동작도 하지 않고 그저 가만히 있을 뿐이었다. 미동도 없이 가만히 있는 행동에서 모든 걸 예감한 이언의 얼굴이 형편없이 일그러졌다. 촉촉한 물기가 눈가에 고이고, 이언은 한 손으로 제 눈가를 짚었다. 그을린 손바닥 틈새로 눈물이 주르륵 흘렀다.

"도희야……."

이성을 잃은 누리는 그대로 바닥에 쓰러져서 엉엉 울며 악을 썼다.

"우리 도희……! 내 친구 살려 내요!!! 우리 도희 살려 내!!!"

소리치며 우는 두 사람의 앞에서 준원은 죄인이 될 뿐이었다. 말없이 그저 묵묵히 고개를 떨구었다.

준원은 병원 대기실에 앉아 넋이 나간 얼굴로 멍하니 정면을 바라보았다. 차마 홀로 차가운 영안실에 싸늘하게 누워 있을 도희를 두고 떠날 수 없었기 때문이었다.

"……말도 안 돼."

지금 이 상황이 현실이라는 게 도무지 믿기지 않았다. 온몸을 압박하는 절망감에 심장이 터질 것처럼 고통스럽게 펌프질했다. 세상이 무너져 내린다고 한들 이보다 괴롭지는 않을 것이다.

"……."

하지만 그 무엇보다도 끔찍한 것은, 수술실에서 차갑게 시체가 된 도희를 보고도 눈물 한 방울 나지 않는 자신이었다.

"하……."

준원은 그런 자신이 혐오스러워 미쳐 버릴 지경이었다. 소름 끼칠 정도로 스스로가 싫었다. 20년 전 그 사건 이후, 사막처럼 말라 버린 눈물샘은 가장 소중한 여자의 사망에도 녹지 않은 것이다.

"……도대체."

어디부터 잘못된 걸까. 왜 마지막 순간, 난 그녀를 살리지 못했을까. 그녀는 날 보면서 웃으며 뛰어오고 있었는데.

"하……."

준원의 머릿속에서는 쾅 부딪힌 후 추락하는 도희의 모습이 계속해서 재생되었다. 유리처럼 연약한 몸이 하릴없이 바스러지며 아스팔트에 떨어지는 그 끔찍한 광경이, 몇 번이고 계속해서 재생되어 미쳐 버릴 것만 같았다.

그리고 숨이 끊어지는 와중에도 그녀가 안간힘을 써서 전한 말…….

'준원 씨를…… 만나고…… 4개월이…… 30년 내 인생에서 가장 따뜻……했어…….'

가늘게 경련하던 가녀린 손이 볼을 스쳤을 때…….

'사랑해…….'

그녀는 마지막 순간, 준원에게 사랑한다고 말했다. 자기같이 메

마른 인간한테, 그녀는 또 사랑을 속삭여 주었다. 이제 영원히 볼 수 없는 그 입으로…….

도희의 눈동자, 입술, 손, 머리카락, 하얀 살결까지……. 모든 것이 아직도 이렇게 눈앞에 선명한데, 어떻게 다시는 볼 수 없다는 말인가.

"하……."

왜 그 순간, 빨리 정신 차리고 달려가 그녀를 구하지 못했을까.

"아니, 그 전에."

그녀가 집에 짐을 가지러 왔을 때, 가지 말라고 무릎이라도 꿇고 빌었으면……. 제발 날 버리지 말아 달라고, 무릎이라도 꿇고 빌었어야 했는데……. 그래서 가지 못하게 해야 했었는데.

"아니."

애초에 그녀의 입에서 헤어지자는 말이 나오지 않도록 했으면 됐을 일이었다. 준원은 쓰라린 심장을 부여잡고 괴로운 숨을 토해 냈다. 과거의 일들이 계속해서 떠오르고 후회가 밀려왔다. 물론 후회해 봐야 이제는 전부 소용없는 일이었다. 준원은 그 누구보다도 그 사실을 잘 알고 있었다.

준원은 속이 답답해 미칠 것 같아 병원을 뛰쳐나왔다. 한동안 찾지 않았던 담배와 술을 사서 인적이 드문 한강 둔치에 주저앉았다. 더듬더듬 떨리는 손으로 담배를 꺼내 입에 물고 불을 붙이려는 순간.

'웬만하면 진짜 끊으세요. 아버지가 폐암 말기라면서 어떻게 겁도 없이 담배를.'

담배를 끊으라던 도희의 목소리가 환청처럼 들려왔다. 그 아른거리는 음성과 함께 손에서 힘이 빠진 준원은 툭, 담배를 떨어뜨렸다. 라이터를 확 아무렇게나 던져 버린 준원은 곧장 술을 뜯어 병째로 들이부었다. 반병을 비우고 나서야 겨우 숨을 골랐다.

"……."

멍하니 강을 바라보는 준원의 머릿속에 어떤 목소리가 하나 울렸다.

'준원아.'

20년 전, 어머니가 했던 말이었다.

'사람은 기억에서 태어나고, 평생 그 기억 속에 갇혀 살아가는 존재야.'

……그래. 난 평생 그녀를 가슴에 묻고 살아갈 거야. 절대 잊을 수 없어…….

창백하게 질린 안면 근육이 떨려 왔다. 천천히 숨을 뱉은 준원의 눈앞으로 도희를 처음 봤던 순간부터 지금까지의 영상이 느리게 흘렀다. 좋았던 날들, 다퉜던 날들, 웃었던 날들, 아팠던 날들……. 그 모든 일상이 펼쳐진 끝에 걸린 것은 도희의 목소리였다.

'사랑 하나 때문에, 사람이 살아요.'

그녀는 그렇게 말했었다.

'또 사랑 때문에, 사람이 죽기도 하고요.'

그래……. 정말 죽을 것 같아. 아니, 그냥 죽고 싶어. 그래서 차라리 네 곁으로 갈 수 있었으면 좋겠어.

"미안해……."

고개를 떨군 준원이 잔뜩 쉰 음성으로 중얼거렸다.

"정말 미안해……."

하나부터 열까지 내가 다 미안해. 너무 미안해서 어떻게 해야 할지 모르겠어.

넋을 잃은 준원은 멍하니 손에 쥔 도희의 시계를 바라보았다.

"11시 55분……."

손에 박힌 유리 조각들이 더욱 아프게 살점을 파고들어 왔으나 준원은 아랑곳하지 않았다.

"혹시나……."

12시 전에 타임 루프가 일어난다면……? 자정까지 남은 시간은 약 5분. 이제 남은 희망은 오늘 안에 타임 루프가 일어나기만을 바라는 것뿐.

"딱 한 번만……."

그녀가 죽기 전으로 돌아갈 수만 있다면.

"하늘이, 딱 한 번만 내게 기회를 준다면……."

그땐 내가 먼저 널 안아 줄 텐데. 네가 내게 준 마음을 전부 갚아 줄 텐데. 다시 한 번만 날 바라보고 웃어 주면 좋을 텐데. 그 예쁜 눈동자 속에 다시 한번 날 담아 볼 수 있다면…….

톡. 1분이 지났다.

11시 56분.

이제 남은 시간은 4분. 유리판이 산산이 깨졌지만, 아직 정상적으로 작동하는 도희의 시계 분침을 준원은 뚫어져라 응시했다. 실핏줄이 다 터져 빨갛게 충혈된 눈으로 시계를 잡아먹을 듯이 노려보았다.

톡. 11시 57분.

초조해진 준원은 주먹을 꽉 움켜쥐었다. 3분 안에, 3분 안에 타임 루프가 일어난다면 그녀는 살 수 있다.

톡. 11시 58분.

"하……."

2분. 2분……!

마음이 조급해진 준원은 미쳐 버릴 것만 같아 고개를 내저었다. 도희의 목소리, 얼굴, 하나하나 다 눈앞에 어른거리는데…….

"제발……."

톡. 11시 59분.

이제 남은 시간은 단 1분. 1분 안에 시간이 아침으로 되돌아가지 않는다면, 도희가 살아날 희망은 완전히 없어져 버린다. 준원은 기도하듯 시계를 든 손을 모아 움켜쥐며 눈을 질끈 감았다.

"제발……."

움직이는 초침의 속도에 맞춰 그의 심장이 쿵, 쿵, 뛰었다.

"……도희 씨."

한 번만. 제발 한 번만 기회를 주세요. 어떤 신이든, 누구든……. 다시 그녀를 품에 안을 수 있게 해 준다면, 나는…….

톡. 12시 00분.

"……."

자정이 되었다. 내일이 온 것이다. 타임 루프는 일어나지 않았다. 이제 도희가 살아날 희망은 완전히 사라졌다.

"하……."

그와 동시에 준원의 눈가로 뜨거운 열기가 몰렸다. 저릿한 감각과 함께 촉촉한 물기가 고여 들었다. 20년간 흘려 본 적 없던 눈물샘이 터지며 준원은 목을 놓아 오열했다. 무려 20년 만에 슬픔이란 것을 느꼈고, 눈물이란 것을 흘렸다.

"……도희 씨, 도희 씨…… 도희 씨……."

준원은 실성한 사람처럼 도희의 이름을 되뇌었다. 목에 시뻘겋게 핏대가 설 정도로 도희를 부르며 소리쳤다.

"가지 마요……. 돌아와요, 제발."

나 도희 씨 없이는 못 살아요……. 제발…… 거짓말이라고 해 줘요. 한 번만 여길 다시 봐 줘요.

눈가를 짓누른 손 틈새로 뜨거운 물기가 새어 나왔다.

"……흐윽……."

고통스럽게 신음하며 준원은 세게 이를 악물었다. 다시금 떠오르는 것은 예전에 도희가 제게 했던 말이었다.

'나한테 더 무너져도 좋아요.'

예쁘게 웃으며 그녀가 제게 속삭이던 말…….

'따뜻한 모닥불이 되어서, 서준원 씨의 텅 빈 마음을 하나둘 나로 채울 테니까.'

그도 모르는 사이에 마음이 하나둘 채워져, 결국 준원의 마음은 그녀로 가득 차 버렸던 것이었다.

'언젠간 이 무표정이 나 때문에 눈물을 흘리고, 화도 낼 날이 왔으면 좋겠어요.'

뜨거운 액체가 준원의 손 틈을 타고 턱으로 흘러 고였다.

'그렇게 될 때…… 나한테 꼭 말해 줘요.'

걷잡을 수 없이 눈물이 흘렀다.

'사랑하게 됐다고.'

이대로 미쳐 버릴 것만 같았다. 힘없이 무너져 내린 준원은 몇 번이고 바닥을 주먹으로 내리쳤다.

"한 번만……."

제발 한 번만 더 그녀를 보고 싶은데. 잘못에 대한 용서를 구하고 싶은데. 다시 한번 진심으로 사랑하고 싶은데. 하지만 이제 돌이킬 수가 없게 됐다. 이 모든 건 전부 돌이킬 수가 없다. 왜 사람은 잃고 나서야 소중한 걸 깨닫는 걸까…….

'나…… 무서워요…….'

최후의 순간, 눈물을 흘리며 죽기 무섭다고 말했던 도희의 목소리가 그의 귓가에서 떠나지 않았다. 그 얼굴이 뇌리에서 사라지지 않았다. 준원은 세상이 전부 무너져 내리는 것 같은 고통과 슬픔에 몸부림쳤다.

"나는……."

20년 전, 준원은 어머니의 죽음을 막지 못했다. 사랑했던 어머니를 지키지 못했다.

'그리고 지금…….'

사랑하는 여자도 지키지 못했다. 그 마음이 사랑이 아닐 수가 없었는데……. 그 한마디를 왜 아껴서…….

"차라리……."

지금 죽으면 그녀를 만날 수 있을까. 준원은 순간적인 충동과 함께 깊은숨을 몰아쉬었다. 낮게 흐느끼며 한 손으로 머리를 쓸어올렸다.

"……."

모든 것이 끝났다고 생각하며 눈을 감은 순간, 무언가 준원의 뇌리를 파고들며 스쳐 지나갔다. 문득 준원의 머릿속에 떠오른 것은 도희와 예전에 과거의 트라우마와 관련해 나누었던 대화였다.

'열 번이나 하루를 반복하고 열한 번째 내 생일에, 엄마가 죽는 걸

더는 보고 싶지 않아서 막아섰거든요. 그랬더니 새아빠가 휘두른 소주병에 맞아 죽는 사람은 내가 됐어요.'

'그리고 또 타임 루프가 일어났습니까?'

'네. 마지막이었죠.'

"……."

일순 준원의 머릿속이 서늘하게 식었다.

"타임 루프…… 죽은 직후 타임 루프……?"

……설마. 준원은 홀린 듯 잔잔히 흐르는 강물을 바라보았다.

"가능성이 아예 없진 않아."

물론 타임 루프는 무작위로 일어나는 것이었다. 어떤 상황에서 왜 타임 루프가 일어나는지는 여전히 알 수 없었다.

"하지만……."

어떻게 될지 몰라도 상관없었다. 이미 타임 루프가 일어날 수 있는 자정도 지났지만, 그것마저도 중요하지 않았다. 이제 그의 인생에 미련은 백도희 하나뿐이기에.

혹시라도…… 아주 작은 확률이라도…… 그녀를 살릴 수 있다면…….

준원은 떨리는 눈꺼풀을 감았다. 자리에서 일어나 천천히 강변을 따라 걸었다. 잔잔히 흘러가는 강물을 가만히 바라보는 준원에게 여러 상념이 흘렀다.

"도희 씨……."

그녀의 말대로 준원은 감정을 느끼지 못하는 사람이었다. 다른 사람들 마음 같은 건 신경도 쓰지 않았고, 자신의 감정조차도 돌아보지 않았다.

하지만 그는 그녀로 인해…… 인간의 모든 감정을 느끼게 되었다. 행복을, 기쁨을, 괴로움을, 슬픔을, 그리움을, 그리고 더없는 후회를. 떠난 후에야 이것이 한없이 깊은 사랑이었다는 것을 깨달았다.

"하……."

멈출 줄 모르고 흐르는 눈물처럼 슬픔은 배가되어 부풀었다.

다른 사람의 마음을 보려 하지 않는 건, 비겁해 보일지라도 속 편한 일이었다. 그는 자신 하나 편해지자고, 세상에서 유일한 자기편이었던 여자의 마음을 외면했고……. 심지어는 스스로의 마음도 보려 하지 않았다. 그는 비겁했고 용기가 없었다. 그녀의 마음을 볼 용기가……. 자신의 마음을 볼 용기가.

"……."

비겁하고 용기가 없어서, 그녀에게 미처 하지 못한 말이 있다.

"……사랑해."

그 한마디를 해 주지 못했다. 만약 그녀의 얼굴을 다시 한 번만 볼 수 있다면……. 그땐 아끼고 싶지 않다.

사랑해. 사랑해. 사랑해……. 그 한마디를 온종일 들려주고 싶다. 그 한마디를…….

준원은 모든 걸 잃은 사람처럼 흐느껴 울었다. 뿌옇게 흐려진 시야로 잔잔히 감돌며 흐르는 강물을 응시하며 눈을 감았다. 미미한 확률에 모든 것을 걸고 몸을 던졌다.

온몸에 번지는 차갑게 스며드는 감각과 함께, 그의 신체는 어느새 강 아래로 잠기고 있었다. 서서히 어둠 속으로 가라앉는 느낌과 함께, 그의 의식도 차츰 흐려졌다.

……깊은 잠을 자고 싶다. 지금 이 잠이, 그녀가 있는 곳에 돌아갈

수 있는 지름길이었으면 좋겠다.

부디…….

"……!"

준원의 눈길에서 일순 섬광이 번뜩였다. 숨이 턱 막히며 칠흑같이 암전된 시야가 화악 밝아졌다. 표백한 듯 밝아진 눈앞에 준원은 낮게 신음을 흘렸다.

"……."

차갑게 뼈를 삭히던 강물도, 한겨울의 살인적인 온도도 없었다. 따사로운 햇볕과 적당히 선선한 날씨와 함께, 준원은 여기가 회사 옥상이라는 것을 깨달았다. 그리고 어슴푸레하게 시야에 들어오는 것은…….

"팀장님? 제 말 듣고 있어요?"

백도희. 준원의 동공이 거칠게 흔들렸다. 두 눈에 똑똑히 담기는 것은 그토록 그리워했던 도희의 얼굴이었다. 동시에 울컥한 준원의 눈가가 촉촉하게 젖어 들었다.

"……."

뜨거운 눈물이 볼을 타고 흘렀다. 눈을 감으면 도희가 사라질 것만 같아, 바짝 부릅뜬 채 도희를 바라보았다.

"우…… 울어요?"

갑자기 준원이 눈물을 흘리자 도희가 경악했다. 당황한 도희는 어쩔 줄 모르고 허둥거렸다.

"왜…… 아니, 어디 아픈…… 앗."

준원은 그대로 두 팔을 뻗어 도희의 여린 몸을 꽉 끌어안았다. 속절없이 안겨 들어온 작은 몸은 여느 때와 같았다. 작은 생채기 하나 없이, 부러진 곳 없이 건강한 모습 그대로의 도희였다.

"사랑해요……."

타임 루프가 일어난 것이다. 도희가 차에 치이기 전으로.

"네, 네?"

"사랑해……."

충격에 물든 도희의 동공에는 지진이 일어났다.

"……사랑해요."

몇 번이고, 몇 번이고.

"사랑해."

속삭이고, 또 속삭이며.

"보고 싶었어……."

너에게 이 마음을 전할게.

"사랑해요, 도희 씨."

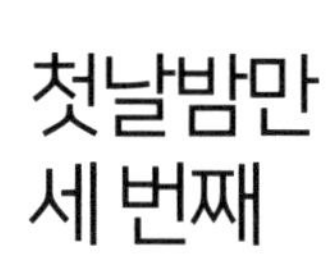

VOL. 3

Three First Nights

CHAPTER 16

마음의 공백

16

마음의 공백

벅차오른 준원은 수도 없이 사랑을 속삭였고, 이 뜬금없는 사랑 고백은 도희를 충격에 빠뜨렸다. 돌연 눈물을 흘리며 고백하는 준원에 도희는 제 귀와 눈을 의심하지 않을 수 없었다. 뭐라 반응을 해야 할지 몰라 입만 벙긋거리는데, 도희를 끌어안고 있던 준원이 살짝 떨어졌다. 비스듬히 고개를 튼 얼굴이 사선을 그리며 내려왔다.

"……!"

놀란 도희의 동공이 휘둥그레졌다. 돌연 뜨거운 입술이 제 입술 위를 부드럽게 덮은 탓이었다. 너무 놀라 어떻게 반응하지도 못하고 가만히 있는데, 커다란 손이 부드럽게 뒷머리를 감싸며 입술을 더욱 견고하게 맞물려 왔다.

"으음……."

커다랗게 뜨여진 동공이 파르르 떨리고, 놀란 도희는 저도 모르게 이상한 소리를 내었다.

지금 이거 키, 키스? 내 입술에 맞닿아 있는 게 서준원 입술이라고……?

돌발적인 사건에 상황 파악도 채 하기 전에 느슨하게 벌어진 준원의 입술이 도희의 윗입술을 빨아들였다. 자연스럽게 아랫입술과 윗입술을 번갈아 탐하는 준원의 행태에 도희의 심장이 터질 것처럼 뛰었다. 너무도 능숙한 키스에 반쯤 넋을 놓아 버렸다. 그런 도희의 가출한 이성을 돌아오게 한 것은 고른 치열을 끈적하게 건들며 침입하려는 엉큼한 혀끝이었다.

"……!"

물컹한 혀가 안쪽으로 닿자 퍼뜩 정신을 차린 도희의 얼굴이 폭발할 듯 시뻘겋게 달아올랐다. 당황한 도희는 저도 모르게 주먹을 꽉 쥐고 그대로 준원의 뺨에 내리꽂아 버렸다.

퍽!

"아……."

낮게 신음을 흘리며 떨어진 준원이 한 손으로 뺨을 가렸다. 왜 맞은 건지 도무지 알 수 없어 억울한 눈으로 도희를 내려다보았다.

"아, 아니, 내가 놀라서……. 죄, 죄송…… 많이 아파요?"

"……."

"근데 때린 건 미안한데요! 갑자기 뭐 하시는 거예요……! 왜 혀……!"

꼴깍 뒷말을 삼킨 도희가 빨개진 얼굴에 부채질하며 어수선하게 말을 이었다.

"아니, 그게 아니고…… 아, 나 진짜 당황스러워서 말도 잘 안 나오네."

도희는 지금 황당 그 자체였다. 옥상에서 담배 피우고 있는 준원에게 다가가 고맙다고 말을 하고 있었는데, 언제나 그랬듯 무표정으로 심드렁하게 듣고 있던 그가 갑자기 눈물을 흘리는 게 아니던가. 그것만으로도 미친 상황인데 그 와중에 사랑한다고 체감상 수십 번을 말하니, 도희는 지금 꿈을 꾸고 있는 건가 싶을 정도였다.

그리고 무엇보다도 느닷없는 키스……!

'우는 사람한테 화내기도 뭐 하고…….'

엄연히 성추행이었으나 이상하게도 분노는 전혀 일어나지 않았다. 그저 이 어이없는 상황이 당황스러울 뿐이었다.

"왜 그래요, 도희 씨. 우리 사이에 키스 정도로……."

한편 준원은 준원대로 억울한 심정이었다. 그토록 원했던 도희를 다시 만나 감격에 겨워 키스했는데, 갑자기 뺨을 얻어맞은 것이었다. 그것도 주먹으로.

"네? 우리 사이가 뭔데요?"

"그야, 애인 사이……."

"애, 애, 애, 애인 사이요?! 제가 팀장님하고 사귄다고요?!"

도희가 황당하다는 듯 소리쳤다.

"제가 팀장님하고 왜 사귀어요?!"

"화난 거 알아요. 많이 늦었지만…… 나 도희 씨가 나에게 얼마나 소중한 사람인지 깨달았어요. 나 이제 도희 씨 없이는 절대 못 살……."

"아니, 아니, 아니! 무슨 소리 하는지 이해가 안 된다니까요?"

"……네?"

"저랑 언제 그렇게 알고 지냈다고, 사랑이니 뭐니…… 나 없이 못 산다느니……."

"……."

"혹시 저 몰래 낮술 드셨어요?"

일순 준원의 가슴이 서늘해졌다.

"……설마 기억 안 나요?"

"무슨 기억이요?"

"……오늘이 몇 월 며칠이죠?"

"음, 10월 14일이요."

……10월 14일? 준원의 동공이 뒤흔들렸다. 타임 루프가 일어났던 시각은 12월 25일 자정을 조금 넘긴 시각이었다.

'도희 씨 생일인 12월 24일이 아니라, 10월 14일로 돌아갔다고……?'

왜? 더욱이 10월 14일은 다른 날도 아닌, 준원의 생일이었다.

"진짜 왜 그러세요, 갑자기?"

도희의 물음에 준원이 퍼뜩 정신을 차렸다. 내려다보자 물음표를 수십 개 띄운 도희의 얼굴이 들어찼다.

"팀장님, 혹시……."

살짝 긴장한 준원이 마른침을 삼켰다.

"빙의…… 같은 거 하시는 건 아니죠?"

"……."

"……."

"……네?"

"아니, 갑자기 15살 문학소녀 영혼이 들어간 것 같아서요……."

준원이 어이가 없어 헛웃음을 터뜨렸다. 은근슬쩍 손을 뻗은 그가 도희의 어깨를 감싸자 엄격하게 잡고 떼어 낸 도희가 팔을 엑스자로 펼쳤다.

"그만, 그만! 뭐 하시는 거예요, 자꾸?"

"……아."

목덜미를 만지작거리며 뒤로 한발 성큼 물러났다.

"미안해요. 아직 마음이 안 풀렸을 텐데, 내가 너무……."

……뭔 소리야? 무슨 마음?

도희는 도무지 준원의 말을 이해할 수가 없었다.

"그런데 혹시 도희 씨는, 타임 루프가 하루가 아니라 2개월 넘게 긴 구간으로 온 적이 있어요? 난 지금이 처음인데……."

"네? 타임…… 뭔 루프요? 그게 뭔데요?"

"……네?"

"그…… 영화에서 나오는 공상과학, 그런 거?"

"……."

까만 눈동자가 혼란스러움에 물들었다.

"우리가 겪고 있는 증상 말이에요. 하루가 계속 반복되는……"

"아니이, 저기요, 팀장님."

"……."

"어디 아프세요? 아니면 잠 덜 깨셨어요?"

"……."

"그것도 아니면 무슨 다이내믹한 꿈이라도 꾸셨어요?"

눈앞이 핑글 도는 기분이었다. 아까부터 묘하게 느껴지던 위화감을 애써 부정하던 준원은 맞닥뜨린 현실에 동요했다.

"……설마 기억이 전부 안 나요?"

"무슨 기억이 안 나요?"

"……."

여태까지 있었던 일을 전부 기억하지 못하는 건가?

"……그럼 혹시, 작년 일은 기억나요?"

"작년 일이요?"

"도희 씨가 연누리 씨 대신 나하고 선봤었잖아요. 그리고 라비에트 호텔……."

"잠깐, 다시. 작년에 뭐요?"

"우리 처음 만났을 때 말이에요. 기억 안 나요?"

"기억나죠, 왜 안 나요. 저번 달에 부임해 오시면서 처음 뵀잖아요."

"……."

둥근 어깨를 잡고 있던 커다란 손이 아래로 떨어졌다. 현실을 인지한 눈동자는 혼란스러움과 충격에 위태롭게 흔들렸다.

"왜 그러시는 건데요?"

"……."

탁 풀린 숨이 입술 사이로 흘렀다. 충격받은 준원은 꼼짝하지 않고 서서 멍하니 도희를 응시했다.

"더 할 말 없으시면 전 내려가 볼게요."

미련 없이 등을 돌리는 도희는 차갑지도 뜨겁지도 않은 온도였다. 마치 제게 아무런 감정도 없는 것처럼. 준원은 무작정 손을 뻗어 도희의 손을 움켜쥐었다.

"잠깐만요, 도희 씨."

살갑게 이름으로 부르는 준원에 화들짝한 도희의 어깨가 움츠러들었다. 미간을 모은 도희는 도무지 준원이 왜 이러는지 알 수가 없었다.

"아니, 호칭 좀……. 아까부터 도희 씨라니요. 우리가 그렇게 친한 사이도 아니고."

"잠깐만 나랑 얘기 좀 해요. 네?"

"……."

쏟아지는 눈빛이 너무도 간절해 보였다. 뿌리치고 내려가라고 머릿속에서는 명령을 내렸으나, 주인의 말을 듣지 않는 고개는 아래위로 움직였다.

"도희 씨, 저번 달에 우리 둘이 술 마셨을 때 무슨 얘기 했는지 기억해요?"

"저번 달이요?"

"네. 저 부임하고 일주일 정도 후에 같이 술 마셨잖아요. 그날 술자리에서 우리가 무슨 얘기 했는지 기억하는지……."

그날, 준원은 도희에게 자신도 타임 루프를 겪고 있는 것을 처음으로 밝혔었다. 더불어 작년 라비에트 호텔에서의 일도 이야기를 나누었으니, 타임 루프와 관련된 기억이 전부 사라졌다면 이 대화들도 기억하지 못해야 했다.

"음……."

기억을 더듬는 도희의 표정이 모호해졌다.

"어…… 그게……."

살짝 당황한 도희의 동공이 어색하게 굴렀다. 정말 이상하게도 보름 정도 전의 일인데도 불구하고, 정확히 무슨 대화를 했는지 전혀 기억이 나지 않았다. 마치 기억이 일부러 지워진 것처럼 말이다.

'뭐지? 왜 기억이 안 나지?'

근데 애초에 나……. 왜 보름 전에 팀장님하고 단둘이 술을 마셨던 거지?

누군가가 인위적으로 지운 것처럼 기억이 잘려 있었다. 하지만 그렇게 말하면 안 될 것 같아 도희는 대충 얼버무렸다.

"기억나죠. 당연히……."

"무슨 얘기 했는데요?"

"……그건……."

일순 당황했으나 곧바로 정색하고 시치미를 뚝 뗐다.

"왜 물어보시는데요? 팀장님은 기억 안 나세요?"

"그러면 그다음 날, 우리 호텔에서 같이 자고 일어난 건 기억나요?"

"아, 진짜……!"

도희의 얼굴이 붉으락푸르락 달아올랐다.

"그건 다시 얘기하지 말자고 했잖아요. 어쩌다 한번 술 먹고 실수한 걸 자꾸……."

흘기는 시선에 준원의 표정이 공허해졌다. 초점을 잃은 눈동자가 한 대 얻어맞은 듯이 어지러이 배회했다.

"어쨌든 그럼 전 이만 내려가 보겠습니다."

넋이 나간 준원에게 꾸벅 인사한 도희는 다시 뒤를 돌았다. 또각또각 걸어가 문고리를 잡은 도희가 잠시 멈칫했다.

"참…… 아까는 고마웠어요."

붉은 입술이 새침하게 삐죽거렸다.

"그 말 하려고 온 거였어요."

한마디를 남긴 도희는 그대로 문을 닫고 옥상을 빠져나갔다. 혼이 나간 준원은 멍한 얼굴로 도희가 사라진 철문을 가만히 바라보았다.

'……아까는 고마웠다고?'

뭐가 고마웠다는 거지……?

71일 전, 준원은 생일날의 기억을 곰곰이 더듬어 보았다.

"……아."

순간 떠오른 것은 약 2달 전 10월 14일. 타임 루프가 일어나 그날을 도희와 함께 세 번이나 반복했었다는 사실이었다. 그리고 마지막 세 번째 날, 준원은 도희에게 각종 인사가 모이는 자리의 중요한 발표 기회를 양보했었다.

"그러니까 지금……."

도희는 타임 루프의 존재를 완전히 잊어버린 거였다. 다른 사람들처럼 최종으로 고정된 마지막 날 외에 이전에 반복됐던 날들은 전부 기억을 못 하는 것이었다.

'그래서 작년에 처음 만났던 것도 기억 못 하는 건가…….'

준원이 깊게 한숨을 내쉬었다. 생각지도 못한 벽에 가로막힌 기분이었다.

사무실로 돌아온 준원은 업무에 집중하지 못했다. 도희가 앉아 있는 왼쪽 대각선으로 자꾸만 흐르는 신경을 막을 수 없었다.

'……대체 기억이 왜 사라진 거지?'

죽은 후에 타임 루프가 일어나서?

아니, 그렇다고 하기엔 예전에 도희가 새아버지에게 살해당하고 타임 루프 했을 때의 기억이 있는 게 설명이 되지 않았다.

'이유가 뭘까…….'

단순히 기억이 사라진 게 아니라, 타임 루프에 관한 모든 걸 잊어버린 것 같았다.

"하……."
준원은 속이 답답한 탓에 계속 한숨만 흘려댔다.

한편 도희는 극도로 혼란스러운 상태였다. 낮에 옥상에서 준원이 보여 준 행동으로도 경악을 금치 못했는데, 이후로도 그는 온종일 빤히 쳐다보며 도희를 미치게 만들었다. 도대체 왜 갑자기 돌변해 이상 행동을 보이는 건지 이해가 되지 않아 기분이 찜찜했다. 이 심란한 마음을 터놓기 위해 도희는 퇴근 후 누리를 불러 함께 술잔을 기울였다.
"야, 누리야."
멍하니 허공을 보던 도희가 심각하게 말문을 텄다.
"남자가…… 울면서 사랑한다고 말하는 건 뭘까?"
"뭐긴 뭐야, 이 시대의 순정남이지."
안주로 나온 닭발을 미친 듯이 뜯으며 누리가 말했다.
"난 귀여워서 좋다. 그런 연하남 댕댕이 타입."
"……."
"근데 왜? 누가 너한테 울면서 사랑한다고 했냐?"
"……응."
"뭐? 진짜?"
흥미로움에 누리의 눈이 반짝 빛났다.
"누구? 누군데?"
"말해도 못 믿을걸."
"누군데! 믿을 테니까 말해 봐, 빨리."

"서준원."

"……."

"……."

"……우리 도희, 아직 잠이 덜 깼구나?"

누리가 허허 웃으며 술잔을 들이밀었다.

"자, 이거 마셔. 마시고 정신 좀 차리자."

"내가 말했잖아. 말해도 못 믿을 거라고."

짜증스레 잔을 치운 도희가 중얼거렸다. 똑똑히 보고도 못 믿겠는데, 누리의 이런 반응은 너무도 당연했다.

"야. 아무래도 도희 너, 꿈을 꿨나 보다."

"놀랍게도 현실이야."

"참나, 말이 되는 소리를 해야지!"

누리가 헛소리하지 말라는 듯 테이블을 쾅, 때렸다.

"내가 서준원 씨를 좀 알잖아. 그 남자는 칼로 찔러도 피 한 방울 안 나올 건조한 타입이라고. 근데 사랑 고백을? 그것도 울면서?"

누리가 풉, 웃음을 터뜨리더니 이내 폭소했다.

"차라리 서준원이 망사스타킹 신고 트월킹 추는 게 취미라고 해라. 그게 더 신빙성 있다."

"이게 헛소리는……."

"그리고 본 지 얼마나 됐다고 울면서 사랑 고백이야?"

"내 말이 그 말이야……. 이상하다니까?"

미간을 좁힌 도희가 낮의 기억을 회상했다.

"갑자기 사람이 다른 사람이 됐어."

"아니, 다른 사람이 됐든 어떻든. 너 좋다고 했다는 거 아냐? 그 사람이."

"그렇긴 한데……."

껄끄러운 표정을 지은 도희가 고개를 내저었다.

"못 믿겠어. 이상하잖아."

"못 믿고 자시고!"

누리가 손뼉을 짝, 마주쳤다.

"한번 만나 봐."

"뭐?!"

"서준원 씨 정도면 얼굴 대박이잖아. 몸매는 명품에 직업도 확실하고 집안도 부자. 그런 남자 세상에 없다?"

"나 비연애주의자인 거 알면서 헛소리한다 또."

"굳이 비연애주의자를 왜 하는 건데?"

"그럼 연애를 굳이 왜 하는 건데?"

"그건…… 심심하니까?"

"야. 남자 만나서 팔자 꼬인 여자는 있어도, 남자 안 만나서 인생 망한 여자는 없어. 난 괜히 평탄하던 인생에 똥파리 꼬이는 거 싫다."

"그게 똥파리냐? 재미고 즐거움이고 행복이지."

"내 인생에 재미고 즐거움이고 행복은 오로지 성공이다, 성공."

도희가 픽 웃음을 터뜨렸다.

"그리고 난 불편해. 연애 같은 거."

"야. 그건 네가 진짜 네 짝을 못 만나서 그런 거다?"

닭발로 도희를 가리킨 누리가 진지한 음성을 내었다.

"진짜 네 짝 만나잖아? 나보다 더 편해질 수도 있어."

"……."

"평생에 그런 사람 한번 안 만나 보겠어?"

고요하던 눈동자가 미세하게 흔들렸다. 도희는 조금 동요한 마음을 숨기며 한숨을 내쉬었다. 고개를 내젓자 누리가 그럴 줄 알았다는 듯 혀를 찼다.

"야, 그보다 난 이번 주에 또 선본다?"

벌써 몇 번째 선인지 셀 수조차 없는 누리는 지겨워 죽겠다는 듯 말했다.

"또? 이번엔 누군데?"

"무슨 철학과 교수래. 딱 봐도 재미없을 것 같지 않냐?"

똥 씹은 표정을 한 누리가 고개를 내저었다.

"난 학구파들이랑 영 안 맞아. 별로야. 별로."

누리와 헤어진 뒤, 집으로 돌아온 도희는 침대에 누워 멍하니 천장을 바라보았다.

'사랑해요, 도희 씨.'

터뜨릴 것처럼 단단한 팔로 꽉 끌어안고 사랑한다고 속삭였던 준원의 모습이 자꾸만 머릿속에 어른거렸다. 그러고 이어진 진득한 키……스…….

"으아악!"

순식간에 얼굴이 토마토처럼 붉어진 도희가 침대에서 마구 발광했다. 버둥버둥 팔다리를 미친 사람처럼 떨다 말고 꽥 소리쳤다.

"아니, 진짜 왜 그랬냐고!!!"

머리카락 틈새로 비치는 촉촉하게 젖은 검은 눈과 정말 사랑해 죽겠다는 듯이 바라보던 눈빛……. 부드럽게 맞물린 입술과 비벼지는 점막. 제 입술을 부드럽게 빨아들이며 허리를 확 감아 당기던 감각이 아직도 생생했다. 그리고 능숙하게 벌리며 침입하던 몰캉한…….

"아아아악!"

또다시 소리친 도희가 정신 나간 사람처럼 머리를 절레절레 내저었다.

"미쳤지, 백도희!"

솔직히 말해서, 그 당시 심장이 뚝 떨어질 만큼 놀라긴 했지만 싫지는 않았다. 아니, 오히려 살짝 설레는 자신이 황당할 지경이었다.

"아니, 근데 그 인간은 갑자기 나한테 왜 그랬냐고! 그 이후에도 영문 모를 소리만 잔뜩 하고!"

서로 횡설수설 다른 이야기를 하는 듯 대화가 엇나갔었다.

"아까 뭐랬더라. 타임 루프……?"

내가 작년에 누리 대신 서준원하고 선을 봤다고?

"뭔 소리야, 진짜……."

라비에트 호텔은 또 뭐고? 거기 레스토랑에서 밥을 먹었다는 건가? 하여간 웬 개소리…….

"……아!"

그 순간 도희는 깨질 것 같은 두통을 느꼈다. 다급히 머리를 부여잡자 지끈거리는 고통은 점점 더 심해져만 갔다. 뇌를 못으로 쑤시는 듯한 두통과 연이어 치밀어오르는 것은…….

'다른 사람을 좋아한다는 건, 대체 뭘까요?'

어떤 기억이었다.

'사랑한다는 감정이 도대체 어떤 건지……. 난 지금 태어나서 처음으로 당신이란 여자가 마음에 걸리는데…….'

어두운 골목에 주차된 차 안에서 서준원과 그녀는 단둘이 대화를 나누고 있었다.

'연누리 씨와 함께 있고 싶다고 생각합니다. 그렇다면 이건 사랑인 걸까요?'

그는 그윽하게 낮아진 목소리로 도희의 귓가에 대고 속삭이고 있었다.

"이게 무슨……."

찰나의 순간 지나간 영상에 놀란 도희가 혼란스러움을 감추지 못했다. 곧 또다시 찢어질 듯한 두통이 몰려오고, 도희는 머리를 부여잡고 비명을 내질렀다. 머리가 너무도 아파서 견딜 수 없는 와중, 그녀의 핸드폰이 시끄럽게 울리기 시작하였다. 그 벨 소리까지 더해져 고통이 배로 심해졌다. 그리고 이어지는 조각난 영상들.

'샤워부터 할래요?'

넥타이를 한 손으로 끌어 내리며 관능적으로 속삭인 그는 나지막한 숨을 토해 냈다. 목덜미에 입술을 묻은 그가 그녀의 블라우스 단추를 하나 툭, 풀었다. 그 청소년 관람불가 영상이 떠오름과 동시에 도희의 눈동자에도 맥이 탁 풀렸다.

"뭐, 뭐야……."

이 야동 1분 전 같은 영상은 대체 뭐야!

도무지 그녀의 기억에 없는 일이었다. 찾아온 혼란에 머리를 짚은 도희는 문득 계속 울리던 휴대전화가 잠잠해진 것을 깨달았다. 두통이 조금 잦아들자 바닥에 내팽개쳤던 휴대전화를 도로 가져와 부재중 전화를 확인했다.

[혹시 잠깐만 집 앞 공원으로 나올 수 있어요?]

2통의 부재중 전화의 주인공은 다름 아닌 서준원이었다. 그에게 도착한 문자를 확인한 도희의 입이 떡 벌어졌다.

"대체 이 인간, 왜 이러는 거야……?!"

영문을 알 수 없으니 답답한 마음이었다. 크게 숨을 들이마셨다가 내쉰 도희는 차분하게 답장을 썼다.

[어려울 것 같은데요. 용건은 내일 회사에서 말씀해주세요.]

[잠깐이면 되는데.]

[집 근처까지 찾아와서 이러는 거 되게 실례인 거 아시죠? 나갈 생각 없으니 문자 보내지 마세요.]

최대한 차갑게 딱 잘라 말했으나 어딘가 찝찝한 기분이 가시질 않았다. 억지로 눈을 감고 잠을 청해 보았으나 계속해서 체한 듯 속이 답답했다.

"아! 왜 이렇게 신경이 쓰이냐, 정말!"

침대에서 벌떡 일어난 도희가 짜증스레 소리쳤다.

결국 대충 옷을 입고 나온 도희는 슬쩍 공원으로 정찰을 나왔다. 아니나 다를까, 아직도 저 멀리 보이는 준원의 검은 차에 도희의 입에서 탄식이 흘렀다. 흘끔 옆의 벤치에 누워 있는 노숙자를 본 도희가 그에게 말을 걸었다.

"아저씨. 혹시 저 차, 여기 언제부터 있었어요?"

"몰라……. 한 시간 전쯤?"

히익. 한 시간이라니, 놀란 도희가 기겁했다.

'대체 왜 저래?'

지나가던 사람이라도 붙잡고 묻고 싶은 심정이었다. 저 인간 왜 저러냐고. 도대체 왜 뜬금없이 집 앞에 찾아와 한 시간이나 기다린 건지 이해가 되지 않았다. 그것도 무심하기로 소문난 서준원이 말이다. 수상한 눈으로 준원의 차를 바라보던 도희는 휴대전화를 들어 그에게 전화를 걸었다.

-여보세요? 도희 씨?

"네. 팀장님……. 혹시 어디세요? 설마 아직도 기다리고 계신 건 아니죠?"

-아…….

수화기 너머로 잠시 공백이 흘렀다.

-네. 집에 가는 중이에요.

왜 거짓말을 하는 거지……?

-갑자기 찾아와서 놀랐죠? 미안합니다.

"……대체 왜 그러세요, 저한테?"

-그야…….

나지막한 목소리가 도희의 고막을 울렸다.

-도희 씨가 나한테 특별한 사람이니까.

도희의 심장이 아래로 쿵 떨어졌다. 당황한 도희는 뭐라고 답해야 할지 몰라 애꿎은 입술만 달싹거렸다.

"어쨌든 돌아가세요. 집에."

-네?

"집에 돌아가시…… 아."

그제야 말실수를 깨달은 도희가 제 입을 턱 틀어막았다. 동시에 차 문을 열고 나온 준원이 도희를 발견하고 활짝 웃으며 다가왔다.

"도희 씨."

길쭉한 다리가 교차하며 다가오자 놀란 도희는 그 자리에 얼음처럼 굳었다.

"안 나온다면서 나왔네요."

"……크흠."

뻘쭘해진 도희가 낮게 헛기침했다.

"다름이 아니라…… 이걸 주고 싶어서 왔어요."

바로 앞까지 걸어온 그는 한 손에 들고 있던 작은 쇼핑백 하나를 건넸다.

"이게 뭐예요?"

"향수예요. 도희 씨한테 잘 어울릴 것 같아서 샀어요."

준원은 시간이 되돌아오기 전에 도희에게 주었던 향수와 똑같은 향수를 사서 선물했다. 그 향기를 맡으면 도희의 기억이 돌아오지 않을까 하는 자그마한 희망이 담긴 행동이었다.

"……전 향수 제가 쓰는 향만 써요. 그리고…… 좀 많이 부담스럽네요."

껄끄러운 느낌에 도희가 정색했다.

"그리고 제가 팀장님한테 이런 거 받을 이유 없다고 생각하는데요?"

"……."

"아까부터 왜 이러시는 건지 모르겠는데, 선 넘지 않으셨으면 좋겠어요."

그 말에 준원의 어깨가 미세하게 내려앉았다. 누가 봐도 풀죽은 눈치에 도희는 약간 머쓱한 기분이 되었다.

말이 좀…… 심했나?

"아니, 뭐…… 저도 갑자기 이러시니까 좀 많이 당황…… 앗."

갑자기 제 두 손을 꼭 잡는 커다란 손에 놀란 도희가 움찔했다. 꽉 붙잡힌 손에서 느껴지는 온기에 동요한 도희의 동공에 지진이 일어났다.

"있잖아요……."

잠시 망설이던 준원은 낮은 음성을 내었다.

"나 말이에요."

"네……."

"나……."

"팀장님 뭐요?"

"나 사실……."

"네, 사실 뭐요? 빨리 좀 말해 주세요."

하도 질질 끄는 바람에 답답해 돌아가실 지경이었다.

"오늘 생일이에요."

"……."

"……."

잠시 정적이 흘렀다.

"……네?"

"도희 씨가 이 향수 받아 주면…… 나한테 되게 큰 선물이 될 것 같아요."

"네에?!"

넋 놓고 있던 도희가 기겁하며 소리쳤다.

"생일인데 밖에서 1시간 넘게 절 기다리는 데 쓰셨다고요?!"
어처구니가 없어 다시금 되물었다. 황급히 휴대전화를 들어 현재 시각을 확인했다.
"11시 09분……?"
헐.

도희의 손에 이끌려 두 사람이 도착한 것은 편의점이었다. 뜨거운 물만 부으면 되는 인스턴트 미역국 두 개를 구매한 도희는 편의점 앞 간단한 식사가 가능하도록 마련된 테이블에 앉았다.
"자, 여기 앉으세요."
태어나서 편의점 앞 테이블에서 뭘 먹어 본 역사가 없는 준원은 그저 도희가 하자고 하는 대로 따라 할 뿐이었다.
"팀장님이면 미역국도 안 먹었을 줄 알았어요. 일 빼곤 다 무관심한 분이 무슨 미역국을 챙겨 먹었겠어요."
숟가락을 뜯어 그의 손에 쥐여 준 도희가 픽 웃었다.
"저는요. 케이크는 안 먹어도 이 미역국은 편의점에서라도 사서 꼭 먹거든요."
친어머니가 낳고 먹지 않은 미역국, 저라도 먹자는 심정이었다. 그녀는 8살 생일부터 지금까지 미역국을 먹지 않고 거른 해가 없었다.
"고마워요. 도희 씨 덕분에 생일날 미역국도 먹고…… 좋네요."
단정한 입꼬리가 곱게 올라갔다. 어머니가 돌아가신 이후, 준원이 생일에 미역국을 먹어 본 것은 처음이었다.

"근데…… 그 호칭 좀 어떻게 할 수 없어요? 도희 씨라니…… 너무, 좀……."

오글거리다 못해 손발이 사라질 것 같았다. 그러나 호칭을 바꿀 생각이 없는지, 준원은 아무 말 없이 가만히 도희를 바라볼 뿐이었다.

"왜 갑자기 사람이 변했어요?"

"내가요?"

"네. 낮부터 완전히 다른 사람이 됐잖아요."

이제 대놓고 물어보는 수밖에 없었다. 정면 돌파가 유일한 해답이라고 생각한 도희는 제 의문을 솔직하게 털어놓았다.

"남한테 관심 하나도 없고 심드렁하니 무표정만 짓고 있던 분이……."

미역국을 떠먹던 도희가 문득 고개를 들었다가 움찔했다.

"지금은 계속 나만 보……고……있고……."

먹는 둥 마는 둥 하며 준원은 도희를 빤히 진득한 시선으로 바라보고 있었다. 마치 쓰다듬는 듯이 눈빛에서 느껴지는 열기에 온몸에 화끈 열이 올랐다. 불현듯 그 까만 눈동자와 마주친 도희는 꼴깍 침을 삼켰다.

"……이거나 먹어야겠다."

밀려오는 당혹감에 고개를 숙이고 죄 없는 수저만 열심히 움직였다. 그런데도 준원의 뜨겁다 못해 집요한 시선은 떨어질 줄을 몰랐다.

"……."

이제는 단순히 보는 게 아니라, 뭐가 그렇게 신났는지 계속 싱글벙글 웃고 있었다. 서준원답지 않게 내내 올라간 입꼬리가 도희의 가슴에 묘한 기분을 일으켰다.

"왜…… 웃어요?"

도희가 웃자 준원이 나직이 웃으며 다가왔다.

"좋아서요."

비스듬히 고개를 틀며 내려온 얼굴이 도희의 입술 앞에서 멈췄다.

"그냥 보고 있는 것만으로도 좋아서……."

느릿하게 뻗어진 준원의 손끝이 떨렸다.

"자꾸 웃음이 나오네요."

길쭉한 손가락이 도희의 머리카락을 부드럽게 귀 뒤로 넘겼다. 귓바퀴를 은밀하게 스치는 간지러운 감각에 심장이 쿵 내려앉았다.

"나 도희 씨한테, 제대로 빠졌나 봐요."

도희의 눈동자가 뒤흔들렸다. 밤바람에 젖은 하얀 얼굴이 선홍빛으로 물들었다.

하얀 얼굴에 홍조가 드리운 것은 아주 찰나의 순간이었다. 빨라진 심장 박동을 애써 외면한 도희는 곧바로 동요를 숨기고 고개를 돌렸다. 묘하게 긴장되고 불편한 분위기가 심박수를 더욱 날뛰게 했다.

대체 이런 말을 하는 이유가 뭘까? 아무리 고민해 보아도 하루 사이 돌변한 준원의 태도가 이해되지 않았다. 애써 단순한 장난이라고 단정 지은 도희는 내려놓았던 핸드폰을 살며시 들었다.

"다 먹었죠?"

"아니요. 아직 먹는 중이에요."

숟가락을 컵에 넣고 휘적거리며 먹는 둥 마는 둥 하면서 시간 끌고 있는 게 뻔히 보였다. 서준원답지 않은 청명한 웃음이 입꼬리에 걸려 떨어질 줄을 몰랐다. 자꾸만 그 미소가 시선을 빼앗아 도희는 억지로 눈을 떨어뜨려 놓았다.

"먹고 가세요. 시간도 늦었는데 전 이만 가 볼게요."

"네? 잠깐……."

"내일 회사에서 뵙겠습니다."

의자를 끌며 자리에서 일어난 도희가 차갑게 뒤를 돌았다. 등 뒤에서는 준원이 뒤따라오는 소리가 들려왔다.

"집에 데려다줄게요. 자정이 다 됐는데 혼자 위험해요."

"아니요, 괜찮습니다."

칼같이 철벽을 친 도희는 뒤도 돌아보지 않고 걸어갔다. 그 뒷모습을 보는 준원은 속이 바짝 타는 듯해 깊은 한숨을 내쉬었다. 기억을 잃은 도희의 마음이 예전과 같을 수 없다는 걸 알면서도, 차가운 태도의 그녀를 볼 때마다 끝없는 절벽 아래로 떨어지는 기분이었다. 욱신거리는 가슴을 억누르며 테이블 위를 정리했다.

"참."

그때, 멈춰선 도희가 슬쩍 고개만 뒤로 돌려 준원을 바라보았다.

"이 말을 못 했는데……."

옅게 미소 짓는 얼굴이 준원의 까만 동공에 그려졌다.

"생일 축하해요, 팀장님."

작게 소곤거린 도희는 예쁘게 웃으며 작은 손을 흔들었다. 한 대 얻어맞은 듯 굳은 준원은 넋을 놓고 웃는 도희를 응시했다. 뒤를 돌아 걸어가는 그녀의 뒷모습을 멍하니 보는 준원의 심장이 빠르게 뛰었다.

"……."

픽 웃음을 터뜨린 그가 제 입가를 엄지로 쓸었다. 멈춰 있던 준원의 동공이 느슨해지고 눈꼬리가 부드럽게 휘었다.

도희가 떠나고, 정리를 마친 준원은 공원의 주차장으로 돌아왔다. 운전석에 올라타 안전벨트를 매고 시동을 걸었다. 느리게 출발한 차는 좁은 골목을 타고 천천히 굴렀다. 핸들을 움켜쥔 준원은 두 눈에 힘을 주고 정면을 주시했다. 우회전하기 위해 방향지시등을 켠 순간, 도보에서 갑자기 사람이 튀어나와 준원의 차 앞을 가로막았다.

끼이이익!!!

황급히 브레이크를 잡자 굉음과 함께 바퀴가 제자리를 굴렀다. 무단횡단으로 죽을 뻔했던 남자는 뻔뻔하게 제 갈 길을 갔으나, 준원은 핸들을 쥔 채 일시 정지 상태였다.

"……."

준원의 눈동자가 거칠게 흔들렸다. 엄청난 속도로 심장이 내달리고 머릿속이 새하얘졌다. 떨리는 손으로 머리를 짚자 머릿속에 떠오르는 것은 도희가 차에 치이는 모습이었다. 쾅, 하고 여린 몸이 부딪혀 튀어 올라 떨어지는 그 끔찍한 광경이 눈앞에 자꾸만 재생되었다.

"하……."

호흡이 거칠어지고 미칠 것만 같았다. 결국 확 핸들을 꺾어 갓길에 차를 정차한 준원은 차에서 내려 문을 쾅, 닫았다. 하아, 하아, 거칠어진 호흡이 가쁘게 토해졌다. 머릿속에서 그 영상을 지우기 위해 수도 없이 고개를 저었으나 계속해서 반복될 뿐이었다. 한참을 괴로워하던 준원은 떨리는 손으로 얼굴을 쓸어내렸다. 조금 진정이 되고 다시 차에 올라타기 위해 차 문고리에 손을 뻗은 찰나였다.

"……."

멈칫한 준원이 제 손을 바라보았다. 길쭉한 손끝은 사시나무처럼 떨리고 있었다. 이 상태로는 도저히 운전대를 잡을 수 없다고 판단한 준원은 한숨을 내쉬며 차체에 몸을 기댔다. 느슨하게 핸드폰을 들어 올린 손은 자연스럽게 도희의 연락처를 찾았다.

"……하."

무사히 집에 돌아갔을까? 준원은 지금 도희의 목소리가 듣고 싶어 미칠 지경이었다. 하지만 자정이 넘은 시간에 그녀에게 연락할 수 있는 자격이 없다는 것을 그는 그 누구보다도 잘 알고 있었다.

결국 대리운전을 불러 집으로 돌아온 준원은 다시금 현 상황에 대해 냉정히 짚고 넘어가야 할 필요성을 느꼈다. 도희가 차에 치여 죽는 순간이 자꾸만 눈에 그려지며 준원은 한 가지 잊고 있던 사실을 깨달았다. 그녀가 살아났다는 사실만으로도 마냥 좋아서 잠시 잊고 있던 것. 이건 단순히 시간이 되돌아간 것이 아닌 타임 루프이다.

즉, 똑같이 행동하면…… 2달 후에 그녀는 죽는다.

"안 돼."

서늘하게 표정이 굳은 준원은 서재로 향해 빈 노트 하나를 꺼내 들었다. 사고가 일어나는 12월 24일까지 2개월을 조금 넘는 시간 동안 일어날 일들을 기억나는 대로 노트에 전부 적었다. 이렇게 범위가 큰 타임 루프는 처음이니 단순히 기억에만 의존할 수는 없었다. 더 시간이 지나기 전에 기록으로 남겨두고 계획적으로 타임 루프에서 벗어나야만 한다. 2달간 일어나는 일들의 타임 라인을 쭉 정리한 준원은 문득 한 가지 의문이 들었다.

'그런데…… 애초에 어떻게 타임 루프가 일어난 거지?'

물론 준원은 아주 작은 확률이라도, 실낱같은 희망일지언정 도희를 살릴 수 있다면 뭐든 할 수 있었기에 물에 뛰어드는 선택을 했었다. 그리고 다행히도 그 순간 시간은 10월 14일로 되돌아왔다.

'하지만…….'

분명히 12시가 지났었다. 타임 루프가 일어날 수 있는 시간인 자정을 지나는 것을 준원은 똑똑히 두 눈으로 목격했었다. 약 12시 5분쯤 시간이 앞으로 되돌아왔는데, 어떻게 자정이 넘어서 타임 루프가 일어날 수 있었던 건지 설명이 어려웠다.

"……."

빼곡하게 글자가 적힌 노트 위를 노려보던 준원이 알코올을 목으로 넘겼다. 허공에서 부서지던 여린 몸이 자꾸만 머릿속에 떠올라 미칠 것만 같았다. 마음 같아서는 지금이라도 당장 도희의 집으로 찾아가 끌어안고 12월 24일까지 놔주고 싶지 않았다.

"……하아."

줄곧 마시던 술이 바닥나자 준원의 한숨도 깊어졌다. 의자에 등을 기댄 준원은 지그시 눈을 감았다. 도희가 타임 루프에 관해 모든 걸 잊은 이유는 뭘까. 준원은 그녀가 안 좋은 기억이 많은 탓일 거란 결론을 내렸다.

망각은 신이 내린 최고의 선물인데, 타임 루프는 그 망각을 무시하고 수없이 반복되는 모든 일을 기억하게끔 했다. 도희는 타임 루프로 인해 친어머니가 병에 맞아 죽는 장면을 수도 없이 봐야 했고, 하물며 도희 스스로가 병에 맞아 죽기도 했다. 손목도 몇 번이고 반복해서 그어야 했으며, 직장 내 성희롱 또한 두 번, 세 번 반복해서 당해야 했다.

심지어는…… 차에 치여 숨을 거두기까지 했다. 그녀는 항상 타임루프가 신이 주신 축복이라고 했지만, 사실 그녀의 마음속으로는 이 현상 뒤의 그늘이 더 크게 와닿을 터였다. 이 모든 나쁜 기억을 잊기 위한 도희의 방어 기제가 무의식중에 작용한 게 아닐까, 준원은 그렇게 생각했다.

"차라리 다행이야……."

타임 루프를 전부 잊었으니, 이제 과거의 트라우마는 좀 지워졌을 터였다. 마지막에 죽었던 기억도 전부 잊어버렸으니 이건 오히려 좋은 일일지도 몰랐다.

하지만…… 자꾸, 그녀가 자신과 함께 보냈던 시간을 기억해 줬으면 좋겠다는 욕심이 들었다.

……내 욕심이 너무 과한 건가.

준원은 눈가를 손으로 꾹, 꾹, 지압하며 낮게 숨을 토해 냈다.

"……그래."

잊었다고 해도 상관없어. 어쨌든 살아 돌아왔다는 사실만으로도 난 행복하니까……. 이번엔 꼭 마음을 전부 전할 거니까.

"다시는……."

그렇게 널 떠나보내지 않을 거야. 내가 우리의 미래를 전부 바꿀 거니까.

"지켜 줄게……."

그는 그녀가 죽은 후, 그녀에게 제 진심을 아낌없이 표현하지 않았던 것을 후회했다. 그는 제 마음을 들여다보지 않았고, 그녀가 속삭인 진심마저도 외면했었다. 신은 이렇듯 그에게 마지막일지 모르는 기회를 주었고…… 그의 눈앞에는 무사히 돌아온 그녀가 있었다.

이제, 준원은 자신의 마음을 들여다볼 차례였다. 더는 그녀를 마음 아프게 하고 상처 주지 않을 거라고, 솔직하게 마음을 털어놓고…… 한 걸음, 한 걸음 그녀에게 다가갈 거라고.

"……행복하게 해 줄게."

반드시 웃게 해 줄 테니까. 굳게 다짐한 준원은 시선을 내리깔았다. 노트를 지그시 내려다보며 금주 주말에 일어날 일에 크게 동그라미를 쳤다.

"먼저, 이번 주 토요일에는……."

반복적으로 원이 그려진 곳에는 '연누리 대신 철학자와 선.'이라고 쓰여 있었다.

'내 눈에 귀여우니까 하는 말이에요.'

비틀리듯 올라가는 준원의 입꼬리가 시야로 그려졌다. 그 여유로운 입술이 도희의 볼에 키스하며 블라우스 단추를 툭, 풀었다. 길쭉한 손가락 틈새로 단추가 툭, 툭, 전부 풀려나가고 느껴지는 해방감에 심장이 터질 것처럼 뛰었다.

'서준원 씨, 아까…… 타인의 마음을 보지 않는 건 비겁해 보일지는 몰라도 속 편한 일이라고 했죠?'

새까만 눈동자가 도희를 쓰다듬듯 훑었다.

'혹시 내 마음은 보여요?'

끈적해진 입 안이 긴장으로 굳자 뜨거운 숨결이 파고들며 열기를 얽어냈다.

'글쎄…….'

드러난 앞섶으로 무더운 입술이 깊이 파고들며 비벼졌다.

'좀 더 알아보고 싶다는 생각은 들어요.'

라비에트 호텔 2005호의 기억. 그는 서늘할 정도로 무심하지만, 결코 사랑하지 않을 수 없는 남자였다.

"……!"

화악 눈을 뜬 도희가 퍼뜩 침대에서 상체를 일으켰다. 혼란스러움에 젖은 눈동자가 거침없이 흔들렸다. 가쁜 숨이 이어지고 도희는 손끝을 세워 지끈거리는 이마를 짚었다.

"하아……."

이상한 꿈이었다. 어제 불현듯 보았던 그 해괴한 영상과 이어지는 것 같았다.

"내가 서준원이랑 자, 자, 잤……!"

개꿈인가? 하지만 꿈이라고 하기엔 저번에 갑자기 보였던 이상한 영상하고 이어지는 것 같단 말이야!

아니, 대체 언제. 왜!

이런 일은 진짜 기억에 없는데……!

"아……!"

또다시 엄청난 두통이 몰려왔다. 머리를 부여잡은 도희는 몸을 웅크리고 이를 악물었다. 이윽고 머릿속에 패러노멀처럼 떠오르는 것은 얼굴을 확확 달아오르게 만드는 노골적인 장면이었다.

"이, 무슨……."

영상이 머릿속을 메우자 도희의 얼굴이 터질 것처럼 시뻘겋게 달아올랐다. 졸지에 직장 상사의 전라가 머릿속에 그려진 것도 황당한데, 그와 자신이 하는 짓거리에 말이 나오지 않아 입만 벙긋거렸다.

"이게 뭐냐고, 대체!!!"

정신이 혼미해진 도희는 꽥 소리를 질렀다. 혼돈에 빠진 도희가 멍하니 허공을 바라보며 넋을 놓고 있었다. 한참 동안 혼란스러움에 물들어 있던 동공을 깨운 것은 누리로부터 걸려 온 전화였다.

–야, 도희야! 도희야!

"……어?"

–너 혹시 오늘 뭐 해? 일 있어?

"아니……. 없긴 한데, 왜?"

–저번에 내가 말했던 철학과 교수랑 선보는 거 오늘이거든. 근데 지금 내 썸남이 엊그제 내가 만들어 준 연어 덮밥 먹고 맛탱이가 가서…….

……뭐지? 왜 지금 이 상황, 전에 있었던 일 같지?

도희는 묘하게 느껴지는 데자뷔에 미간을 모았다.

–혹시 나인 척하고 선 자리 대신 나가줄 수 없을까?

대체 뭐지, 이 느낌……?

준원은 원래의 10월 17일에서 그랬듯이, 분기에 한 번 잡혀 있는

가족 모임에 참석했다. 아버지 윤건과 그녀의 부인 이수연, 준원 세 사람은 프라이빗 룸에 모여 식사했다.

"결혼은 대체 언제 할 생각이야?"

첫 번째 10월 17일에 그랬듯이, 윤건은 결혼을 독촉하며 일장 연설을 펼쳤다.

"들어 보니 유나 얼마 전에 한국 돌아왔다고 하던데, 그 애한테 연락받았었냐?"

"……."

식기를 내려놓은 준원이 느슨하게 시선을 들어 올렸다. 첫 번째와 똑같은 말을 꼭두각시처럼 반복하는 윤건을 준원은 가만히 바라보았다.

"아니요."

원래의 오늘, 준원은 윤건의 말에 대답하지 않고 그를 무시했었다.

"지금 좋아하는 여자가 있습니다. 그 사람 아니면 누구와도 결혼할 생각이 없습니다."

준원은 원래의 10월 17일대로 똑같이 행동하지 않았다. 미래를 바꾸기 위해, 조금씩 모든 것을 변화시켜 나갔다. 좋아하는 사람이 있다는 말에 충격을 받은 윤건은 놀라 입만 벙긋거렸다. 태어나서 제 아들이 저런 말을 하는 것은 난생처음이었다. 수연도 제 귀를 믿을 수 없다는 듯 눈을 동그랗게 뜨고 멍청하게 준원을 쳐다보았다.

"전 이만 일어나겠습니다. 마저 식사하세요."

자리에서 일어난 준원은 뒤를 돌아 문으로 뚜벅뚜벅 걸어갔다. 윤건은 넋을 놓고 말없이 준원의 뒷모습을 바라볼 뿐이었다.

"……건강관리 잘하세요. 아버지."

문고리를 잡은 준원은 그 한마디를 남기고 자리를 떠났다. 씻을 수 없는 충격에 윤건의 턱이 발끝까지 벌어졌다.

"저놈 자식, 저거……."

너무 놀라, 말까지 더듬는 윤건은 준원이 나간 방향에서 시선을 떼지 못했다.

"뭐 잘못 먹었나? 오늘따라 왜 저래?"

말은 그래도 기분 좋아진 윤건의 입꼬리는 씰룩거렸다. 반면 그 옆의 수연은 어이없다는 듯 헛숨을 터뜨렸다.

준원은 오늘 10월 17일 토요일, 룸 밖의 홀에서 도희가 누리 대신 선을 보고 있다는 걸 알고 있었다. 전처럼 우연인 척 도희를 만나기 위해 화장실 앞 복도에서 대기하며 기웃거렸다.

"팀장님……?"

그때, 뒤에서 도희의 목소리가 들려와 준원이 멈칫했다.

"팀장님 맞죠? 여기서 뭐 하세요?"

뒤를 돌아보니 도희가 해괴한 얼굴로 물었다.

"누구 기다리세요?"

"……아. 아니요. 그냥……."

널 기다리고 있었다고 할 수는 없었기에 대충 얼버무렸다.

"여긴 어쩐 일이세요?"

"전 여기 레스토랑에 약속이 있어서요. 도희 씨는요?"

"아……. 저도 누구 좀 만나러 왔어요."

이상하게 선을 보러 나왔다고 말하기가 껄끄러웠던 도희도 얼렁뚱땅 두루뭉술하게 대답했다.

"전 그럼 일행이 기다리고 있어서 이만……."

흘끔 준원의 눈치를 살핀 도희가 서둘러 자리를 피했다. 그리고 준원은 그런 도희를 뒤따라갔다. 원래의 오늘에 그랬듯이 준원은 그녀의 대환장 대리 맞선 현장을 직관했다. 혼자 북 치고 장구 치고 쇼하던 소개남은 도희의 말빨에 KO 당해 버렸다.

"아, 누리 씨! 잠시만, 저에게 기회를……!"

얼마 지나지 않아 상대 소개남의 절규가 이어졌다. 선 자리에 나온 철학과 교수는 도희에게 보기 좋게 차였다. 그리고 준원은 도도하게 레스토랑 밖을 걸어 나가는 도희의 뒤를 졸졸 따라갔다.

"왜 따라오세요?"

원래라면 준원은 '따라간 적 없습니다. 나도 주차장 가는 길이에요.'라고 말했었다. 하지만…… 이제는 솔직하게 마음을 들여다볼 때였다. 도희는 계속해서 빠른 걸음으로 앞만 보고 걸어가고 있었다. 준원은 팔을 뻗어 그런 도희의 손을 확 하고 끌어당겼다. 붉은 머리카락이 흩날리고 살짝 놀란 도희의 눈이 커졌다.

"오늘따라 도희 씨하고 같이 있고 싶어서……."

부드럽게 움켜쥐는 손길로 간질간질한 열감이 모였다.

"데이트 신청하려고요."

반달처럼 휜 눈이 청량하게 웃으며 성큼 다가왔다. 까만 동공에 비친 여린 도희의 눈꺼풀이 파르르 떨려 왔다. 주위가 아득해지고 도희의 심장은 거세게 뒤흔들렸다.

"같이 맛있는 거 먹으러 가요. 내가 살게요."

유려하게 올라선 준원의 입꼬리에 도희의 눈동자가 미세하게 전율했다. 당혹감이 밀려온 도희는 두 눈을 바삐 깜빡거렸다.

"응?"

……이걸 뭐라고 대답해야. 난처한 상황이었다. 환하게 웃으며 대놓고 꼬시는데, 저 맑은 얼굴에 대고 거절의 의사를 보낼 자신이 없었다. 곰곰이 생각하던 도희는 뚱한 얼굴로 고개를 저었다.

"싫어요."

그와 동시에 시무룩해진 준원의 어깨가 미세하게 내려앉았다.

"아니, 좋아요."

버튼이라도 누른 듯 곧바로 활짝 펴는 얼굴은 이 남자가 서준원이 맞나 의심하게 할 정도였다. 몸집은 산만 해서 하는 짓은 신나서 꼬리 살랑거리는 강아지나 다름없었다. 도희는 기분 좋은 듯 웃는 잘생긴 얼굴 뒤로 흡사 꼬리가 보이는 듯한 착각이 들었다.

"……."

대체 이 남자……. 왜 이러는 걸까요?

"대신 메뉴는 곱창전골에 소주. 이의제기 없음."

픽 웃으며 고개를 끄덕인 준원은 도희의 작은 손을 제대로 꽉 고쳐 잡았다. 커다란 도희의 눈동자가 더욱 커다랗게 뜨여졌다. 흠칫 놀라 손을 빼려고 했으나 길쭉한 손가락이 여린 마디 사이를 파고들며 도망가지 못하도록 끈적하게 옭아매었다. 깍지 낀 손을 얼떨떨하게 바라보는 도희를 내려다보며 준원이 웃었다.

"……."

도희는 이상하게도 뿌리칠 마음이 들지 않았다. 참 기묘한 일이었다.

하지만 이보다 더 묘한 것은…… 자꾸만 엄청난 속도로 쿵쾅대는 제 심장이었다. 오늘 꾼 야릇한 꿈과 이 상황이 겹쳐진 탓일까?

멍하니 준원이 이끄는 대로 따라가다 보니, 어느덧 배경은 곱창전골 맛집 가게로 변해 있었다. 식당에 도착해서야 그는 잡고 있던 손을 겨우 풀어 주었다. 도희는 허전해진 제 손을 한번 움켜쥐었다가 놓았다. 음식을 주문하고 얼마 지나지 않아 얼큰한 국물이 일품인 곱창전골이 서빙되었다. 준원은 도희의 그릇에 직접 전골을 떠 주며 웃었다.

"도희 씨하고 주말에 데이트하니까 기분 좋네요."

"저기요, 팀장님. 이거 데이트 아니거든요?"

도희가 딴지를 걸었으나 그는 전혀 타격 없는 눈치였다.

"앞으로 종종 밥 사 줘도 되죠?"

"뭐…… 그러시든가요."

"매일 사 줘도 돼요?"

불만스럽게 미간을 좁힌 도희가 찌릿 준원을 쏘아보았다.

"놀리는 거면 그만 하세요. 저 그런 장난에 안 넘어가요."

"……장난 아니라, 진심이에요."

이번엔 꽤 타격이 있었는지 준원의 목소리가 낮아졌다. 또 살짝 시무룩해진 그 모습이 도희는 어쩐지 조금 귀엽게 느껴졌다.

'그날 옥상에서 혼자 약을 했나…….'

왜 그 무신경한 남자가 갑자기 옆집 멍멍이가 된 걸까?

"어쨌든 갑자기 이러시는 거, 좀 많이 황당스러운 거 아시죠?"
"네. 알아요. 하지만……."
준원의 표정이 자못 진지해졌다.
"그래도 도희 씨가 다시 한번, 날 돌아볼 수 있도록 노력할게요."
……다시 한번? 뭔 소리야…….
"드시기나 하세요. 음식 앞에 두고 고사 지내지 마시고."
흐릿하게 웃은 준원은 수저를 들었다.
"……."
국물을 한 번 떠먹은 도희는 흘끔 준원을 곁눈질했다. 솔직히 말해서 이 남자는 밥을 먹는 모습조차 잘생긴 완벽한 피조물이었다. 이윽고 그녀의 머릿속에 떠오르는 것은 새벽의 꿈에서 봤던 그의 조각 같던 나체였다. 떡 벌어진 어깨와 쩍쩍 갈라진 복근, 두툼한 허벅지, 살짝 땀에 젖은 앞머리 사이 어둑한 눈으로 저를 내려다보던 그 섹시한 모습.
꿀꺽. 도희는 저도 모르게 마른침을 삼켰다가 흠칫했다. 대체 머릿속에 떠오른 이 영상의 정체를 알지 못해 답답한 심정이었다.
……정말 있었던 일인가? 하지만 기억에 없는걸……? 이 남자는 이 기억에 대해 알고 있을까?
"저기, 팀장님."
도희는 조심스럽게 포문을 열었다.
"혹시…… 정말 혹시 묻는 건데……."
"네?"
"이상하게 생각하지는 말고요."
준원이 웃으며 느슨하게 고개를 끄덕였다. 꼴깍, 다시 한번 긴장

된 침을 삼킨 도희가 망설이다가 말을 꺼냈다.

"우리 예전에…… 잔 적 있어요?"

본의 아닌 돌직구에 준원도 도희도 흠칫했다. 이렇게 물어볼 생각이 아니었던 도희의 얼굴이 화악 달아올랐다. 빨개진 볼 앞으로 두 손을 펼쳐 열심히 좌우로 흔들며 고개를 저었다.

"아니요. 죄송해요. 제가 잠이 덜 깼나 이상한 말실수를……."

"네. 있어요."

"……네?"

준원이 웃으며 테이블 아래 발끝으로 도희의 발끝을 톡, 건드렸다.

"잤어요, 우리."

"……."

하얀 얼굴에 맥이 탁 풀어졌다.

"평범하게 데이트도 했고, 같이 여행도 갔고, 한집에 살기도 했고, 또……."

"……."

"서로 사랑했어요. 진심으로."

도희의 눈동자가 거침없이 흔들렸다. 가까스로 동요를 숨긴 도희가 헛숨을 터뜨렸다.

"저희가 언제 동거했고, 사랑을 했다는 건지, 참……."

어이가 없었지만, 그의 표정이 너무도 진지해서 순간 흔들렸었다.

"1절 불렀더니, 2절 3절까지……."

"야, 백도희."

그 순간, 뒤에서 나타난 이언이 도희를 불렀다.

"어? 강이언……."

이언의 등장에 놀란 도희에 비해 준원은 그가 나타날 것이란 것을 알고 있었기에 놀라지 않았다.

"너 어떻게 여기 있어? 오늘 훈련 있다며."

"컨디션 조절하려고 취소했지. 그러는 넌 왜 여기 있냐?"

도희와 이언이 처음과 똑같은 대화를 하는 것을 지켜보며 준원은 물잔을 들었다. 차가운 물이 목울대를 적시며 내려가고 준원은 가늘어진 눈으로 이언을 보았다.

"그런데…… 처음 뵙는 얼굴인데?"

이언은 경계하는 눈으로 준원을 흘긋 응시했다. 10월 17일이 두 번째인 준원은 이언을 잘 알고 있었지만, 그는 준원이 초면이었다. 적대감을 드러내는 눈빛을 보며 물잔을 전부 비운 준원은 잔을 고요하게 내려놓았다.

"아, 우리 회사 팀장님. 인사해."

똑같이 흘러가는 시나리오에 오로지 준원만이 앞을 알고 있었다.

"안녕하세요. 도희 친구 강이언입니다."

"네, 반갑습니다. 서준원입니다."

준원이 손을 내밀어 악수를 청하자 이언이 그의 손을 덥석 움켜쥐었다. 전처럼 엄청난 악력이 준원의 손을 부서뜨릴 듯 옥죄어 왔다.

"……."

이전이라면 이런 도발에 응하지 않고 무표정으로 일관했겠지만, 지금 준원은 전과 달랐다. 서늘해진 시선과 함께 그는 똑같이 세게 쥐고 이언의 손을 압박했다. 손이 깨질 듯한 아픔에 이언은 단박에 준원이 도희를 노리는 경쟁자라는 것을 눈치챘다. 서로 더욱 세게 힘을 가하자 불처럼 맞붙은 두 손은 타오를 듯이 열이 올랐다.

"……뭐 해요, 둘이?"

그사이에 낀 도희는 황당한 얼굴로 이언과 준원을 번갈아 보았다. 조금 욱하는 성격인 이언은 그렇다고 치고, 세상만사 전부 무관심한 서준원이 이런 유치한 짓을 하고 있으니 당혹감이 몰려왔다. 그렇게 오래도록 눈싸움하며 씨름하던 두 손이 떨어진 것은 도희가 준원과 이언의 손등을 한 대씩 찰싹 때린 후였다.

주말의 사건이 지나고, 도희는 여러모로 조금 피곤해지게 되었다. 이언은 계속 준원이 맘에 안 든다며 길길이 날뛰었고, 준원은 작정한 듯 도희를 유혹하기 시작했다.

"오늘 귀걸이가 잘 어울리네요, 도희 씨."

은근한 작업 멘트를 날리지 않나.

"내가 들어 줄게요. 이리 줘요."

무거운 걸 들고 가고 있으면 자연스럽게 들어 주질 않나.

"많이 힘들죠? 이따 피곤할 때 먹어요."

사람들 몰래 귓가에 속삭이며 달콤한 마카롱을 선물하고.

"도희 씨, 아직 저녁 안 먹었죠? 이거 먹으면서 해요."

심지어는 야근할 때 고급 초밥집에서 도희가 좋아하는 연어 초밥을 잔뜩 포장해 대령하질 않나!

별의별 온갖 대시를 이겨 내느라 도희는 반쯤 너덜너덜해지고 말았다. 브레이크 없이 직진으로 들이대는 준원이 이상하면서도, 도희는 자꾸만 그런 그가 신경 쓰여 잠을 이루지 못해 더 야단이었다. 그리고 찾아온 피곤이 온몸을 지배한 목요일 아침. 지각을 면하기 위해 지하철을 타고 출근길에 오른 도희는 아침부터 이언의 항의 전화에 시달렸다.

-나 그 서준원인가 뭔가 너희 팀장 진짜 맘에 안 든다니까?

"뭐가 자꾸 맘에 안 든대?"

-누가 봐도 너를 좋아하잖아! 그 더러운 흑심이 난 딱 보이는데 넌 몰라? 안 보여?!

회사 로비를 가로질러 엘리베이터로 향한 도희가 버튼을 꾹 눌렀다. 꽥꽥거리는 이언 때문에 머리가 딱딱 아파 도희는 한 손으로 제 귀를 틀어막았다.

-야, 솔직히 말해. 너 설마 서준원이랑 사귀냐? 어? 그런 거야?

"아냐, 안 사귀어!"

-그럼 좋아해? 좋아하는 거냐고!

"아니. 안 좋아해! 왜 그러는데, 자꾸?"

띵, 엘리베이터가 도착한 소리와 함께 문이 활짝 열렸다.

-좋아하잖……!

"팀장님 안 좋아한다고! 싫어해! 그만 좀 물……!"

계속 난리에 난리를 치는 통해 참다 참다 터져 버렸다. 도희가 저도 모르게 소리쳤다가 멈칫했다.

"……."

열린 엘리베이터 문 안에 준원이 서 있는 탓이었다. 흠칫 놀란 도희가 심장이 떨어진 표정으로 뒷걸음질 쳤다.

"아, 안녕하세요…… 팀장님."

"네. 안녕하세요."

황급히 전화를 끊고 엘리베이터에 다소곳이 올라탔다. 뻘쭘하게 주춤거리던 도희는 흘끔 곁눈질로 준원을 살폈다.

'설마 들었나……?'

곁눈질한 준원의 표정은 누가 보더라도 상처받은 듯 심각하게 굳어 있었다. 들었다는 것을 눈치챈 도희는 속으로 탄식하며 고개를 푹 숙였다.

'잠깐. 근데 듣든 말든, 내가 왜 신경을 써야 해?'

생각해 보니 전혀 찔릴 이유가 없었다. 다시 꼿꼿하게 고개를 치켜든 도희는 큼, 목을 가다듬었다. 평정을 되찾은 도희가 도도하게 팔짱을 끼고 빠르게 올라가는 숫자를 관망했다.

"저기, 도희 씨."

그때, 낮은 저음이 고막을 파고들었다.

"오늘 퇴근하고 다른 일정 있어요?"

"글쎄요. 그건 왜 물으세요?"

"시간 괜찮으면 나하고 저녁 먹어요. 내가 살 테니까."

하아, 깊은 한숨이 도희의 폐를 돌았다.

"저 선약 있습니다. 그리고 제가 왜 또 팀장님이랑 둘이 밥을……."

"누구 만나는데요?"

"네?"

"강이언 씨?"

"……그렇긴 한데. 그건 또 왜 물으시는데요?"

준원은 쉽게 대답하지 못하고 애꿎은 입술만 달싹거렸다. 도희의 눈치를 살피던 준원이 조심스럽게 입을 열었다.

"그건……."

말꼬리를 길게 늘이며 뜸 들이던 준원이 도희를 똑바로 내려다보았다.

"도희 씨가 그 친구 만나는 게…… 싫어서요."

움찔 놀란 도희의 눈이 커졌다. 순간 가슴에 돌이 날아와 내려앉는 기분이었다.

"그게 팀장님이 싫다 좋다 할 문제는 아니지 않나요……?"

도희는 당황했으나 최대한 감정을 숨기며 차갑게 응답했다. 조금 상처받은 듯 흔들리던 준원의 눈동자가 이내 짙어졌다.

"……강이언 씨 말고, 나하고 저녁 먹으면 안 돼요?"

살짝 도희의 소매를 잡으며 말하는 준원에 도희는 저도 모르게 멍하니 입을 툭 벌렸다. 진짜 대형견이라도 된 듯 저만 좋다고 졸졸 쫓아다니는 게 좀…….

"귀…… 귀엽……."

흠칫. 저도 모르게 입 밖으로 소리 내서 말한 도희가 숨을 집어삼켰다. 화들짝 놀란 도희가 제 입을 틀어막았다. 단정하던 동공이 팝핀 댄스를 추는 건 순식간이었다.

'미쳤어, 백도희……!'

도희는 말실수한 제 입을 꿰매 버리고 싶은 충동을 누르며 속으로 절규했다.

"……."

"……."

오로지 단둘뿐인 엘리베이터로는 잠시 숨소리 하나 들리지 않는 정적이 흘렀다. 찰나의 침묵이 흐르고 도저히 이 고요를 견딜 수 없었던 도희가 서둘러 변명을 늘어놓았다.

"죄송해요. 제가 실수로 잘못 말……."

"귀엽다고요?"

"아니요. 그러니까……."

"누가요? 설마 내가요?"

"그, 그게 아니고……!"

당황한 도희의 눈이 확대되었다.

"옆집 강아지! 그 강아지가 갑자기 생각이 나서……."

마른 땀이 삐질삐질 흘러내렸다.

"그게 그러니까……."

궁지에 몰린 눈동자가 이리저리 바쁘게 구르고 있는데, 앞에서 픽 바람 빠지는 듯한 웃음소리가 들려왔다. 그 짧은 웃음을 신호탄으로 도희의 하얀 뺨은 선홍빛으로 달아올랐다. 발끈한 도희가 스팀이라도 뿜을 듯 씩씩거리며 준원을 쏘아보았다.

"아니, 왜 웃는……!"

도희가 멈칫했다. 갑자기 가까이 다가온 커다란 손 때문에 훅 숨을 멈추었다. 느릿하게 뻗어진 손은 도희의 볼을 부드럽게 톡톡 보듬었다.

"도희 씨가 더 귀여워요."

눈웃음 지은 그는 핑크빛 볼을 살짝 꼬집었다가 놓았다. 화악 상기된 도희의 얼굴이 붉으락푸르락했다. 그런 도희를 보며 여유롭게 웃음을 흘린 준원은 때마침 열린 엘리베이터 문 사이로 뚜벅뚜벅 걸어 나갔다. 그 뒤에 멍하니 넋 놓고 서 있던 도희는 이내 마구 발을 굴렀다.

'미친. 왜 또 설레고 난리……!'

사무실에 도착해 자리에 앉은 도희는 흐트러진 정신을 다잡았다. 더는 서준원을 신경 쓰지 말자고 다짐하며 당장 눈앞에 보이는 일을 처리하는 데에만 집중했다.

"과장님, 이거 발주한 시안 도착했는데, A안이랑 B안 중에 어떤 게 더 나을까요?"

"왔어? 어디 한번 봐봐."

새봄이 건넨 두 가지 시안을 보며 도희는 신중하게 턱을 문질렀다. 어느 한쪽이 월등하지 않고 비등비등한 결과물이었다.

"이게 더 좋을 것 같은데?"

두 가지의 시안을 번갈아 보던 도희가 고민 끝에 입을 열었다.

"A안이요?"

"아니. B안 쪽이 나은 것 같기도 하고……."

"그렇죠? 저도 이 둘이 계속 헷갈려서……."

"살짝 애매해서 판단이 잘 안 서네. 음……."

인쇄된 시안을 뚫어져라 바라보는 도희의 눈 위로 주름이 생겼다. 눈이 빠지도록 비교하고 있는데, 돌연 위에서 뻗어진 길쭉한 손이 툭, A안을 가리켰다. 움찔한 도희가 고개를 꺾어 위를 올려다보니 회의에 참석하고 돌아온 준원이 이쪽을 내려다보고 있었다.

우뚝 두 눈이 마주치자마자 준원의 입꼬리가 매끄럽게 올라섰다. 도희에게 씩 웃어 보인 준원은 그대로 그녀를 스쳐 지나가 제자리에

착석했다.

"……."

순간 저 예고 없는 미소에 심쿵당해 버린 도희는 그 자세 그대로 멈추었다.

'뭐야. 나 지금 뭐야……?'

심장은 왜 갑자기 이렇게 빨리 뛰고 야단인가. 얼굴은 또 왜 이리 화끈거리고 난리인가?

무엇보다도 저 자식은 왜 저렇게 잘생기고 난리인가……!

"과장님, 더우세요?"

"어, 어?"

"볼이 좀 빨개지신 것 같아서……."

흠칫한 도희가 손등으로 제 볼을 지그시 눌렀다.

"아, 그…… 블러셔가 좀 과했나 보다. 하하."

"네? 하지만 아침엔 안 그러셨……."

"자, 자. 그럼 A안으로 정리해서 업체에 피드백 바로 전달해. 알았지?"

"아, 네! 알겠습니다!"

꾸벅 고개를 숙인 새봄이 자리로 돌아가고, 도희는 크게 가슴을 부풀리며 심호흡했다. 왼쪽 가슴이 콕콕 아픈 게 심장병이라도 걸린 듯했다. 대체 왜 이러는 건지, 절로 한숨이 흘렀다.

그 이후로도 도희는 자꾸 준원만 보면 심장이 뛰거나 얼굴이 뜨거

워지기 일쑤였다. 그런 자신의 증상이 당혹스러운 그녀는 업무상으로 필요한 최소한의 교류 외에는 준원과 얼굴을 맞댈 일을 만들지 않으려고 했다.

밥 먹다가도 피하고, 걷다가도 피하고, 시선이 느껴져도 피하고. 의식적으로 준원을 계속 피하다 보니 하루가 억겁처럼 흘렀다. 하지만 원수는 외나무다리에서 만난다고 하던가. 오후에 단둘이 외부 미팅을 하러 가는 이 순간은 피하려야 피할 수가 없었다.

"……."

좁은 차 안에 준원과 단둘이 되자 도희는 괜히 긴장이 몰려왔다. 그와 단둘이 미팅을 가는 게 처음도 아닌데 이상하게 뒤쪽 목덜미가 자꾸만 뻣뻣해졌다.

"도희 씨, 오늘 저녁에 어떻게 하기로 했어요?"

매끄럽게 돌아가는 검은 동공이 비스듬히 꽂히자 도희의 척추가 곧게 섰다.

"……뭘 어떻게 해요?"

"저녁 식사요. 누구하고 먹을 건지."

도희는 생각지도 못한 물음에 난처해지고 말았다. 잠시 주춤했으나 최대한 칼같이 단정적으로 답하는 게 좋겠다고 결론을 내렸다.

"선약 있다고 말씀드렸잖아요. 그리고 저 요즘 좀 바빠서 시간이 별로 없어요."

"근데 왜 창문만 보고 말해요?"

도희가 줄곧 시선을 두었던 것은 투명한 유리창 밖으로 빠르게 바뀌는 풍경이었다. 눈은 여전히 창밖으로 둔 채 꾹 입을 다문 도희는 대답하지 않았다.

"아까부터 계속 나 피하고…… 도희 씨는 정말 내가 싫어요?"

그 침묵에 낮아진 준원의 목소리가 도희의 고막을 타고 흘렀다. 움찔한 도희가 머뭇거리다가 대충 변명했다.

"……그런 거 아니에요."

어떻게 말하겠는가. 싫은 게 아니라 얼굴을 볼 때마다 심장이 뛰는 탓에 그러는 거라고.

"나 피하지 말아요……. 응?"

고막을 살살 달래며 녹이는 음성에 도희는 가슴이 흐무러지는 기분을 느꼈다. 뭐라고 답해야 할지 몰라 입술만 달싹이다가 문득 고개 돌린 시야에 준원의 얼굴이 들어왔다. 눈이 마주치자마자 느슨하게 올라가는 입꼬리에 도희의 가슴이 욱신거렸다. 그의 웃음을 볼 때마다 왜 이렇게 묘한 감정이 드는 걸까. 어쩐지 무언가 중요한 것을 잊고 있는 듯한 기분이었다.

외부 미팅이 끝나고 복귀한 준원과 도희는 퇴근 시간이 지나서도 남아 업무를 처리했다. 준원은 행사 PPT 자료를 마무리 짓느라 바쁜 도희를 보며 생각에 잠겼다.

기억이 맞다면, 이제 곧 유현록 본부장이 와서 도희에게 삼일마트측과의 미팅에 참석할 것을 요구할 터였다. 그리고 원래의 10월 30일, 도희는 삼일마트와의 미팅에서 김 이사에게 성희롱과 추행을 당했었다. 준원은 이번엔 무슨 일이 있더라도 도희를 그 자리에 참석시키지 않겠다고 다짐하며 표정을 굳혔다.

"어, 우리 본부 에이스들! 아직 안 가고 있었네?"

아니나 다를까, 곧 우렁찬 목소리와 함께 유 본부장이 사무실로 걸어 들어왔다.

"그래, 그래. 열심히들 하는 건 좋은데 슬슬 정리하고 퇴근해야지."

"네, 알겠습니다."

"신경 써 주셔서 감사합니다. 본부장님."

엄지를 척 날린 유 본부장은 툭 준원의 어깨를 두드렸다.

"맞다. 서 팀장. 내일 삼일마트 김 이사 미팅 잊지 않았지? 썬더라이즈 VIP룸."

"네, 기억하고 있습니다."

"그래. 서 팀장도 이번이 기회니까 단단히 눈도장 찍어 두라고."

"예, 감사합니다."

"오케이, 그리고 우리 백 과장! 백 과장도 와야지, 당연히?"

"아……."

옆에 있던 도희가 흠칫했다. 삼일마트 김 이사의 고약한 손버릇을 잘 알기에 저도 모르게 머뭇거렸다.

"왜? 무슨 중요한 일 있어?"

유 본부장의 물음에 얼른 얼굴색을 고친 도희가 웃으며 답하려는 찰나였다.

"죄송하지만 백 과장은 참석이 어려울 것 같습니다, 본부장님."

준원이 그사이를 가로막고 목소리를 내었다. 갑작스러운 말에 살짝 움찔한 도희의 미간이 살며시 좁아졌다.

"내일 백 과장은 이번에 론칭한 신규 브랜드 직영점에 점검하러 갈 예정이라서요."

"아, 그래?"

"네. 금요일이라 점검 일정을 더 미룰 수도 없고, 저도 자리를 비우다 보니 백 과장이 아니면 어려울 것 같습니다."

"흠……."

유 본부장이 껄끄럽게 제 턱을 문질렀다.

"그래. 그럼 어쩔 수 없네."

떨떠름하게 고개를 끄덕이는 게 누가 보더라도 맘에 안 드는 눈치였다. 준원의 완강한 태도에 할 수 없이 한발 물러선 유 본부장은 못마땅한 표정으로 대충 손을 흔들고 자리를 떴다.

"……."

가느다란 도희의 눈꺼풀이 파르르 떨렸다. 주먹을 꼭 움켜쥔 그녀의 입술 사이로 흐릿한 숨이 흘렀다. 사무실에는 모두가 퇴근하고 도희와 준원 단둘뿐이었다. 날카롭게 돌아간 도희의 시선이 준원에게 사선으로 꽂혔다.

"무슨 생각이신 거예요?"

다소 날 선 음성이었다. 그 뾰족한 어투에 준원의 한쪽 눈썹이 내려앉았다. 대답하지 않고 가만히 쳐다만 보니 도희가 낮게 목소리를 내리깔았다.

"……잠깐 저랑 얘기 좀 하시죠."

비상계단으로 나온 도희와 준원 사이에 차가운 분위기가 감돌았다.

"왜 그러셨어요?"

도희는 정면으로 준원을 올려다보며 물었다.

“무슨 뜻입니까?”

“제 일이에요. 팀장님이 나서서 막을 일이 아니었다고요.”

“가서 무슨 짓 당할지 뻔히 아는데, 내가 거길 어떻게 보내요?”

모든 걸 기억하고 있는 준원은 미팅 장소에서 일어날 악질적인 일들을 전부 알고 있었기에 막으려 했을 뿐이었다. 하지만 기억을 잃은 도희의 입장에서 그런 준원의 행동은 그저 오지랖으로 보일 터였다.

“저기요, 팀장님.”

작게 뱉어진 한숨이 입술 사이를 맴돌았다.

“지금 이건 본부장님이 내린 업무 지시를 거부한 거나 마찬가지예요. 저도, 팀장님도.”

“아니죠. 업무 지시가 아니라 엄연히 업무 외 지시였습니다.”

“……이러면 팀장님도 본부장님한테 점수 잃으신 거예요. 모르지 않으실 텐데요?”

“…….”

“아직 본부장님 스타일 파악이 안 되셨나 본데, 유 본부장님, 자그마한 걸로도 트집 잡고 두고두고 쌓아 뒀다가 보복하는 스타일이세요. 자기 말에 불복하는 거 무엇보다도 싫어하시고요. 그러니까 뜻에 반할 만한 짓은 애초에 안 만드는 게 나아요.”

“……뭔가 잘못 생각하고 있는 것 같은데, 업무 외 지시는 따를 필요도 없고, 도희 씨가 해야 할 일도 아니에요.”

준원의 말이 옳다는 것은 도희도 알고 있었다. 하지만 회사 생활이란 게 상식이 통하는 일만 있는 것은 아니었다. 특히나 고리타분

한 사고에서 벗어나지 못하고 있는 유현록 본부장의 경우는 더더욱 그러했다.

"원래는 자기밖에 모르던 분이 갑자기 왜 이러시는데요?"

처음 부임했을 때만 해도 입지를 다지겠다는 심산으로 일부러 팀원들 앞에서 팀장 대행이었던 도희를 훈계했던 준원이었다. 그렇게 피도 눈물도 없었던 남자가 바로 서준원이었다. 과거의 기억이 전부 날아간 도희는 이런 준원의 급작스러운 변화가 황당할 뿐이었다.

"도희 씨가 예전에 나한테 그랬잖아요. 지금까지 자기 일만 챙겨서 살아왔냐고. 팀장이면 팀장답게 아래 애들 감싸 주고 고쳐 줄 줄 알아야 팀장이라고. 그래서 나는……."

"제가 언제 그런 말을 했다는 건데요?"

따지듯 물어 오는 얼굴에 준원은 뒤늦게 이 말은 그녀가 타임 루프를 겪고 있을 때 했던 말이었다는 것을 깨달았다. 그러니 기억할 리 만무했고, 결국 이상해지는 쪽은 준원이었다.

"……도희 씨는 기억 못 하겠죠. 하지만……."

"진짜 좀 질리네요, 이젠."

차갑게 준원의 말을 잘랐다. 서늘한 분위기가 두 사람 사이를 감돌며 한기를 만들어 냈다.

"왜 자꾸 전부터 기억도 없는 얘기 지어내시는 건지 모르겠는데요……."

"……."

"장난치시는 거면 여기까지 하세요."

차분한 음성이 준원의 가슴을 아프게 파고들었다.

"……도희 씨."

"그렇게 부르지도 마시고요."

싸늘한 어투에 준원의 눈매가 가늘어졌다.

"팀장님 이러시는 거, 솔직히 부담스럽고 피곤해요."

날카로운 칼날이 된 언어는 준원에게로 날아가 심장을 고요하게 베었다. 살며시 좁아진 미간이 그를 대변했다.

"딱 잘라 말할게요. 전 팀장님 남자로 생각해 본 적 없습니다."

그 말을 하는 도희의 가슴도 가시에 찔린 듯이 욱신거렸다. 까만 눈동자가 상처받은 듯 미세하게 떨리는 걸 목격한 탓이었다.

"이제 선 넘지 않으셨으면 좋겠습니다."

도희는 애써 시선을 떨어뜨렸다. 미루어 두었던 말을 하는 것뿐인데 왜 이렇게 말하기가 힘든 건지 그녀로서는 알 길이 없었다. 주먹을 꽉 쥐고 뒤를 돌았으나 몇 걸음 가기도 전에 따스한 온기가 손을 감쌌다.

"……"

오기로 잡고 있던 주먹이 느슨하게 풀어졌다. 자그마한 손을 부드럽게 움켜쥔 준원은 간절한 음성으로 속삭였다.

"도희 씨……."

도희의 눈꺼풀이 가늘게 경련했다. 잠시 위태롭게 호흡하던 도희는 억세게 이를 악물었다. 토해 내듯 한숨을 뱉은 도희가 그의 손을 뿌리치고 또각또각 걸어갔다.

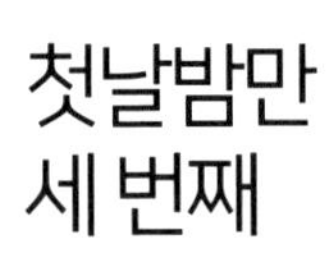

VOL. 3

Three First Nights

CHAPTER 17

다시 내 손 잡아줄래요?

17

다시 내 손 잡아줄래요?

"너 뭐 용수철 구워 먹었냐?"

도희, 이언, 누리, 절친 삼인방은 오늘도 함께 모여 술잔을 기울였다. 준원의 이야기를 이언으로부터 건네 들은 누리는 도희의 얼굴을 보자마자 물어 왔다.

"왜 그렇게 튕겨? 서준원 정도면 완전 명품 중에 명품이구만."

이언은 못마땅한 듯 술잔을 움켜쥐고 누리를 흘깃 째려보았다. 그러거나 말거나, 누리는 열심히 제 할 말을 이어갔다.

"집안 빵빵해, 본인도 직업 확실해, 얼굴 심각하게 잘생겼지, 키도 대한민국 1%지. 성격도…… 어쨌든."

누리가 어깨를 으쓱했으나 도희는 그저 묵묵히 술만 마실 뿐이었다.

"그런 남자가 좋다고 쫓아다니는데, 진짜 와이 낫?"

"야, 나도거든?"

도희가 답하기도 전에 끼어들어 날뛰는 것은 질투의 화신 강이언 선생이었다.

"나도 부모님 모두 교수지, 직업 확실한 골프 선수지, 얼굴 이만하면 잘생겼지! 키도 그 자식이랑 비슷하다고!"

"어쩌라고. 안 물어봤거든? 그래 봐야 뇌가 근육으로 된 주제에……."

"뭐라고? 이게 진짜!"

"야, 야. 야!"

뜬금없이 시작된 이언과 누리의 싸움을 도희가 서둘러 중재했다.

"왜 너희가 싸워? 조용히 해. 골 울려."

도희의 머리가 또다시 지끈지끈 쑤시기 시작했다. 손끝을 세워 관자놀이를 꾹꾹 누르니 이언과 누리의 얼굴에 걱정이 드리웠다.

"왜? 머리 아파?"

"응…… 요즘 자꾸 두통이 있네."

준원이 급변한 날로부터 시작된 두통이 무려 보름째 계속되고 있었다.

"그래서 차도 못 끌고 다녀. 갑자기 머리 심하게 아프면 사고라도 날까 봐."

근래 도희가 계속 지하철을 이용하는 이유였다. 가끔 머리가 깨질 듯이 아프고 이상한 영상이 눈앞에 펼쳐지고는 했다.

"병원은 가 봤어?"

"아니. 회사 때문에 못 갔지."

이언의 걱정스러운 물음에 도희가 한숨 지으며 답했다.

"그리고 나 말인데, 요즘……."

이상한 영상이 자꾸 문득문득 보여. 도희는 뒷말을 뱉지 않고 삼켰다.

"요즘? 요즘 뭔데?"

"……아니다. 별거 아니야."

고개를 내저은 도희가 술잔을 움켜쥐었다.

"그럼 내가 너 퇴근할 때 맞춰서 데리러 갈까?"

눈치를 보던 이언이 은근슬쩍 조심스레 운을 띄웠다.

"어?"

"아니, 그…… 나 그 근처에 일이 있기도 하고……."

사실 아무런 용무가 없었던 이언은 서둘러 변명을 생각해 내며 뒷머리를 긁적였다.

"너 머리 아픈 거 나아질 때까지만 데리러 갈게. 어때?"

"아, 그래 줄래?"

예상외로 거부감 없이 흔쾌히 받아들이자 이언의 얼굴이 활짝 폈다.

"그럼 당분간 신세 좀 질게. 맨날 차 끌고 다니다가 퇴근길 지옥철 타려니까 너무 힘들더라."

속으로 환호성을 내지른 이언은 거의 축제 분위기였다. 하지만 큼, 큼, 헛기침하며 신이 난 제 속마음을 숨기려고 노력했다.

목요일 밤의 다툼 이후로 준원은 전처럼 도희에게 쉽게 다가가지 못했다. 도희도 더 이상 준원을 스스럼없이 대하지 않고 칼같이 회사 상사로서의 비즈니스 관계를 지켰다. 두 사람 사이의 대화는 오로지 업무상 이야기뿐이었으며, 준원이 할 수 있는 것은 그저 먼 발치에서 도희를 바라만 보는 게 전부였다.

그렇게 찾아온 월요일 퇴근 시간, 집으로 돌아가기 위해 차를 몰고 나온 준원은 회사 앞 사거리에 서 있는 도희를 발견했다.

……오늘도 지하철로 퇴근하나? 원래대로라면 자차를 몰고 다녔을 도희는 요즘 계속 대중교통을 이용하는 것 같았다. 미래가 달라진 이유가 궁금했으나 준원이 알기에는 역부족이었다.

"……."

잠시 망설이다가 도희에게 다가가기 위해 핸들을 움켜쥔 찰나였다. 저 멀리서 달려온 검은 세단이 도희의 앞에 멈춰 섰다.

"……하."

강이언의 차였다. 시간이 되돌아오기 전에 본 적이 있었기에 똑똑히 기억했다.

"왜 또 데리러 오는 거야?"

설마하니 이 광경을 또 보게 될 줄은 몰랐던 준원의 미간이 험악하게 구겨졌다. 기분이 상해 버린 준원의 입가가 싸늘하게 얼어붙었다.

"……하아."

원래의 미래에서 도희가 준원을 사랑했었다고 한들, 이번에도 그녀가 그를 똑같이 사랑할 거란 보장은 없었다. 준원의 행동이 달라졌기 때문이었다. 준원이 적극적으로 마음을 표현한 것이 오히려 독이 될 수도 있다는 뜻이었다.

"도희 씨……."

준원은 애가 타서 미칠 것 같았다. 그녀가 제게 준 사랑은 이토록 소중한 것이었는데……. 왜 그땐 그걸 몰랐던 걸까. 또다시 후회가 밀려오고 속이 쓰라렸다. 어떻게 해야 할지, 망망대해 위에서 길을 잃은 기분이었다.

다음 날 아침, 여느 때와 같이 하루를 여는 회의는 시작되었다.

"……이렇게 되면 타사 브랜드와의 차별화가 필요합니다. 우리 KSS 그룹의 직영점이라는 장점을 살리면서도 소비자들의 니즈를 충족시키려면 어떤 방향으로 기획해야 할지 각자 의견을 얘기해 봅시다."

딱딱하게 이야기하는 준원의 얼굴을 도희는 도무지 쳐다볼 수가 없었다. 결국 회의 내내 집중하지 못한 그녀는 준원이 끝을 알리자마자 도망치듯 휴게실로 피난을 왔다.

"하아……."

깊은숨이 폐를 빠져나가 입술 사이로 뱉어졌다. 쌉쌀한 커피 한 잔을 넘긴 입술은 따뜻해졌지만, 맘은 여전히 구멍이 뚫린 듯 시렸다.

"……신경 쓰여."

왜 이러는 걸까, 나? 진짜 서준원이 신경 쓰여서 미치겠어……!

폭 두 손바닥으로 얼굴을 감싼 도희가 속으로 절규했다. 어떻게 해야 할지 마음이 너무도 복잡해 목놓아 소리라도 지르고 싶은 심정이었다.

온종일 답답한 가슴을 안고 하루가 흘렀다. 엉망진창 녹초가 된 도희는 피로가 축적된 몸을 이끌고 사무실을 나섰다. 정신을 차리기 위해 주머니 깊숙이 돌아다니는 머리끈을 끌어내 머리를 높게 고쳐 묶었다.

“비가 계속 오네…….”

아침부터 한바탕 쏟아지던 비는 저녁이 돼서도 끊이질 않았다. 오히려 더욱 억세진 빗줄기가 절로 눈살을 찌푸리게 했다.

“어, 강이언.”

-나왔어? 나 곧 도착해.

“응. 어디로 가면 돼?”

-사거리 지나서 보이는 신호 건너서 서 있어.

“오케이. 천천히 와.”

전화를 끊은 도희는 바쁘게 다리를 움직였다. 회사 건물을 나와 우산을 펼치고 먹구름 낀 우중충한 날씨를 뚫고 전진했다. 저 멀리 신호등 불이 켜지자 보폭을 크게 잡아 빠르게 뛰었다. 우산을 들고 빗길을 뛰는데, 순간 도희의 두개골이 파열하듯 울렸다.

“아……!”

지이이잉, 깨질 듯이 울리는 두통에 도희의 심장이 곤두박질쳤다. 누군가 뇌를 움켜쥐고 세게 압력을 가하는 듯했다. 엄청나게 몰려오는 두통에 도희가 그 자리에서 우뚝 멈추었다. 여린 몸이 비틀거리는 동안 신호는 빨간 불로 바뀌었고, 4차선 도로에 일렬로 서 있는 차들은 도희를 향해 미친 듯이 클랙슨을 울려댔다. 빠아앙-!

눈앞에 쏟아지는 헤드라이트에 숨이 턱 막혀 옴과 동시에 이상한

영상이 펼쳐졌다. 지금과 똑같이 비 오는 날의 4차선 도로였다. 하얀 승용차가 헤드라이트를 번뜩이며 엄청난 속도로 달려와 텅! 도희의 몸을 부서뜨렸다. 고막이 폭발하는 듯한 굉음과 함께 사지가 찢기는 충격이 이어졌다. 머릿속에 떠오르는 영상에 도희는 비명을 내지르며 털썩 주저앉아 버렸다.

"아, 아……!"

툭, 우산을 떨어뜨린 도희가 머리를 부여잡고 덜덜 온몸을 떨었다. 현실과 머릿속의 영상이 구별되지 않아 공포심이 밀려오며 심장이 터질 것처럼 뛰어 왔다.

"……!"

그 순간, 놀란 도희의 눈이 커졌다. 머리 위로 그늘이 드리우는가 싶더니, 어디선가 뛰어온 준원이 도희에게 우산을 씌워 준 것이었다. 도희의 동공이 거칠게 흔들렸다. 온몸을 축축이 적시던 빗물은 더는 새어 들어오지 않았다. 제 재킷을 벗어 도희에게 입혀 준 준원은 그대로 도희를 확 끌어안아 일으켰다. 비틀거리는 도희를 부축해 인도로 침착하게 향했다.

"도희 씨, 괜찮아요?"

까만 앞머리가 비에 축축하게 젖어 눈가로 늘어졌다. 비에 쫄딱 맞는 것도 개의치 않는지, 도희에게만 우산을 씌워 준 준원은 오로지 그녀의 안위에만 관심을 두었다.

"나 또 심장 떨어지게 만들지 말아요, 제발……."

……또? 무슨 말을 하는 거지?

도희는 여전히 머리가 지끈거려 두 눈을 찡그렸다.

그런데 지금 서준원의 표정……. 왜 이렇게 어디선가 본 것 같지?

아까 그 차에 치이는 영상은 대체 뭐야? 난 차에 치인 적이 없는데, 그 기억은 도대체 뭐냐고!

"……."

풍랑에 흔들리는 돛단배처럼 도희의 눈동자가 경련했다. 이윽고 불현듯 떠오르는 기억은 차에 치여 쓰러진 저를 안고 어쩔 줄 몰라 하는 준원의 얼굴이었다.

'대체…… 뭐야…….'

당혹감이 밀려온 도희의 낯이 창백해졌다.

이 영상에 얽힌 진실을 준원은 알고 있을까? 그의 말대로 정말 내가 뭔가 잊고 있는 기억이란 게 있는 건가?

대체 지금 내가 잊고 있는 게 뭔지, 묻기 위해 떨리는 입술을 벌린 찰나였다.

"백도희!!!"

저 멀리서 갓길에 차를 세운 이언이 달려오며 크게 소리쳤다. 물불 가리지 않고 황망하게 뛰어온 이언은 준원을 밀치고 도희의 어깨를 움켜쥐었다.

"백또, 괜찮아?! 어? 어디 안 다쳤어?"

"아, 어…… 괜찮아."

얼떨떨하게 답한 도희가 작게 심호흡했다. 겨우 평정을 되찾은 그녀는 준원의 우산에서 나와 이언의 우산 안으로 들어갔다. 준원이 어깨에 걸쳐준 재킷을 벗어 돌려주며 고개를 숙였다.

"도와주셔서 감사합니다. 팀장님."

딱 달라붙은 이언과 도희의 어깨를 보는 준원의 동공이 거칠게 흔들렸다.

"……."

우산대를 쥔 손에 힘이 들어가고 손등에는 핏줄이 곤두섰다. 마음 같아서는 도로 도희를 제 우산 안으로 데려오고 싶었으나, 그럴 자격이 현재의 준원에게는 없었다. 누군가 칼로 심장을 찌르는 듯 가슴이 옥죄어 왔다.

……결국 두 번째 타임 루프에서, 그녀는 제가 아닌 강이언을 선택했다. 솟구치는 질투와 상처가 울컥 북받쳐 온 준원은 속이 썩어 문드러지는 듯한 느낌에 입술을 꽉 깨물었다. 미칠 것 같았으나 가까스로 폭발할 것만 같은 감정을 억누르고 낮게 호흡했다.

"……그래요. 친구분 왔으니까 난 가 볼게요."

힘겹게 한마디 내뱉었다.

"도희 씨, 집까지 잘 데려다주세요. 부탁합니다."

떨리는 목소리로 이언에게 진심으로 부탁했다. 제 사사로운 감정보다도 중요한 것은 도희의 안전이었다.

"……."

뒤돌아 가는 준원의 뒷모습 뒤로 도희의 시선이 길게 닿았다. 도희는 좀처럼 쓸쓸해 보이는 그의 뒷모습에서 시선을 뗄 수가 없었다. 왜 이렇게 가슴이 답답한지 알 수가 없었다. 계속해서 뭔가 아주 중요한 걸 잊고 있는 듯한 기분이었다.

제 차로 돌아간 준원은 물기를 채 털 여유도 없이 운전석에 올라탔다. 때 한번 탄 적 없는 시트가 축축하게 젖었으나 준원은 지금 그

런 것을 신경 쓸 여유 따위 없었다.

"……."

퇴근하는 도중, 준원은 4차선 도로 한복판에서 비틀거리는 도희를 보고 심장이 떨어지는 듯했다. 겹쳐지는 과거의 사고와 함께 준원은 곧장 핸들을 확 틀어 차를 갓길에 버려두고 도희에게로 달려갔었다.

하지만 결국 그녀가 선택한 자리는 제 옆이 아닌 강이언의 옆자리였다. 그 순간 준원의 세상은 무너져 내리는 것만 같았다. 분명히 도희의 안위가 무엇보다도 중요하다고 생각했다. 우리가 함께했던 그 모든 기억은 없었던 일이 되어도 좋으니, 그녀만 무사하면 그걸로 좋다고 생각했었다.

하지만 이제 준원은 괴로워서 도저히 견딜 수가 없었다. 제게 차가운 얼굴을 하는 도희에 저도 모르게 상처를 받았고, 그녀의 옆에 제가 아닌 강이언이 있는 것도 화가 나서 미칠 것 같았다.

하물며 점점 더 깊어져만 가는 도희를 향한 감정은 이제 감당할 수가 없는 수준이었다. 다시금 그녀에게 이 모든 감정을 말해 버리고 비워 내고 싶었다. 늘 뭐든 혼자 해결해 왔던 준원이지만, 이제 홀로 모든 걸 감당하는 것은 너무도 힘든 일이었다.

"하아……."

준원은 눈가를 손으로 누르며 낮게 한숨 지었다.

'딱 잘라 말할게요. 전 팀장님 남자로 생각해 본 적 없습니다.'

도희가 했던 말들이 다시금 떠오르며 상처는 끊임없이 덧났다.

'팀장님 이러시는 거, 솔직히 부담스럽고 피곤해요.'

"하……."

'이제 선 넘지 않으셨으면 좋겠습니다.'

냉기 서린 도희의 목소리가 자꾸만 귓가에서 반복적으로 울렸다. 길을 잃은 준원은 오래도록 떠나지 못하고 그 자리 그대로 매여 있었다. 길가에 주차한 차는 1시간, 2시간이 지나도 그대로 굳은 듯 출발할 기미가 없었다.

이언의 차를 타고 집으로 돌아오는 내내 도희는 마음이 싱숭생숭했다. 창밖에 쏟아지는 빗줄기는 어느덧 포슬포슬 이슬비로 변해 아스팔트를 연약하게 적셨다. 그 힘없는 빗줄기를 보니 이상하게 준원이 떠올랐다. 아까 그 고독해 보이는 뒷모습이 자꾸만 눈앞에 어른거려 가슴이 쓰리고 속이 탔다. 결국 저녁 식사를 함께하자는 이언의 제안도 거절하고 홀로 집에 틀어박혀 생각에 잠겼다.

'사랑해요, 도희 씨…….'

얼마 전 준원이 제게 했던 고백이 다시금 머릿속으로 새겨졌다. 갑작스럽게 돌변해 속삭이는 탓에 당연히 장난인 줄 알았는데, 이제 와서 다시금 생각해 보니 그건 한 치의 거짓도 없는 진심이었다는 것을 새삼 깨달았다.

"난 대체 뭘 한 거야……."

타인의 진심을 자꾸만 장난으로 치부하고 밀어냈으니 이건 마음을 보여 준 그를 할퀴고 상처 내는 행위에 지나지 않았다.

"신경 쓰여서 미치겠다, 정말……."

후으, 깊게 한숨을 내쉰 도희는 곧장 겉옷을 주워 입었다. 내내 안절부절 못하고 있다가 결국 집을 박차고 나섰다. 벌써 조금 전 사건으로부터 3시간이 넘게 지나 밤 10시가 가까워졌으나, 왠지 모를 예감에 이끌린 도희는 택시를 타고 아까 그 4차선 도로 근처로 향했다.

"……."

그래, 집에 갔겠지. 설마 아직도 있겠어?

입술을 꾸욱 내리누른 도희가 기사에게 비용을 지불하고 택시에서 내렸다. 회사에서 멀지 않은 사거리 옆 골목에는 어둠이 짙게 내려앉아 인적이 드물었다. 기웃거리던 도희는 아니나 다를까, 어둠 속에 파묻혀 주차되어 있는 준원의 차를 발견하고 한숨 지었다.

"3시간이나 지났는데, 아직도……."

천천히 다가간 도희가 조금 망설이다가 똑, 똑, 창문을 두드렸다.

"……."

놀라 커지는 동공이 시야에 그려졌다. 그는 도희가 가까이 다가올 때까지 눈치채지 못한 듯했다. 차 문을 열고 조수석으로 들어온 도희는 무표정으로 운전석에 기대 있는 준원을 보며 입술을 사리물었다.

"왜 아직도 여기 있어요?"

"……."

준원은 대답 없이 눈을 지그시 감았다가 떴다. 도희를 향해 구른 검은 눈이 부드럽게 휘었다. 그는 말없이 옅게 웃음으로 회답할 뿐이었다.

"……진짜 어떡하면 좋아."

하아, 한숨이 어김없이 뱉어졌다.

"……팀장님은 제가 왜 좋으세요?"

잔잔한 호수 같은 물음이었다. 낮게 시선을 내린 준원은 도희의 눈을 똑바로 응시했다. 까만 동공이 도희를 쓰다듬듯 내려앉았다.

"……좋아하는데 어떻게 이유가 있을 수 있어요."

벌어진 입술이 만들어 낸 그윽한 음성이 도희의 고막을 흠뻑 적셨다.

"그냥 도희 씨니까……."

"……."

"백도희 씨라서."

힘 빠진 듯 웃는 입꼬리는 서늘했으나 준원의 시선은 여전히 열대야를 품고 있었다.

"그 이유 하나만으로 사랑하고 있습니다."

……그의 눈빛에서 느껴지는 온기. 지그시 느껴지는 열기에 도희의 가슴은 강하게 휘청거렸다. 멍하니 준원을 바라보는 도희의 머리 위로 커다란 손이 부드럽게 감겼다. 준원은 떨리는 손으로 도희의 볼을 천천히 쓰다듬었다.

"나 진짜 잘할 수 있는데……."

길쭉한 손끝이 도희의 입술 옆을 소중하게 스쳤다.

"한 번 더 바라봐 주면 좋겠어요."

진심 어린 고백은 도희를 강렬하게 뒤흔들었다. 숨김없이 드러난 진솔한 눈빛이 도희의 마음을 은밀하게 끌어당겼다. 도희의 손에 들려 있던 우산의 손잡이가 툭 떨어졌다. 준원이 부드럽게 그녀의 손을 움켜쥔 탓이었다.

맞닿은 살갗으로부터 묘한 감각이 피어올랐다. 어둑한 창밖에서는 여전히 비가 추적추적 내리고 있었다. 홀린 듯 준원을 응시하던 도희는 저도 모르게 이끌리듯 다가가 그의 입술에 살며시 입을 맞추었다. 쪽. 놀란 준원의 눈꺼풀이 흔들렸다. 그리고 그런 자신의 행동에 더 놀란 도희의 눈이 한계까지 확대되었다.

"아……."

무의식중에 한 행동이었다. 흠칫 놀란 도희의 얼굴이 발갛게 달아올랐다.

"죄송해요. 저도 모르게……."

준원은 그 자세 그대로 굳어 도희를 가만히 바라볼 뿐이었다. 쏟아지는 뜨거운 시선에 긴장한 도희가 하릴없이 제 목덜미를 쓰다듬었다. 고요한 차 안에는 적막이 흐르고 들려오는 것은 오로지 창밖의 이슬비 소리가 전부였다.

"……!"

그 순간 밀려온 준원이 도희의 뒷머리를 강하게 끌어당겨 입술을 함빡 머금었다. 움찔 놀란 도희가 바르작거리며 어깨를 움츠렸다. 쪽, 가볍게 입 맞추고 떨어진 준원이 타오를 듯한 시선으로 도희를 뚫어져라 응시했다. 도희는 제가 다 녹아 버릴 것만 같아 파르르 떨리는 눈꺼풀을 닫았다.

느릿하게 고개를 비튼 그가 촘촘하게 입술을 포개어 왔다. 잘록한 허리로 감긴 준원의 손이 가늘게 떨리며 도희의 척추를 따라 올라가 등을 감싸 안았다.

부드럽게 아랫입술을 빨아들이며 입구를 연 준원은 매끄럽게 도희의 안으로 흘러 들어갔다. 뜨겁게 입술을 가르며 들어온 혀가 도희의 입안을 부드럽게 헤집어 냈다. 어루만지듯 내부를 훑으며 열기를 얽어내는 움직임에 도희의 심장이 쿵, 쿵, 아프도록 뛰었다.

끈적끈적 비벼지는 점막을 따라 흐른 몰캉한 혀가 뒤섞이며 도희를 온통 휘저어 놓았다. 한참을 탐하던 준원의 입술이 부드럽게 떨어지고, 준원은 도희의 여린 몸을 두 팔로 꽉 끌어안았다.

"좋아합니다, 도희 씨……."

뜨거운 숨결이 도희의 솜털을 촉촉하게 적셨다.

"다시 내 손 잡아 줄래요?"

진심 어린 속삭임이었다.

진심 어린 속삭임은 도희의 심장으로 다가가 깊숙이 닫힌 문을 두드렸다. 굳게 닫힌 입이 벌어지지 않자 어둑한 차 안으로 고요한 침묵이 오고 갔다. 찰나의 정적 속에 벌어진 붉은 입술이 나긋하게 움직였다.

"저는……."

부드럽게 구른 도희의 눈동자가 준원에게로 꽂혔다.

"싫어요."

"……."

"……."

"……네?"

제 귀를 의심한 준원이 한 번 되물었다. 진지하게 건넨 고백에 비해 그 대답은 너무도 싱거웠고 단호했다. 충격에 멍한 표정으로 눈만 껌뻑거리고 있는 준원이 귀여워 픽 웃음을 터뜨린 도희가 그만

큰 소리로 웃어 버렸다. 영문을 모르는 얼굴로 준원은 한쪽 눈썹을 찡그렸다.

"그래요. 팀장님께서 그렇게 제가 좋다고 하시니……."

도희가 살포시 웃음을 흘렸다.

"기회 한 번 드릴게요."

느슨하게 휘는 눈매가 만들어 내는 예쁜 눈웃음이 준원의 동공에 오롯하게 담겼다.

"이번 주말에 뭐 해요?"

"……주말이요?"

"시간 괜찮으면 나하고 데이트해요. 그날 팀장님 하는 거 봐서 손 잡아 줄지 말지 결정할 테니까."

당돌한 말에 준원의 눈이 미세하게 커졌다. 잔잔하게 흔들리던 검은 눈이 이내 부드럽게 곡선을 그리며 웃음기에 젖었다.

"없는 시간도 만들어야죠. 도희 씨하고 데이트인데……."

내내 냉담하던 도희가 건넨 손길은 준원의 마음을 흔들기에 충분했다.

"꿈같네요."

도희의 입술 위로 달콤한 목소리가 부드럽게 내려앉았다. 심장이 낮게 두근거렸다.

"고마워요. 기회 줘서……."

어둑한 눈동자에 시선을 뺏긴 순간 뒷머리가 커다란 손안에 감겨왔다. 홀린 듯 준원을 바라보자 거대한 체구가 다시금 부드럽게 밀려왔다. 움찔한 도희가 저도 모르게 손을 뻗었다. 제 입술을 노리는 음흉한 입을 턱 막고 고개를 저었다.

"자꾸 얼렁뚱땅 키스하지 마요."

엄격하게 경고하자 풀 죽은 준원의 어깨가 내려앉았다. 덩치는 산만 해서는 꼬리를 내리는 강아지처럼 준원은 얌전히 멀어졌다.

"빨리 출발해요. 계속 여기 있을 거예요? 내일 출근해야죠."

도희의 재촉에 말없이 시동 거는 준원은 흡사 주인한테 꾸중 들은 멍멍이 같았다. 저보다 상사인 데다가 연상인 남자가 얌전히 말을 듣는 모습은 꽤 귀엽게 와닿았다. 도희는 자꾸만 새어 나오려는 웃음을 막으며 창밖으로 고개를 돌렸다.

도희의 집 근처에 도착한 준원의 차가 부드럽게 멈춰 섰다. 막힐 때면 회사에서 1시간 가까이 소요되는 먼 거리였지만 밤늦은 시각이었기에 20분을 조금 넘겨 도착했다.

"생각보다 빨리 왔네요."

도희와 단 1분이라도 더 함께 있고 싶었던 준원은 뻥 뚫린 도로가 맘에 들지 않아 삐딱해진 상태였다. 항상 교통체증으로 도로 위에 발이 묶여 있는 것을 지루해했는데, 오늘만큼은 한산한 도로가 불만족스러웠다.

"데려다주셔서 감사해요, 팀장님. 전 들어가 볼게요."

안전벨트를 푸는 하얗고 기다란 손을 물끄러미 바라보는 시선 끝에 아쉬움이 떠나질 않았다.

"네. 조심히 들어가요."

하지만 뱉어진 말은 적정선을 지켰다. 슬쩍 고개 돌린 도희는 부드럽게 웃고 있는 준원을 빼꼼 바라보았다. 묘하게 이상한 기분이 몰려오며 긴장한 도희가 어색하게 볼을 긁적였다.

"큼…… 그럼 내일 회사에서 뵐게요."

어수선하게 동공을 돌린 도희가 문고리를 움켜잡은 순간이었다. 낮은 저음이 도희의 귓가를 은밀하게 파고들었다.

"도희 씨."

반사적으로 뒤를 돌아보니 거대한 체구가 밀려와 도희의 뺨에 쪽, 입술을 맞추었다.

"잘 자요."

매끄럽게 올라가는 입꼬리는 꽤 여유가 넘쳤다. 거칠게 요동치는 심장과 함께 당황한 도희는 제 볼을 손으로 덮었다. 꼴깍 침을 삼킨 도희는 그대로 뒤를 돌아 도망치듯이 차 안에서 빠져나왔다. 빨갛게 달아오른 얼굴을 가리고서 빠르게 뛰어 아파트 엘리베이터에 올라탔다.

"……뭐야."

어쩌다 이렇게 된 거지? 도희는 지금까지 벌어진 일들이 믿기지 않아 제 볼을 한번 꼬집어 보았다.

"……말도 안 돼."

띵, 경쾌한 도착음과 함께 도희는 홀린 듯 멍하니 엘리베이터에서 내렸다. 집 안에 들어와서 샤워하는 동안에도 도희는 넋이 나간 사람처럼 얼떨떨했다. 잠옷으로 갈아입고 침대에 누워 멍하니 천장을 바라보았다. 상념이 파고들자 가장 먼저 머릿속으로 뭉게뭉게 피어오르는 것은 조금 전 서준원과의 19금을 방불케 했던 진득한 키스였다.

"……으아아악!"

능숙하게 들어와 제 입 안을 온통 헤집어 놓았던 그 음란한 행태를 떠올린 도희가 사지를 버둥거리며 난리를 쳤다.

"꺄아아아악!"

미친! 미쳤어! 미쳤다고!

순식간에 얼굴이 붉게 달아오른 도희는 침대 매트리스가 흔들리도록 아우성치며 발을 굴렀다. 한참을 정신 나간 사람처럼 버둥거리던 도희의 귓가로 들려오는 것은 준원이 조금 전 속삭였던 진솔한 고백이었다.

'좋아합니다, 도희 씨…….'

도희는 터질 것 같이 내달리는 제 가슴을 더듬더듬 움켜쥐었다.

"하……."

쿵쾅쿵쾅 난리가 난 심장 위를 손으로 누르며 작게 숨을 내몰아 쉬었다.

……지금까지 누굴 좋아해 본 적도 없었는데. 사랑한다고 고백하는 남자를 보고 심장이 뛴 적도 없었는데……. 살면서 수도 없이 고백을 들었지만 흔들려 본 적도 없었는데.

"진짜 미쳤나 봐. 백도희……."

처음으로 남자에게 심장이 떨려 보았다. 심지어는 도희 쪽에서 먼저 기회를 주겠다고 나섰으니, 이제 빼도 박도 못하게 되었다.

"몰라……. 어떻게든 되겠지."

어쨌든 지금 이 두근거림은 꽤 나쁘지 않았다. 포근하게 침대에 누운 도희가 기분 좋은 심장 박동을 느끼며 지그시 눈을 감았다. 이러나저러나 피곤한 하루였다. 슬슬 졸음이 몰려와 꿈나라로 이주하려는 찰나 문득 옆에 치워 두었던 핸드폰이 울렸다. 액정 위로 환하게 떠오른 글자는 '라이언'이었다.

"응…… 강이언, 왜."

비몽사몽간에 핸드폰을 들어 전화를 받았다.

-어, 백또……. 뭐 해? 자?

"아니. 이제 자려고…… 왜?"

-그…… 잠깐 통화 가능해?

"응. 말해……."

도희는 입이 찢어지라 하품하며 대충 대답했다. 졸음이 몰려와 휴대전화를 가슴 위에 올려 두고 눈을 감았다.

"……."

-저기 있잖아, 도희야……. 내가 계속 생각을 해 봤는데…….

한편 지금 이언은 심장이 엄청난 속도로 뛰는 중이었다. 도희가 침대에 늘어져서 전화를 받고 있다는 것을 까맣게 모르는 이언은 전쟁에 나가는 장군처럼 자신의 집 침대에 무릎 꿇고 앉아 통화하고 있었다.

"……아무래도, 이렇게 있다간 안 될 것 같아서. 서준원 그 자식이 느낌이 너무 싸하잖아……."

꿀꺽, 이언이 마른침을 삼켰다. 긴장으로 손이 떨리고 쥐가 나서 주먹을 쥐었다가 폈다가를 반복했다.

"그래서 나도 이런 말, 만나서 하는 게 예의라는 거 잘 아는데……. 당장 넌 내일 아침에도 회사 가서 서준원 만날 거고…… 그렇잖아? 그래서 내가 너무 불안해서 잠을 못 자겠더라고……."

주절주절 늘어놓는 와중에도 이언은 불안한 듯 연신 제 뒷목을 긁적였다.

“내가 진짜 너한테 이런 말 할 생각 없었다? 근데 나 말이야……. 나 사실…….”

―…….

“너 좋아해……. 아니, 네가 알고 있었을 것 같긴 한데……. 농담 아니고 진짜 진지하게 너 좋아해. 아니, 솔직히 사…… 사…… 사랑…….”

―…….

“아니다. 이건 너무 오버 같고……. 진짜 좋아해. 어쨌든 도희야. 남자로서…… 나 진짜 안 될까?”

―…….

“……도희야? 백도희?”

수화기 너머에서 대답이 없자 이언은 온몸의 피가 마르는 듯했다. 왜 대답이 없지? 무언의 거절……?

흡사 나라 잃은 표정이 된 이언은 다 망했다고 속으로 복창했다.

―……으음…….

그런데 그 순간, 수화기 너머에서 앓는 듯한 소리가 들려왔다. 흠칫한 이언이 휴대전화를 귀에 바싹 갖다 대고 청각에 온 신경을 집중했다. 들려오는 것은 뒤척이는 소리와 새근새근 작게 숨을 고르는 숨소리였다.

……설마.

“……자, 자니?”

당연히 대답은 들려올 리 없었다.

“자, 자는구나…….”

-…….

"그, 그, 그래……. 자, 잘자……."

빠르게 수습하며 툭, 전화를 끊은 이언이 멍한 표정으로 허공을 응시했다. 이내 화악 얼굴이 붉어져서 괴성을 내지르며 침대에서 마구 발광했다.

"으아아아악!!! 으아아악!!!"

침대가 무너지도록 버둥거리던 이언이 그대로 시트에서 밀려나 바닥에 퍽 떨어졌다.

"억!!!"

정통으로 부딪힌 꼬리뼈가 눈물 나게 아팠으나 그보다 이언을 서럽게 만든 것은 따로 있었으니…….

"진짜 도저히 못 해 먹겠다!!!"

10년 넘게 답 없는 짝사랑이었다.

-고객님께서 통화 중이셔서 음성사서함으로 연결되오며…….

한편 집에 막 도착한 준원은 도희에게 전화를 걸었으나 들려온 것은 통화 중이라는 안내 음성이었다.

"……목소리라도 듣고 싶었는데."

가득 담긴 아쉬움이 낮게 목울대를 울렸다. 왜 이렇게 불안하고 애가 타는 걸까.

"아니야……."

기억하지 못한다고 해도, 다시 시작하면 되니까 괜찮아. 이번에야

말로 반드시 그녀가 준 기회를 잡으면 되니까……. 생각에 잠긴 준원은 지그시 눈을 감았다가 떴다.

"……."

한편으로 드는 생각 때문에 준원은 마음이 무거웠다. 이제 그녀와 함께할 수만 있다면 평생 반복되는 시간 속에 갇혀도, 이 타임 루프가 영원히 끝나지 않아도 상관없다는 생각이 드는 자신이 무서울 정도였다.

다음 날, 회사에 출근한 도희는 조금 긴장한 상태였다. 전날 있었던 일이 자꾸만 머릿속에 떠올라 준원의 얼굴을 보기가 약간 창피스러운 탓이었다.

하지만 준원은 무슨 일이 있었냐는 듯이 평소와 다름없이 도희를 대할 뿐이었다. 아무렇지 않게 행동하는 준원을 보며 도희도 평소와 똑같이 그를 대하겠다고 다짐했다.

"어제 팀장님이 말씀해 주신 대로 보고서 수정해 봤습니다."

보고서를 건네받은 준원은 천천히 내용을 훑어보더니 고개를 끄덕였다.

"나쁘지 않네요. 이렇게 진행해 보세요."

정리된 보고서를 돌려주는데 도희와 준원의 손이 미세하게 스쳤다. 흠칫한 도희가 뒤로 손을 빼자 준원이 길쭉한 검지로 하얀 손등을 미끈하게 쓸었다. 움찔, 야릇한 감각에 도희의 동공이 뒤흔들렸다. 묘한 기분에 휩싸여 어쩔 줄 모르고 서 있는데, 준원은 그런 도희와 눈을 마주치며 은밀하게 미소 지었다.

"……."

아주 대놓고 꼬리 치는 것이었다. 그런 준원을 보며 도희는 진심으로 고민했다.

……이것은 개인가 여우인가. 멍멍이인가 구미호인가…….

퇴근 시간이 지나고, 준원을 포함한 팀원들은 모두 집으로 돌아갔다. 처리할 일이 쌓여 있어 홀로 사무실에 남은 도희는 오늘도 야근을 면치 못했다. 혼자 적막한 사무실에서 이어폰을 낀 채 업무를 하고 있는데, 누군가 기척 없이 다가와 책상을 똑똑, 두드렸다.

"아, 깜짝이야!"

까무러치게 놀란 도희가 소리쳤다. 뒤돌아보니 준원의 생글생글 웃는 낯이 들어찼다.

"아, 팀장님! 애 떨어질 뻔했잖아요!"

"도희 씨, 애가 있었어요?"

준원은 장난스레 속삭이며 도희를 내려다보았다.

"누구 애입니까?"

"……팀장님 애는 아니니까 걱정하지 마세요."

"그거 아쉽게 됐네요."

뾰로통한 대답에 준원이 픽 웃었다.

"근데 아까 퇴근하신 거 아니었어요?"

"네, 잠깐 이거 사러 다녀왔어요."

준원은 포장해 온 식사가 담긴 쇼핑백을 들어 보였다.

"도희 씨, 아직 저녁 전이죠?"

멈칫한 도희가 동그랗게 뜬 눈으로 그의 손에 걸린 쇼핑백을 응시했다.

"같이 먹을래요?"

준원이 나지막이 웃었다.

사람이 없는 빈 회의실로 향한 준원과 도희는 한쪽에 모여앉았다. 준원이 포장해 온 것은 유명한 한식당의 정갈한 한식 도시락이었다. 도희가 포장지를 뜯어내려고 하자, 준원은 이미 뜯어 놓은 제 것과 바꿔 주는 배려를 보였다.

"따뜻할 때 어서 먹어요."

원래 이런 남자가 아니었는데…….

"네. 감사합니다."

도희는 저밖에 모르는 뼛속까지 개인주의였던 서준원의 이러한 변화가 여전히 익숙지 않았다. 드르륵, 준원은 멀찍이 떨어진 의자를 끌어다가 도희의 옆에 붙어 앉았다. 성큼 가까워진 거리에 도희가 흘긋 준원을 바라보자 그는 청량하게 웃었다.

"왜 이렇게 딱 달라붙어요?"

"도희 씨 얼굴 가까이 보고 싶어서요."

웃는 얼굴에 침 못 뱉는다고, 도무지 싫은 소리를 할 수가 없었다. 맘대로 하라는 듯 고개를 내저은 도희는 젓가락을 들었다. 정갈한 반찬은 모양만큼이나 맛 또한 고급지고 훌륭했다.

"여기 회사 근처에 그 한식집 맞죠? 그 왜, 떡갈비 코스 있는."

"네. 알고 있었네요?"

"그럼요. 여기 연근 떡갈비가 제일 유명하잖아요. TV에도 여러 번 나왔었는데."

연근을 싫어하는 도희는 한 번도 가 본 적 없는 식당이었다.

"맞아요. 그런데 도희 씨가 연근 못 먹으니까, 그냥 떡갈비로 사 왔어요."

"네? 제가 연근 싫어하는 거 어떻게 아셨어요?"

준원은 대답 대신 살짝 웃어 보였다. 어차피 말해 봐야 도희는 기억하지 못할 터였다.

그 모호한 반응에 도희는 또 어딘가 묘한 느낌에 빠져들었다. 곧 이어 머리가 지끈거렸으나 애써 아무렇지 않은 척 묵묵히 젓가락을 움직였다. 입을 오물거리는 와중에도 앞에서는 뜨거운 시선이 집요하게 달라붙었다. 꿀꺽, 음식물을 삼킨 도희가 머쓱하게 동공을 굴렸다.

"왜…… 그렇게 봐요? 내 얼굴에 뭐 묻었어요?"

"네. 여기요. 입술 옆."

"어디요? 여기?"

혀끝을 내민 도희가 입술을 핥았으나, 입술 옆에 묻은 소스는 닦이지 않았다. 낮게 웃은 준원이 손을 뻗어 도톰한 입술을 매끄럽게 쓸었다. 흠칫 당황한 도희의 눈이 커졌다. 입술 위를 훑고 지나간 길쭉한 손가락의 감각이 아직도 생생하게 남아 있었다.

"……큼."

심쿵한 걸 들키지 않기 위해 괜히 한번 헛기침했다. 불에 덴 듯 화끈거리는 입술을 옹송그려 문 도희는 다시 젓가락을 들어 떡갈비를 먹기 시작했다. 하지만 얼마 가지 않아, 앞에선 또 뜨거운 시선이 느껴지고…….

"아, 이번엔 또 왜요! 또 뭐 묻었어요?"

"아니요. 아무것도."

"그런데 왜 그렇게 빤히 봐요?!"

"그냥……."

준원이 픽 웃었다.

"도희 씨는 먹을 때 입이 제일 귀엽거든요."

움찔한 도희가 숨을 멈추었다.

"그래서 자꾸 눈길이 가네요."

머리가 욱신거림과 동시에 머릿속에 불현듯 준원의 목소리가 들려왔다.

'먹을 때 입이 되게 귀여워요.'

깨질 듯이 아픈 머리를 부여잡은 도희가 미간을 좁혔다.

"그 비슷한 말…… 예전에 한 적 있지 않아요?"

욱신거리는 통증을 참고서 겨우 물음을 던졌다. 그와 동시에 준원의 동공이 고요하게 흔들렸다.

"……설마 기억이 나요?"

"네? 무슨 기억……."

아, 순간 머리가 지끈지끈 울린 탓에 도희는 도저히 눈을 뜨고 있을 수가 없었다. 결국 하릴없이 고개를 떨군 순간, 회의실 안으로 누군가 벌컥 문을 열고 들어왔다.

"오, 서 팀장님하고 백 과장님!"

시끄럽게 안으로 들어온 사람은 준원의 고교 동창인 상품개발팀 강주엽 과장이었다.

"둘이 여기서 뭐 해요? 밥 먹어요?"

"아, 네."

"그래요? 뭐 먹어요?"

다른 사람이면 딱 달라붙어 있는 준원과 도희의 관계를 의심할 만도 했으나 눈치라고는 조금도 없는 주엽은 전혀 알아채지 못했다.

"이야, 떡갈비! 좋은 거 먹네. 나는 그냥 편의점 김밥인데. 하하하!"

강주접이라는 별명에 걸맞게 온갖 주접을 떨며 눈치 없이 준원과 도희 사이에 떡 하니 자리했다.

"백 과장님, 저 한 입만 먹어도 되죠?"

"네?"

"응? 응? 되죠? 되죠?"

"아…… 네, 뭐. 드세요."

떨떠름하게 답하자 신이 난 주엽이 호탕하게 웃었다.

"근데 나 젓가락이 없는데. 어떡하지?"

누구에게나 스스럼없는 주엽은 도희를 향해 입을 쩍 벌리고 아, 하며 애교를 부렸다. 먹여 달라는 뜻임을 안 도희가 황당하게 표정을 구긴 순간.

퍽.

"아!!!"

내내 가만히 있던 준원이 무표정으로 주엽의 머리통을 후려갈겼다.

"야! 뭐 하는…… 읍!"

준원은 음식물이 가득 담긴 숟가락을 주엽의 입에 확 욱여넣었다. 목젖까지 치고 올라온 숟가락 탓에 읍읍, 괴로워하던 주엽이 겨우 음식물을 씹어 넘겼다. 생사의 고비를 넘긴 주엽이 꽥 소리쳤다.

"야! 너 나 죽이려고 그러냐!"

꽥꽥대는 주엽의 옆에서, 도희는 숨소리처럼 웃음을 터뜨렸다.

……뭐야. 질투한 건가?

은연중에 드러난 준원의 본능이 귀엽게 느껴졌다.

시간은 빠르게 흘러 어느덧 데이트하기로 약속한 주말이 되었다. 아침 일찍부터 기상한 도희는 평소보다 배는 공을 들여 화장하며 외출준비에 열을 올렸다.

"……뭐 입지?"

별로 신경 쓰지 않는 듯한, 쿨하고 자연스러운 옷……. 심각한 표정으로 옷장 앞에서 약 30분을 고민하던 도희는 결국 늘 입던 블라우스와 슬랙스를 꺼내입었다. 화사한 빛깔을 자랑하는 코트까지 걸치니 휴대전화는 기다렸다는 듯이 울렸다.

"여보세요?"

–도희 씨. 준비 다 했어요?

"네. 이제 나가려고요."

–내가 집 앞까지 데리러 갈게요.

"아니에요. 원래 만나기로 했던 곳에서 만나요."

–이미 근처에 왔는데 데리러 갈게요.

근래 들어 은근히 고집이 생긴 준원이었다. 픽 웃음을 터뜨린 도희는 늘 건조했었던 그의 이 묘한 고집을 받아 주기로 했다.

"그럼 저번에 봤던 집 근처 공원 있죠? 거기서 만나요."

–공원이요?

한발 물러서자 준원도 타협을 보았다.

–알겠어요. 그럼 공원에서 기다리고 있을게요.

흔쾌히 수락하며 통화는 종료되었다. 오늘따라 기분이 좋았던 도희는 노래를 흥얼거리며 마저 외출 준비를 했다. 마지막을 향수로 마무리하기 위해 늘 사용하는 향수병을 주워들었다.

"아, 이거 깜빡 잊고 있었네."

그때, 문득 준원이 선물해 준 향수 쇼핑백이 시야에 들어왔다. 포장도 뜯지 않고 아무렇게나 내버려 뒀었던 향수를 물끄러미 바라보다가 쇼핑백을 열었다.

이왕이면 선물 받은 향수를 뿌리는 게 좋겠다고 결론을 내린 도희는 향수의 뚜껑을 땄다. 손목에 향수를 한번 분사하자 빠르게 퍼지는 플로럴 향기가 도희의 후각을 에워쌌다. 어딘가 익숙한 향기라는 생각이 들자마자 심각한 두통이 몰려왔다.

"……아!!!"

누군가 망치로 머리를 내려치는 듯 쾅, 쾅, 기괴한 소리가 귓가에서 울렸다. 뇌를 움켜잡고 쥐어짜는 듯한 고통에 비명조차 쉬이 나오지 않았다. 엄청난 속도로 뛰는 심장과 함께 불현듯 머릿속에 떠오르는 것은…….

'그리고 도희 씨가 생일을 싫어할 것 같아서…… 축하한다고 말하고 싶지 않았어요.'

준원이 엘리베이터에서 향수를 건네는 기묘한 영상이었다.

'태어나 줘서 고마워요, 정말…….'

어딘가 간절한 듯 저를 꽉 끌어안는 준원의 모습이 너무도 생생했다.

……대체 이게 무슨 기억이지?

"이게 뭐야……."

하아, 하아. 거친 호흡이 아무렇게나 토해졌다. 도희는 혼란스러움에 미칠 것만 같아 그대로 주저앉아 머리를 부여잡았다. 연이어 눈앞에 흐르는 것은 택시를 타고 가던 자신이 준원의 편지를 읽고 눈물을 흘리는 모습이었다.

"대체 이게 무슨……!"

이윽고 도희는 환하게 웃으며 신호등 건너편의 준원에게 달려가고 있었다.

끼이이익! 헤드라이트가 맹렬하게 번뜩이며 다가왔고, 준원의 사색이 된 표정이 똑똑히 그려졌다.

쾅!!! 엄청난 충격에 몸이 저만치 튀어 올랐고 도희는 아스팔트 위로 곤두박질치며 굴러떨어졌다.

"말도 안 돼……."

도희는 혼란스러움과 충격에 사지를 바들바들 떨며 고개를 저었다. 한순간 몰려드는 기억들에 머리가 깨질 듯이 아파 이를 악물고 발버둥 쳤다.

'우리 잤잖아요. 라비에트 호텔 2005호.'

"하……."

'내 편 할래요? 이 세상에서 단 하나뿐인 내 편.'

그녀가 잊고 있었던 기억들이 단번에 썰물처럼 무자비하게 몰려들었다.

'그러니까 백도희 씨도…… 좀 더 무너져 봐요, 나한테.'

"이게 뭐야…… 대체 이게 왜……."

머리를 쥐어 잡은 도희는 불안정한 숨을 토해 냈다. 도희의 동공이 거칠게 흔들렸다.

"……타임 루프……?"

비틀거리던 도희는 그대로 정신을 잃고 쓰러졌다.

1시간 가까이 지나서야 정신을 차린 도희는 넋을 놓은 사람처럼 집을 나와 공원으로 향했다. 휴대전화에는 준원의 부재중 전화가 수북이 쌓여 있었다. 도희는 멍하니 공원으로 걸어가며 준원에게 전화를 걸었다. 연결음이 두 번도 채 울리지 않고 전화는 연결되었다.

–여보세요. 도희 씨?

"……."

–어디예요? 무슨 일 있는 건 아니죠?

1시간이나 약속에 늦고 연락 두절까지 되었는데, 준원은 싫은 소리 한마디 하지 않았다. 말없이 걷던 도희는 저 멀리 공원의 옆에서 익숙한 차를 발견하고 멈춰 섰다. 검은 차체에 기대선 준원의 모습이 도희의 동공에 오롯하게 담겼다.

따스한 햇볕이 내리쬐는 한낮이었으나, 도희의 마음은 시린 새벽 같았다. 시야에 들어온 모든 것이 지워지고 오로지 준원에게만 신경이 집중되었다.

"……네. 아무 일도 없어요."

그렇게 말하자마자 다행이라는 듯 흐릿하게 웃는 준원이 보였다. 멀리서 그의 모습을 바라보는 도희는 마음이 무너져 내리는 듯했다. 이 세상에서 반복되는 시간 속에 홀로 빠져 있다는 것이 얼마나 외로운 일인지 알고 있었다.

'……어떻게 난 잊고 있었을까.'

그토록 뼈아프게 사랑했던 남자인데, 외롭게 둘 뻔했어.

'그래…….'

당신은 나를 온통 멍들게 했고, 당신은 나의 쓰라린 상처였고, 그래서 난 당신을 잊고 싶었던 걸지도 몰라.

하지만 잊는다고 사라지는 게 아니야. 당신을 향한 사랑만큼은…… 기억에서 지워졌다고, 그 마음마저 변하는 건 아니니까.

-도희 씨, 내가 거기로 갈까요?

"……아니요."

이젠 그의 외로운 기다림에 도희가 응답할 차례였다.

"내가 지금 갈게요."

-……근데, 도희 씨……. 설마 울고 있어요?

낮게 깔린 목소리가 고막에 감기자마자 도희는 무작정 다리를 움직였다. 준원에게 달려간 도희는 곧장 그의 허리를 꽉 끌어안았다. 뒤에서 누군가 제 허리를 안는 감각에 준원은 들고 있던 휴대전화를 내렸다.

"도희 씨……?"

얼굴은 보이지 않았으나 준원은 저를 안은 여자가 도희라는 것을 단박에 알아차렸다. 가느다란 팔은 올가미라도 된 듯이 굵은 허리를 더욱 꽉 끌어안았다.

"어떻게 된 거예요……?"

도희가 작게 물음을 던졌다. 촉촉하게 고인 눈물이 하얀 볼 위로 또르르 굴러떨어졌다.

"뭐가…… 말이에요?"

"어떻게 우리가 다시 만나게 된 거예요?"

준원의 동공이 거칠게 흔들렸다.

"준원 씨가 날 살린 거 맞죠?"

"……도희 씨, 설마 기억이……."

놀란 준원이 황급히 뒤를 돌아보았다. 계속 준원을 안고 있던 도희가 그제야 떨어져 작게 고개를 끄덕였다.

"하……."

그 말과 함께 준원의 얼어붙은 심장은 녹아 와르르 무너져 내렸다. 몰려오는 환희와 벅차오르는 감정을 감당하기 어려워, 준원은 그대로 두 팔을 뻗어 도희의 여린 몸을 확 품에 안았다. 터뜨릴 기세로 꽉 끌어안은 준원은 그대로 밀려오는 감동에 녹아내렸다.

"준원 씨……."

도희는 그의 이름을 부르며 하염없이 눈물을 흘렸다. 자신의 처참한 죽음과 그를 사랑했던 일, 죽기 직전의 애절한 감정을 전부 되찾았기 때문이다.

"많이 외로웠죠……?"

그리고 찾아온 것은 크나큰 슬픔이었다. 그녀가 죽은 뒤, 얼마나 그가 괴로워했을지, 자책했을지. 또 모든 기억을 잃은 자신을 보며 얼마나 답답하고 외로웠을지……. 그동안 그가 혼자서 얼마나 마음 고생을 했을지 생각하니 가슴이 아프게 조여 왔다.

"나 다 기억났어요. 내가 얼마나 준원 씨를 사랑했었는지……."

"……."

"우리가 함께 겪었던 모든 일들, 다 기억났어요."

"……도희 씨."

말로 채 형용할 수 없는 기쁨에 눈가에는 열기가 모였다. 준원은 조금 달아오른 눈으로 도희를 담고 또 담으며 쓰다듬었다.

"……고마워요."

날 홀로 두지 않아 줘서. 날 기억해 줘서…….

"정말 고마워요."

준원은 도희의 눈가에 고인 눈물을 손으로 닦아 주었다. 하얀 얼굴을 소중하게 쓰다듬는 손끝이 파르르 떨려 왔다. 도희의 머리를 부드럽게 끌어당기며 허리를 굽힌 준원은 비스듬히 고개를 틀었다. 격해진 감정을 가득 담아 도희의 입술에 제 입술을 포개었다.

뜨거운 열기가 파열하듯 부딪힌 입술 사이로 피어올랐다. 붉은 입술을 한입에 머금은 준원은 그 어느 때보다도 소중하게 키스했다. 지그시 눈을 감은 도희는 준원의 목덜미를 강하게 휘감았다.

말캉한 입술을 가르고 깊숙이 들어온 준원은 도희를 열정적으로 탐했다. 입 안이 온통 델 것만 같았으나, 도희는 물러서지 않고 필사적으로 준원을 받아들였다. 끈적하고 은밀하게 비벼지는 타액으로부터 뜨거운 열기가 응집되며 폭발했다. 모든 감정이 단번에 터진 열화와 같은 키스였다.

한참이 지나서야 떨어진 입술에는 아쉬움이 선연했다. 커다란 손이 도희의 뺨을 감싸며 녹녹하게 어루만졌다.

"미안해요. 내가 이기적으로 도희 씨 아픈 기억까지 되살려서……."

"아니요. 난 기억을 찾아서 정말 다행이에요."

고개를 저은 도희가 예쁘게 웃어 보였다.

"준원 씨를 사랑했던 기억을……."

눈물 젖은 눈이 부드럽게 휘었다.

"잊지 않게 되어서 너무 행복해요."

……정말 다행이야. 당신을 사랑하게 되어 다행이야.

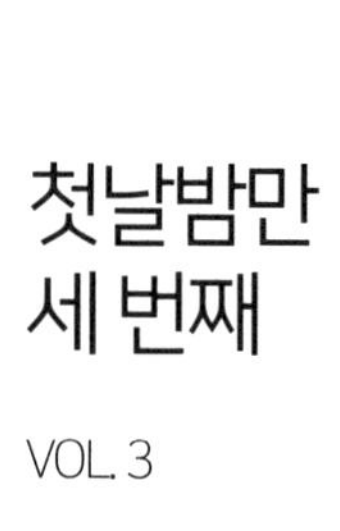

Three First Nights

CHAPTER 18

세상에 둘도 없는 동창회

18

세상에 둘도 없는 동창회

밥을 먹고, 영화를 보고, 카페를 가고, 평범하게 계획했던 데이트 일정은 모두 다음으로 미뤄졌다. 두 사람은 북적이는 사람들 속에 섞이는 대신 오로지 서로에게만 집중할 수 있는 추억의 첫 페이지, 라비에트 호텔 스위트룸을 찾았다. 첫 만남 때 함께 왔던 곳을 꼬박 1년이 넘게 지나 다시 찾은 것이다.

룸 안으로 들어가자마자 두 사람은 누가 먼저라고 할 것도 없이 서로의 입술을 찾아들었다. 도희를 번쩍 안아 들어 벽으로 밀어붙인 준원은 진한 키스를 퍼부었다. 그에 응답하듯 도희는 단단한 목덜미를 감은 팔에 꾸욱 힘을 주었다.

"도희 씨……."

도희를 부드럽게 침대에 눕힌 준원이 커다란 손으로 발그레한 뺨을 어루만졌다.

"꿈일까 봐 무서울 정도로 기쁘네요."

나긋하게 속삭이는 음성에 도희는 가슴이 간질거렸다. 다시 서로의 마음이 통하는 순간이 올 줄이야. 감격한 준원의 눈매가 뭉근하게 풀어졌다. 꿈이 아니라는 듯 준원의 목을 끌어당긴 도희는 쪽, 입을 맞추었다. 그에 반응하듯 작은 입술을 집요하게 빨아들이던 준원은 부드럽게 아래로 미끄러졌다.

"……도희 씨, 내가 선물한 향수 뿌렸네요?"

하얀 목덜미로 포근하게 잠긴 입술이 숨소리 같은 웃음을 흘렸다. 날카로운 콧대가 도희의 목덜미 위로 비벼졌다.

"네. 준원 씨가 준 향수, 이 향기를 맡고 기억이 돌아왔어요."

준원이 낮게 웃었다.

"혹시나 해서 다시 선물한 건데, 다행이에요."

"……."

"도희 씨가 다시 날 돌아봐 줘서…… 그 어느 때보다도 기쁘고 좋아요."

붉은 머리를 천천히 쓸어넘긴 그가 지그시 눈을 맞춰 왔다.

"……와."

도희가 작게 입을 벌렸다.

"이게 진짜 서준원 입에서 나오는 말이 맞나 싶다. 신기하네."

새삼 기억을 찾고 나니 여태껏 준원이 제게 했던 다정한 행동들과 말들이 색다르게 느껴졌다.

"사랑한단 말도 아끼고 또 아끼던 사람이……."

도희가 픽 웃음을 터뜨렸다.

"죽었다 살아난 보람이 있네요."

웃느라 벌어진 도희의 아랫입술을 준원이 부드럽게 빨아들이며 머리를 쓰다듬었다.

"이제 다시는 도희 씨, 힘들게 하는 일 없을 거예요."

그 어느 때보다도 진중한 속삭임이었다. 준원은 책임지지 못할 말은 애초에 뱉지 않는 사람이었다.

"그러니까 이제 내 손 놓지 말아요, 절대."

그런 그의 입에서 흘러나온 자상한 속삭임과 사랑 고백은 도희의 가슴을 물기로 함빡 젖게 했다. 작게 고개를 끄덕이자 준원이 감동으로 무너져내렸다.

"……준원 씨…… 앗."

느릿하게 도희의 귓바퀴를 문지르며 하얀 목덜미 위에 드러난 푸른 정맥을 따라 쪽, 쪽, 부드럽게 키스했다. 움찔 몸을 떨던 도희가 가빠진 숨을 삼키며 준원의 어깨를 꼬옥 움켜쥐었다.

섬유를 가르며 들어온 커다란 손이 부드럽게 하얀 살결을 어루만졌다. 거칠지 않은 손길에도 어쩔 줄 몰라 상기된 도희를 귀엽게 보며 준원은 달래듯이 나긋하게 움직임을 이어 갔다.

"예쁘다……."

그의 입술과 손은 도희의 달보드레한 몸을 완전히 녹아내리게 했다.

"좋아서 미치겠네……."

삐쭉 솟은 솜털 하나하나까지도 전달되는 황홀한 느낌에 입술을 사리물었다. 천천히 달아올라 들끓는 것처럼 도희의 입에서는 벅찬 숨이 토해졌다. 폭발할 것처럼 부푼 감정이 격렬하게 충돌하며 세차게 발열했다. 새하얀 침대 시트가 뽀얀 살결에 마찰하자 준원이 도희의 손에 꽈악 깍지를 꼈다.

"도희야……."

귓불에 키스하며 속삭이는 달콤한 음성이 도희의 고막을 촉촉하게 적셨다.

"사랑해."

……사랑하고 있어.

머리부터 발끝까지 전율이 일었다. 눈물이 날 것만 같아 눈을 꼭 감은 도희가 배시시 웃었다.

"나도…… 사랑해."

격정의 시간은 도희가 녹초가 될 때까지 오래도록 이어졌다. 샤워하고 나온 도희가 허기진 배를 문지르자 눈치 빠른 준원은 바로 룸서비스를 시켰다. 식사는 트러플 오일 파스타와 마르게리타 피자, 그리고 화이트 와인을 가볍게 곁들여 이루어졌다. 두 사람은 잠시라도 떨어지기 싫다는 듯 소파에 한 몸처럼 딱 달라붙어 앉아 포크를 들었다.

"그런데 정말 어떻게 다시 살아난 거예요, 나?"

파스타를 한입 먹은 도희가 영문을 알 수 없다는 듯 물었다.

"타임 루프가 일어난 거죠?"

"네. 그런데 좀 이상하게도…… 이번엔 12시가 넘어서 타임 루프가 일어났어요."

말이 끝나기도 전에 그 당시의 감정이 떠오른 준원의 표정이 싸하게 굳어졌다. 12월 24일, 도희가 사망한 뒤 한강변에 앉아 타임 루프가 일어나기만을 바라며 도희의 시계를 노려보고 있던 그 순간을…….

11시 56분, 57분, 58분, 59분……. 1분씩 늘어날 때마다 수명이 줄

어드는 듯 섬뜩했던 그 감정을 평생 잊을 수가 없었다. 그리고 정확히 자정이 되었을 때, 준원은 세상이 무너지는 듯한 기분이었다. 그 때, 20년 만에 처음으로 눈물을 흘렸고, 슬픔이란 감정을 느꼈었다.

"그래요? 어떻게 12시가 넘었는데 타임 루프가 일어난 거죠?"

"글쎄요. 그건 저도 아직 풀리지 않은 부분이긴 한데……."

분명히 자정에서 5분쯤 지났을 때, 타임 루프는 일어났었다. 계속 도희의 시계를 바라보고 있었기 때문에 틀림없었다.

"도희 씨 시계를 보고 있었는데, 자정을 5분쯤 넘겼을 때 시간이 되돌아왔어요."

23년간 겪어 온 타임 루프는 항상 자정이 되기 전에 일어났었다. 12시가 넘어서 시간이 전날 아침으로 되돌아간 적은 단 한 번도 없었다.

"내 시계요? 내 시계를 보고 있었어요?"

"네. 도희 씨 시계가 고장 나지 않고 계속 작동하고 있었거든요."

"다른 게 아니고 내 시계가 12시였던 거죠?"

"그렇죠. 그때 당시 도희 씨 시계만 보고 있었으니까."

몇 번이고 확인하는 도희에게 준원은 고개를 끄덕이며 답했다.

"아…… 알겠다. 나 사실 시계 5분 앞으로 감아 놨어요."

"네? 5분 앞으로요?"

상상도 못 한 말에 준원의 눈이 커졌다.

"네. 매번 5분씩 먼저 준비하자는 마음에서요. 이거 봐요."

도희가 테이블 위에 풀어둔 시계를 보여 주자 준원이 헛숨을 터뜨렸다. 정말 시계는 딱 5분 앞으로 감겨 있었다. 알고 보니 타임 루프는 자정이 지나서 일어난 것이 아닌, 자정이 되기 직전에 일어난 것이었다.

“12시 지났을 때, 내가 얼마나 무서웠는데…….”

허탈하게 중얼거리자 도희는 조금 웃음이 나왔다.

“무서웠어요? 내가 진짜 영영 죽을까 봐?”

“당연하죠. 5분 앞으로 감아 놨을 줄 어떻게 알았겠어요.”

항상 열심히 사는 도희의 습관이 준원에게 그녀의 소중함을 배로 일깨워 준 것이었다. 그 당시의 감정을 다시금 상기한 준원은 조금 먹먹한 기분에 빠져들었다.

“……그동안 힘들었죠, 혼자?”

생각에 잠긴 듯한 준원에게 도희는 작게 물었다.

“고생했어요. 나 때문에 이렇게까지 할 줄이야.”

“그거야 당연한 거예요, 도희 씨를 사랑하니까…….”

과거의 트라우마로 인해 사랑이라는 말을 입에 담는 것조차 꺼렸던 준원이, 이제는 스스럼없이 제 마음을 속삭일 수 있게 되었다.

“내 인생에 유일한 미련이 도희 씨였으니까.”

지루하고 무료했던 인생의 유일한 빛 같은 여자였다.

“날 진심으로 사랑해 준 사람도, 내 마음을 들여다봐 준 사람도 도희 씨가 유일했으니까…….”

마치 오래도록 사막을 횡단하다가 마주한 작고 시원한 물웅덩이 같았다.

“그래서 도희 씨를 다시 만나면, 이 말을 꼭 하고 싶었어요.”

“…….”

“나같이 별 볼 일 없는 인간을 사랑해 줘서 고마워요.”

가슴에 따스하게 온기가 젖어 드는 듯했다. 도희는 상승감에 휩싸였으나 한 가지 맘에 들지 않는 부분이 있었다.

"왜 별 볼일이 없어요? 준원 씨가 뭐 어때서."

"그야……."

준원이 나지막이 뒷말을 덧붙였다.

"서울 사니까?"

"……."

"도시 사니까 별 볼 일 없죠."

감동에 젖어 있던 도희가 순식간에 정색했다. 썰렁한 농담에 잠시 오묘한 침묵이 오고 갔다. 그 정적을 뚫고 정색하던 도희는 결국 픽 어이없는 웃음을 터뜨리고 말았다.

"하하, 그리웠다. 서준원의 이 하나도 재미없는 유머."

"그래도 나름 웃기지 않아요?"

"……어디 가서 그런 소리 했다가 뺨 맞아요."

두 사람이 동시에 웃음을 터뜨리고 다소 무거웠던 분위기는 풀어졌다. 와인을 한 모금 넘긴 도희는 손을 뻗어 준원의 얼굴을 쓰다듬었다.

"고마워요. 나 기억이 없었을 때……."

"……."

"준원 씨가 이렇게 다가와 주지 않았으면, 우린 완전히 끝났을 거예요. 아무것도 모른 채로. 서로 남이 됐겠죠."

준원은 제 볼을 어루만지는 작은 손 위로 제 손을 겹쳤다.

"이제 내 마음을, 그리고 도희 씨의 마음을 솔직히 들여다보기로 했거든요. 더 이상 비겁한 인간은 되고 싶지 않아서."

잔잔히 밀려오는 음성이 도희의 귓가를 보듬었다.

“도희 씨를 잃고 나니까 후회가 밀려왔어요. 곁에 있어 줄 때 최선을 다해서 사랑할걸…….”

단정한 입꼬리가 부드럽게 호선을 그렸다.

“이제 다시 온 기회 절대 놓치지 않을 거예요.”

나지막이 속살거린 준원은 도희의 입술 가까이로 다가갔다.

“사랑해요, 도희 씨.”

촉촉하게 젖은 입술로 진솔하게 말했다.

“이제 매일 들려줄게요.”

그 말과 함께 도희의 가슴이 함빡 부풀어 올랐다. 느껴지는 상승감을 견딜 수 없어 팔을 뻗은 도희는 준원의 얼굴을 붙잡고 입을 맞추었다. 그 유혹에 쉽게 넘어간 준원은 들고 있던 와인 잔을 내려놓고 그 대신 도희의 허리를 강하게 끌어당겼다. 쪽, 가볍게 부딪힌 입술은 이내 진한 키스로 번져 갔다. 끌리듯 시작된 입맞춤은 오래도록 떨어질 줄을 몰랐다.

준원과 도희는 온종일 한시도 떨어지지 않고 행복한 시간을 보냈다. 같이 밥을 먹고, 함께 샤워하고, 입이 아프도록 이야기를 나누고……. 또, 눈만 맞으면 몇 번이고 폭발할 것 같은 사랑을 나누었다. 준원의 과도한 체력 탓에 완전히 지친 도희는 준원의 품에 안겨 잠이 들었다.

“…….”

준원은 새벽까지 잠들지 않고 그저 자는 도희의 얼굴을 가만히 바라보았다. 한참을 응시하던 준원은 아래로 내려간 이불을 끌어 올려 도희의 목 아래까지 덮어 주었다. 이불 밖으로 톡 튀어나온 작은 손이 귀여워 낮게 웃음을 흘렸다. 그 자그마한 손을 두 손으로 꼭 잡고 지그시 입을 맞춘 준원은 벅차오르는 가슴을 느꼈다.

'……행복하다.'

진심으로 행복이란 감정을 느꼈다. 이제 그녀만 제 곁에 있다면 다른 건 아무래도 좋을 정도로. 이 반복되는 시간에 갇혀 영영 빠져나올 수 없어도 상관없을 정도로.

"지켜 줄게……."

두 팔로 도희를 놓칠 수 없다는 듯 꽉 끌어안은 준원이 나지막이 속삭였다. 목숨을 다 바쳐서라도 세상에 이 여자 하나만큼은. 평생 책임지고 사랑하며 아껴줄 것이라고. 다짐하고 또 다짐한 준원은 지그시 눈을 감았다. 야심한 달밤, 커튼 틈으로 밀려 들어오는 몽롱한 달빛은 두 남녀를 아롱아롱하게 비추었다. 평생에 가장 행복하고 몽환적인 밤이었다.

"근데 왜 시간이 2달 앞으로 돌아간 걸까요?"

호텔 레스토랑에서 조식을 먹던 도희가 문득 준원에게 물었다.

"그건 아직 잘 모르겠어요. 하지만 확실한 건 하나 있죠."

잔에 담긴 물을 목울대로 넘긴 준원이 낮게 목소리를 깔았다.

"우리가 돌아왔던 10월 14일은, 원래 타임 루프가 일어난 날이었다는 거예요. 도희 씨도 기억하겠지만, 원래 우리는 그날을 3번이나 반복했어요."

하지만 시간이 되돌아갔을 때, 10월 14일은 반복되지 않고 정상적으로 흘렀었다.

"그리고 원래 10월 30일에도 타임 루프가 일어나서 하루를 두 번 반복했었잖아요? 삼일마트 미팅 때."

"네, 그랬었죠."

"하지만 이번 10월 30일에는 하루가 반복되지 않았어요."

이상한 점을 깨달은 도희의 미간이 좁아졌다.

"지금 우리는 10월 14일부터 12월 24일까지 반복되는 타임 루프에 갇혀 있는 거잖아요."

"그렇죠."

"이렇게 큰 범위의 타임 루프 구간 안에 들어오면, 이제 더 이상 하루 단위의 타임 루프는 일어나지 않는 것 같아요."

"아…… 그러네요. 언제 이런 걸 분석했어요?"

"시간이 되돌아오자마자 앞으로 일어날 일들을 정리하고 바꿀 대책을 세웠어요. 왜냐하면 시간이 똑같이 흐르면 12월 24일에 다시……."

사고가 일어날 테니까. 준원은 뒷말을 잇지 않았다. 그 기억을 다시금 떠올린 준원의 표정이 싸하게 굳었다. 다소 무거워진 분위기 속에 도희는 말을 돌리기 위해 애써 밝은 목소리를 내었다.

"참. 생각해 보니 나 기억 없을 때 준원 씨 도움 엄청 많이 받았네요? 얼마 전에 삼일마트 미팅 막아 준 것도 그렇고."

도희의 말에 준원이 픽 웃음을 흘렸다.

"괜히 끼어들었다고 혼났지만 말이에요."

"하하, 그건 내가 기억이 없어서……. 미안해요. 섭섭했죠?"

"아니에요. 도희 씨 성격에 당연히 그렇게 나올 거로 생각했어요."

"……그거 욕이죠?"

"칭찬입니다."

"왜 이렇게 욕 같죠?"

"똑 부러진다는 거죠."

눈을 흘긴 도희가 픽 웃음을 터뜨렸다.

"참, 그리고 차유나! 이제 차유나랑 얼굴 볼일 없어서 진짜 좋아요."

원래와 다르게 차유나와의 콜라보레이션 기획은 채택되지 않았기 때문에, 이제 도희는 꿈에도 싫은 차유나와 억지로 얼굴을 마주하지 않아도 되었다.

"고마워요. 이것도 준원 씨가 바꿔 준 거잖아요."

그리고 이 모든 것은 준원이 홀로 해낸 일이었다. 고개를 치켜든 도희는 얼마 전 준원이 제 기획안을 반려했을 당시를 떠올렸다.

'곽정현 작가는 우리 브랜드의 이미지와 맞지 않습니다. 다른 아이디어 생각해서 처음부터 다시 작성하세요.'

말도 안 되는 이유로 기획안을 반려하니 당시엔 어처구니가 없어 화가 치밀었었다. 하지만 얼마 뒤 들려온 것은 곽정현 작가가 마약 혐의로 기소되었다는 소식이었다.

"고마워요. 덕분에 살았어요."

만약 그때 도희가 곽정현 작가와의 콜라보레이션 기획안을 밀고 갔다면 원래의 미래대로 유현록 본부장 앞에서 PT 도중 망신을 당할 것이었다. 더불어 도희가 새로 작성하여 올린 유튜버 윤보영과의 협업 기획안이 최종으로 채택되었고, 그 덕에 하동현 대리의 차유나와의 콜라보레이션 기획은 백지로 무산되었다.

"도희 씨 기억이 없는 동안 나름 나도 열심히 노력했어요. 안 좋은 일은 다 없애고 좋은 일만 남기려고."

이번 미래에는 도희가 성희롱을 당하는 일도, 회사 사람들 앞에서 망신을 당할 일도, 싫어하는 차유나와 업무상으로 만날 일도 없었다. 준원이 전부 바꾸었기 때문이다.

두 달하고도 열흘의 앞의 일을 미리 안다는 것은 겨우 하루 앞을 알던 이전과는 비교도 할 수 없을 만큼 도움이 되었다. 앞으로 일어날 일들을 알고 있으니, 회사의 업무에도 큰 도움이 되었고 이것은 곧바로 실적으로 나타났다.

"그리고…… 오를 주식도 많이 사 놨어요."

씩 올라가는 입꼬리에 도희의 입이 떡 벌어졌다.

"와, 누군 죽다 살아났는데 주식을 사고 있었어요?"

"당연히 사야죠."

나지막이 웃은 준원이 귀엽다는 듯 도희의 뺨을 꼬집었다.

"돈 많이 벌어서 우리 도희 씨, 맛있는 거 사 주려면."

"……어우, 말이나 못 하면."

픽 웃음을 흘린 도희가 준원의 손을 꼭 움켜잡았다.

"그런데 준원 씨, 정말 많이 바뀌었네요."

"내가요?"

"네. 원래는 똑같이 행동해서 최대한 빨리 타임 루프를 끝내는 게 삶의 원칙이었잖아요. 그런데 날 위해 이렇게 미래를 바꾸려고 노력하고……."

예전의 감정이 결여되었던 준원이라면, 어차피 죽을 사람이 죽은 것인데 미래를 왜 바꾸어 주냐고 했을 터였다.

"전부 도희 씨가 가르쳐 준 거예요."

하지만 도희로 인해 변화한 준원은 더는 예전과 같지 않았다. 타임 루프로 인해 10번이나 반복되었던 어머니의 죽음을 끝내 가만히 방관했던 어린 시절의 트라우마를 이겨 낸 것이다.

"내가 꼭 지켜 줄 테니까……."

"……."

"걱정하지 말고 맘 편하게 있어요."

미래를 바꾸지 않으면 12월 24일, 도희는 원래대로 차에 치일 것이었다. 준원은 두 번 다시 도희가 차에 치이는 모습을 보고 싶지 않았다.

"네. 같이 힘내 봐요."

도희가 생긋 웃으며 말했다. 오늘은 11월 8일. 타임 루프가 일어난 12월 24일까지 남은 시간은 약 한 달 하고도 보름…….

"아. 그러고 보니 오늘, 동창회 하는 날이구나."

원래의 11월 8일, 도희는 동창회에 참석하지 않았다. 고등학교 시절을 최악으로 빠뜨렸던 여고 동창들의 얼굴을 마주하고 싶지 않았기 때문이었다. 하지만 두 번째 삶을 사는 지금은 달랐다.

"사람이 죽다 살아나니까 무서울 게 없네."

한 번 사는 인생 정면승부가 답 아니겠는가.

"한 방 먹여 주고 오고 싶은데……."

도희가 씩 웃었다.

"준원 씨가 나 좀 도와줄래요?"

-뭐? 지금 동창회 가는 중이라고?

"응. 거의 다 왔어."

도희는 동창회에 참석하지 못하는 누리와 통화하며 간판을 훑었다.

-진짜 가게? 왜 갑자기?

"그냥 차유나 그년 면상 좀 한번 보고 오려고. 가게 이름이 뭐라고 했더라……."

초대 문자를 다시 들여다보며 도희가 말꼬리를 길게 늘였다.

-난 오늘 하필 촬영이라 못 가는데……. 그 쌍년들이 또 너한테 지랄하는 거 아냐? 그냥 가지 말지.

"괜찮아. 나도 풀고 살아야지. 언제까지 이렇게 억울한 채로 살 거야."

빼곡히 걸려 있는 간판 중 동창회 장소의 이름과 똑같은 간판을 발견한 도희가 작게 웃었다.

"아, 여기다. 나 끊을게?"

전화를 끊은 도희의 얼굴색이 조금 굳어졌다. 가난하고 부모가 없다는 이유만으로 전교에서 따돌림을 당했던 도희에게 동창회 문자를 보낸 것은 그 의도가 분명했다.

'꼽주려고 보낸 거겠지…….'

결코 진짜 왔으면 해서 보낸 것이 아닐 터였다. 그를 증명하듯 도희가 동창회 자리에 나타나자마자 여고 동창들은 쥐 죽은 듯 조용해졌다. 그중 유난히 눈에 띄는 얼굴은 김민지와 최혜지였다. 고등학교 3학년 일 년 내내 도희를 화장실에 가두고, 걸레 빤 물을 퍼붓고,

도둑년이라고 욕을 하는 등, 악질적으로 괴롭혔던 주동자인 둘은 놀란 눈으로 도희를 바라보았다.

그리고, 그 둘을 뒤에서 은밀하게 조종하고 소문을 퍼뜨려 따돌림을 주도했던 차유나.

"늦어서 미안."

도희는 생긋 웃으며 얼빠진 표정의 여고 동창들에게 인사했다.

"잘 지냈어? 모두 오랜만이다."

김민지와 최혜지, 그리고 차유나가 있는 테이블로 향해 빈자리에 앉았다.

"나 여기 좀 앉아도 되지?"

"어…… 아, 앉아. 오랜만이네."

자연스럽게 스스럼없이 대하는 도희의 태도에 당황한 김민지가 얼떨떨하게 인사했다.

"거의 10년 만인가? 백도희 네가 여길 올 줄은 몰랐는데."

"내가 여길 왜 못 와? 동창회인데."

예나 지금이나 똑같이 재수 없다는 듯 헛숨을 터뜨린 김민지가 물을 벌컥벌컥 들이켰다. 계속 넋 나간 듯 있던 최혜지는 곧 정신을 차리고 가식적인 웃음을 흘렸다.

"맞아. 못 올 거 없지."

"그래. 우리 옛날 일 묻어 두고 어디 잘 지내보자."

마음에도 없는 소리를 하는 최혜지와 김민지를 보며 도희가 비소를 터뜨렸다. 그러자 비위가 상한 두 사람이 건수를 잡은 듯이 따지고 들었다.

"뭐야, 그 비웃음?"

"설마 백도희 너, 어렸을 때 일 가지고 아직도 꽁해 있는 건 아니겠지?"

소리 없이 웃은 도희가 머리카락을 귀 뒤로 넘겼다.

"글쎄. 근데 나 궁금한 게 있는데……."

붉은 입술이 길게 늘어졌다.

"너희 누구야?"

김민지와 최혜지의 동공이 탁 풀리더니 파들파들 떨렸다.

"……뭐?"

"내가 사소한 애들 얼굴까진 기억을 잘 못해서. 이름이 뭐지?"

한 방 얻어맞은 두 사람의 얼굴이 화악 붉어졌다. 시뻘게진 두 사람의 얼굴이 일그러지며 입술이 바들바들 경련했다. 잔뜩 약이 오른 김민지의 꽉 쥔 주먹이 부들부들 떨렸다.

"……나 김민지잖아. 얜 최혜지고."

"아아, 기억났다."

표정 관리 못 하는 김민지와 최혜지를 보며 도희가 여유롭게 웃었다.

"미안. 얼굴이 너무 달라져서 못 알아봤네."

"……."

"근데 같은 병원 가서 고쳤니? 왜 쌍둥이가 됐어."

그 말에 주변에서는 픕, 하나둘 웃음이 터져 나왔다. 실제로 같은 성형외과에 나란히 손잡고 갔던 김민지와 최혜지는 얼굴이 붉으락푸르락 달아오른 채로 도희를 노려보았다. 그러거나 말거나, 도희는 첫 번째 타임 루프에서 지겹게 지지고 볶았던 차유나를 보며 인사를 건넸다.

"너도 오랜만이다, 유나야?"

타임 루프로 두 번째 삶을 보내고 있는 도희는 결코 오랜만이 아니었지만, 아무것도 기억하지 못하는 차유나에게 도희는 10년 만에 본 얼굴일 터였다.

"……응. 얼굴 좋아졌네, 언니?"

가식적으로 웃는 유나의 얼굴 너머로 당혹한 기색이 비쳤다.

"KSS그룹 계속 다닌다는 얘긴 들었어. 잘 지냈지?"

"그럼. 덕분에 잘 지냈지, 아주."

느슨하게 술잔을 움켜쥔 도희가 부드럽게 웃으며 손짓했다.

"나 술 한 잔 줄래?"

"……그래."

팽팽한 긴장 속에 유나가 더듬더듬 맥주병을 들었다. 쪼르르, 잔으로 물줄기가 흐르고 유나는 잘게 떨리는 손으로 술을 따랐다. 그리고 그 순간 도희는 슬쩍 은밀하게 테이블 아래에서 유나의 발을 콱 밟았다.

"아!"

놀란 유나가 그대로 손을 삐끗해 도희에게 술을 좌악 흘렸다. 도희의 코트가 맥주로 축축하게 젖자 당황한 유나가 우왕좌왕했다.

"어머, 괜찮아?"

"어떡해. 다 젖었다, 이걸로 닦아."

그나마 도희를 직접적으로 따돌리지는 않았던 아이들이 도희에게 휴지를 건네주었다. 유나와 영혼의 단짝인 김민지와 최혜지마저도 이건 옹호가 불가했는지 어색하게 중얼거렸다.

"음…… 유나가 취했나 보다."

"그러게. 왜 술을 흘렸어……."

하, 억울함이 몰려온 유나가 다급하게 고개를 저었다.

"아니야! 이건 내가 흘린 게 아니고……!"

"괜찮아. 유나야."

도희가 유나의 말을 끊고 생긋 웃었다.

"누구든 실수는 할 수 있는 거잖아?"

유나의 동공이 거칠게 흔들렸다. 하, 헛숨을 터뜨린 유나의 입술이 가늘게 경련했다.

"나 이거 닦아야 할 것 같은데 같이 화장실 가 줄래?"

"……."

주먹을 꽉 움켜쥔 유나가 도희를 직선적으로 노려보았다.

단둘이 화장실에 들어서자마자 유나는 불같이 화를 내며 따지고 들었다.

"언니 지금 유치하게 뭐 하는 짓이야?"

"내가 뭘?"

"왜 몰래 발 밟아 놓고 피해자인 척하는 건데!"

발끈한 유나가 큰 소리로 바락바락 소리쳤다.

"왜? 네가 잘하는 짓이잖아."

움찔한 유나의 눈꺼풀이 파르르 떨렸다.

"……뭐?"

"네가 고등학교 때 나한테 한 짓 똑같이 돌려준 건데. 당하니까 열

받니?”

우수한 집안의 자제들만 모여 있는 사립고등학교에서 보육원 출신이라는 사실은 흠이자 따돌림의 이유였다. 그 사실을 2학년까지 내내 숨기고 살아왔던 도희에게 유나가 퍼뜨린 보육원 출신이라는 소문은 학창 시절을 나락으로 빠뜨렸었다. 엄마 아빠 없는 년, 빌어먹는 년, 거지, 도둑년……. 별의별 욕으로 손가락질당한 배경에는 전부 차유나가 있었다.

“그리고, 돈 봉투 사건 잊은 건 아니겠지?”

고등학교 3학년 때, 도희가 아파서 급식을 먹지 못하고 교실에 홀로 엎드려 있던 날이었다. 종례 시간에 갑자기 차유나는 돈 봉투가 사라졌다며 소란을 일으켰었다. 담임 선생님은 혼자 있었던 도희를 검사하겠다며 반 아이들의 앞에서 도희의 가방을 뒤지고 온갖 수치를 다 주었다.

“일부러 네 돈 봉투 숨겨 놓고, 누가 훔쳐 간 척 자작극 벌여서 나 도둑년으로 몬 게 누구더라?”

“……뭐래. 증거 있어?”

“뭐?”

“내가 내 돈 봉투 숨기고 자작극 벌였다는 증거 있냐고.”

유나가 뻔뻔하게 웃으며 빈정댔다.

“그래. 내가 자작극 한 거 맞아. 근데 그게 뭐?”

“…….”

“애들 다 믿던데? 백도희 네 말은 아무도 안 믿어 주고.”

“성인 돼서도 애들이 네 말을 계속 믿어 줄까?”

“당연하지. 다들 멍청해서 자기들이 속고 있는 줄도 모를걸? 그리고 특히, 김민지랑 최혜지는 내가 팥으로 메주 쑨다고 해도 믿는 것들이니까.”

하, 헛숨을 터뜨린 도희가 코트에 묻은 맥주를 티슈로 닦아 내며 유나를 노려보았다.

“그래. 어디 잘해 봐. 등신들끼리.”

“…….”

열이 올라 부들부들 떨고 있는 유나를 뒤로하고 화장실에서 나와 자리로 돌아갔다. 저 멀리 시끌벅적한 테이블에서는 여고 동창들의 수다가 한창 이어지고 있었다.

“백도희, 걔 아직도 독신주의인지 그거 하고 있대?”

아니나 다를까, 대화의 주제는 도희였다. 김민지와 최혜지, 그리고 테이블의 아이들은 도희가 화장실에서 나온 것도 모르고 신나게 뒷담화를 떠들어 댔다.

“원래 사귀는 남자랑 한 달을 못 가는 걸로 유명했잖아, 싼 티 나게. 근데 요즘은 계속 솔로라던데?”

“풉, 웃겨. 성격 더러워서 남자 못 만나는 걸 독신주의로 포장하고.”

“얘들아. 내 얘기하고 있니?”

말을 끊은 도희가 자연스럽게 제 자리에 도로 착석했다. 흠칫 놀란 김민지와 최혜지, 그리고 여고 동창들이 입술을 벙긋거렸다.

“어…… 왔어?”

“……큼, 빨리 왔네?

“응. 근데 너희 재미있는 얘기 하더라?”

“…….”

어디로 튈지 모르는 도희의 불같은 성격을 아는 여고 동창들은 모두 입을 꾹 다물고 눈치를 살폈다. 다리를 꼬고 앉은 도희는 여유롭게 웃으며 어깨를 으쓱했다.

"내가 성격이 더러워서 남자를 한 달 이상 못 만나? 누가 그래?"

"아니, 그…… 너 들리는 소문이 그렇잖아. 아니야?"

뭐라고 변명이라도 해 보려고 입을 열었던 김민지는 어버버거리며 멍청한 소리나 지껄였다.

"맞아."

흔쾌히 인정하자 일대가 움찔했다.

"근데 내가 남자를 한 달 이상 못 만나는 건 쉽게 질려서 그래."

여유롭게 입술을 늘어뜨리며 웃었다.

"나 만나고 싶다는 남자가 줄 서 있는데 내가 뭐 하러 한 명을 오래 만나?"

"……허."

"너희 뷔페 가면 한 음식만 먹니?"

경악한 최혜지와 김민지가 당혹감에 반박하지 못하고 입술만 달싹거렸다.

"하긴 너희는 남자가 없구나. 미안."

"……이게 진짜 보자 보자 하니까!"

울컥한 김민지가 꽥 소리를 질렀다.

"그러는 백도희 너야말로 여전히 남한테 빌붙어 살잖아? 학생 땐 유나네 집에 빌어먹고 살고, 이제는 남자? 웃기다, 야."

"맞아, 맞아! 너 학창 시절에 유나네 집에 빌붙어 살았잖아. 거지처럼. 후원받는 주제에 부잣집 딸인 척 연기."

"거지 근성인 거지. 발도 못 펴는 반지하에서 살았다잖아, 쟤."

“그러고 보니 백도희 너, 고3 때 유나 돈도 훔쳤잖아? 그러고 자기가 안 훔쳤다고 바락바락.”

“맞아! 은혜를 원수로 갚아도 유분수지. 정신 차려, 이 도둑년아!”

도희를 둘러싼 최혜지와 김민지는 번갈아 가며 목에 핏대를 세우고 도희를 불같이 몰아붙였다. 얼굴이 시뻘겋게 될 때까지 꽥꽥 소리친 둘은 가쁜 숨을 토해 내며 도희를 노려보았다. 그에 반해 무서울 게 전혀 없는 도희는 아무런 타격도 없는 표정으로 느긋하게 물잔을 들어 입술을 적셨다.

“내가 고3 때, 차유나 돈 훔쳤다는 증거 있어?”

“있지, 그럼! 그때 점심시간에 다들 밥 먹으러 갔는데, 너 혼자만 아프다고 꾀병 부리고 교실에 남아 있었잖아?”

“맞아! 그리고 유나 돈 봉투 사라지고.”

“아니.”

도희가 단정적으로 말하자 여고 동창들이 움찔했다.

“범인은 따로 있지.”

길쭉한 손이 핸드폰 액정을 꾹, 꾹 누르자 음성 녹음 파일이 재생되었다.

-……하. 증거 있어?

-뭐?

-내가 내 돈 봉투 숨기고 자작극 벌였다는 증거 있냐고.

녹음은 조금 전 도희와 유나의 대화 내용이었다. 일부러 녹음기를 틀어 놓고 화장실로 갔던 도희는 유나를 자극해 스스로 자백을 받아낸 것이었다.

-그래. 내가 자작극 한 거 맞아. 근데 그게 뭐?

핸드폰의 녹음에서 들려오는 유나의 말에 일대가 웅성거렸다. 도희가 따돌림을 당한 가장 큰 이유였던 돈 봉투 사건의 진범이 밝혀지는 순간이었다.

-애들 다 믿던데? 백도희 네 말은 아무도 안 믿어 주고.

화장실에서 막 나온 유나의 얼굴이 하얗게 질렸다. 심장이 뚝 떨어진 유나가 황급히 도희의 휴대전화를 뺏기 위해 달려들었으나 한 발 늦고 말았다.

-성인 돼서도 애들이 네 말을 계속 믿어 줄까?

-당연하지. 다들 멍청해서 자기들이 속고 있는 줄도 모를걸? 그리고 특히, 김민지랑 최혜지는 내가 팥으로 메주 쑨다고 해도 믿는 것들이니까.

마지막 말에 모두가 술렁였다. 멍청해서 속고 있는 줄도 모른다고? 황당함에 차유나의 친구들이 하나둘 자리를 박차고 일어섰다.

"야, 차유나! 너 이게 뭐야!"

어처구니가 없어 헛숨을 터뜨린 김민지와 최혜지의 눈이 유나에게로 날카롭게 돌아갔다.

"뭐? 멍청해? 팥으로 메주를 쑨다고 해도 믿는 것들?!"

순식간에 아이들에게 둘러싸인 유나가 당황한 채 뒷걸음질 쳤다.

"아, 아니…… 나는……."

"너 뒤에서 우리 이딴 식으로 생각하고 다녔냐?!"

치욕감에 빠득 이를 간 김민지가 유나의 어깨를 손으로 퍽 밀쳤다.

"이거 진짜 소름 끼치는 년이었네? 앞뒤 달라도 유분수지!"

"아니, 언니들. 그게 아니라……."

저만치 떠밀린 유나의 동공이 거칠게 흔들렸다. 완전히 궁지에 몰린 유나의 모습을 보며 도희는 소리 없이 웃음을 터뜨렸다. 늘 남을 이용해서 살아왔던 차유나는 그녀의 주변인들이 등을 돌리니 아무것도 할 수 없는 무능력한 몸이 되었다.

이미 복수는 성공이었으나, 도희는 여기서 멈출 생각이 없었다. 시간이 앞으로 되돌아와 차유나는 전부 잊어버렸을 테지만, 도희는 그동안 차유나가 했던 소행들을 전부 기억하고 있었다. 준원과 헤어졌던 것도 어떻게 보면 차유나의 이간질이 가장 큰 요인이었다.

'복수는 이제부터 시작이지.'

붉은 입술이 씩 느긋하게 올라갔다.

삽시간에 동창회장은 완전히 아수라장이 되었다. 차유나를 둘러싼 여고 동창들이 불같이 화를 내며 언성을 드높였다. 그 소란 틈에서 여유롭게 앉아 있던 도희가 차분하게 자리에서 일어나 맥주병으로 테이블을 쾅 내려쳤다.

"근데 너희."

이목이 총집중되는 것은 순식간이었다.

"양심이 있다면 차유나한테 따지기 전에 나한테 사과부터 해야 하는 거 아니니?"

웅성거림으로 가득하였던 일대가 쥐 죽은 듯 고요해졌다.

"저 말도 안 되는 자작극에 놀아나서, 차유나 말만 믿고 1년 내내 괴롭힌 게 누구더라?"

일순 엄숙해진 분위기 속에 아무도 쉬이 입을 열지 못했다. 그토록 도희를 힘들게 했던 최혜지와 김민지조차도 변명할 길을 잃은 듯 입을 꾹 다물었다.

"10대 때는 어렸으니까 그랬다 치고, 서른 된 지금 와서 물어볼게."

차분하게 가라앉은 음성이 가게 안을 울렸다.

"내 가난이 죄였니?"

도희의 한마디에 장내는 일시에 숙연해졌다.

"내가 부모 없는 게, 반지하 방에서 사는 게, 그런 상황에서 일말의 희망이라도 잡아 보고자 죽기 살기로 공부한 게 그렇게도 꼴 보기 싫었어?"

반박할 수 없는 사실에 고요한 분위기로 변한 가운데, 그 누구도 아래로 내리깐 눈을 들지 못했다. 그저 입을 다물고 조용하게 자리를 지킬 뿐이었다. 그런 동창들의 얼굴을 찬찬히 한 번씩 바라본 도희가 작게 실소했다. 어차피 더 말해 봐야 득 될 것은 없었기에 이쯤에서 정리하기로 했다.

"나 때문에 분위기가 이상하게 됐네."

마지막으로 도희의 시선이 꽂힌 곳은 홀로 분에 겨워 눈을 치켜뜨고 있는 유나였다. 그 가소로운 눈동자를 똑바로 응시하며 도희는 새빨간 입술을 비틀듯이 들어 올렸다.

"난 이만 갈게. 남자 친구가 데리러 와서."

이미 가게 입구에 차를 대고 계산대 앞에 서 있는 준원을 향해 손짓하자 모두의 시선이 그곳으로 흘렀다. 길쭉한 손가락 사이에 꽂힌 카드를 지갑에 넣는 준원을 발견한 동창들은 일제히 일시 정지 상태가 되었다.

남들보다 머리 하나는 더 있는 월등한 키와 떡 벌어진 어깨, 어두운 가게 내에서도 훤히 드러나는 잘난 이목구비는 여고 동창들의 심장을 쿵 내려앉게 했다.

"내 남자 친구가 전부 결제해 줬으니까 편하게 즐기다가 가."

계산을 끝냈다는 말에 동창들의 얼굴에 동요가 일었다. 그리고 준원의 얼굴을 알아보고 경악한 유나는 숨을 멈춘 채 입만 벙긋거렸다.

'……오빠? 준원 오빠? 남자 친구라고……?'

이 상황이 믿기지 않는지 삿대질하던 유나의 눈이 한계까지 커졌다.

"……."

가게 밖으로 나간 도희와 준원은 웃으며 끌어안고 쪽, 가볍게 입맞춤을 나누었다. 그 모습을 목격한 유나는 새파랗게 질린 얼굴로 거친 숨을 토해 냈다.

"이게 무슨……."

말도 안 돼!

다정하게 손을 잡고 주차된 차로 향하는 준원과 도희를 보며 충격받은 유나의 동공이 거칠게 뒤흔들렸다.

"오빠……."

왜 갑자기 준원 오빠가……?

사랑스러워 죽겠다는 듯한 눈으로 도희를 보는 준원에 울컥한 유나의 눈시울이 붉어졌다. 온몸의 피가 쑥 아래로 달아나는 기분이었다. 얼굴 근육은 경직되며 손발이 발발 떨리고 심장이 쿵쾅쿵쾅 뛰었다.

"왜 오빠가 백도희하고……."

혼이 나간 듯 중얼거리던 유나는 큰 소리로 준원을 부르며 미친 사람처럼 뛰쳐나갔다.

“오빠……!!!”

하지만 몇 걸음 채 가기도 전에 김민지에게 머리채를 잡혔다.

“아악!!!”

엄청난 충격과 함께 머리가 뒤로 확 끌려가자 유나가 비명을 내질렀다.

“야! 어딜 도망가려고!”

배신감에 눈에 불을 켠 김민지와 최혜지가 유나를 죽일 듯이 몰아세우며 큰소리쳤다.

“지금 너 때문에 우리만 이상한 사람 됐잖아! 네 주작에 놀아나서!”

“그러고 뒤에선 뭐? 멍청하다고? 말이면 다야? 어?”

이미 준원과 도희를 보고 이성이 끊어진 유나는 현재 사리 분별이 되지 않는 상태였다. 눈앞이 노랗게 물든 그녀는 제 머리채를 잡는 손을 확 뿌리치고 아무렇게나 빽 내질렀다.

“뭐래! 누가 믿으래? 난 백도희 괴롭힌 적 없어! 괴롭힌 건 다 너희들이지!”

“허, 진짜 하다 하다 별 미친년을 다 보겠네?”

“야, 차유나! 백도희가 왕따당한 게 누구 때문인데! 다 너 때문에 그런 거잖아!”

곧 미칠 것만 같은 기분에 유나의 속이 벌컥 뒤집혔다. 지금 당장 가서 준원의 앞을 막아서고 어떻게 된 일이냐며 소리치고 싶은데, 이 눈앞의 인간들은 도무지 비켜 줄 생각이 없어 보였다. 그 와중에 준원은 도희의 조수석 문을 열어 주며 환하게 웃고 있고…….

“……하.”

결혼식 일주일 전까지 단 한 번도 보여 준 적 없는 미소였다. 그 사실에 거우거우 한 가닥 붙잡고 있던 이성의 끈이 끊긴 유나가 광증에 가까운 괴성을 질렀다.

"아아아악!!!"

놀란 동창들이 흠칫 뒤로 물러서자 그 틈을 타고 확 뿌리치며 도희와 준원에게로 미친 듯이 달음박질했다. 무작정 열린 조수석 문으로 손을 뻗은 유나가 도희의 멱살을 잡으려 했으나 준원에게 제지당했다. 바리케이드처럼 도희의 앞을 막아선 준원은 유나를 확 밀치고 도희를 보호했다. 나가떨어진 유나는 비틀거리며 목이 쉬도록 울부짖었다.

"야, 백도희!!! 너 일부러 여기 왔지!!! 나 이렇게 비참하게 만들려고!!! 어?!"

어깨를 으쓱하며 나지막이 웃는 도희를 본 유나의 얼굴은 붉으락푸르락 난리가 났다.

"오빠!!! 오빠, 저년이 어떤 년인 줄 알아?! 대체 어떻게 꼬리 쳤길래 넘어간 거야!!!"

"꼬리는 내가 쳤고."

낮게 답한 준원은 유나의 어깨를 한 손으로 내리누르며 그녀의 귓가에 중얼거렸다.

"네가 함부로 말해도 되는 여자 아니야."

"……."

"한 번만 더 그런 식으로 입에 담으면…… 2년 전 네 떳떳하지 못한 파혼 사유 묵인하지 않아."

오싹한 경고에 새하얗게 질린 유나의 안면 근육이 부들부들 떨렸다. 동창들이 외면한 와중에 결혼식 일주일 전에 다른 남자와 관계를 맺었다는 것까지 들키면 모든 게 끝장이었다. 빨갛게 부어오른 눈가가 촉촉해지며 유나의 눈에는 광기인지 분노인지 모를 물기가 고였다.

"백도희……! 너 나한테 복수하려고 내 뒷조사했니? 그래서 일부러 우리 오빠 꼬신 거야?! 나 엿 먹이려고!!!"

입 안을 짓씹은 유나가 영혼이 나간 사람처럼 중얼거리더니 꽥 소리쳤다. 두 눈을 까뒤집은 채 희번덕대는 눈의 흰자위가 번들거렸다.

"이래서 부모 없는 년이랑은 상종하는 게 아니……!"

찰칵. 저급한 폭언이 채 끝나기도 전에 들려온 것은 짧은 핸드폰 카메라의 셔터음이었다. 유나의 미친 듯한 행동을 촬영하고 있던 최혜지가 혀를 찼다.

"와, 진짜 미쳤나 봐, 쟤. 사람이 할 말이 있고 못 할 말이 있지."

"야. 이거 인터넷에 올려. 저년이 운영하는 레스토랑 SNS 계정에 링크 올리자."

"……뭐?"

온몸의 수분이 싹 빠져나간 듯 유나의 얼굴이 창백해졌다. 그제야 집 나간 이성이 빠르게 돌아온 유나가 다급하게 손을 뻗었다.

"자, 잠깐…… 잠깐만…… 언니들!"

하지만 이미 완전히 등 돌린 동창들은 차갑게 유나를 외면했다.

"야, 야. 가자. 저딴 년 상대해서 뭐 해."

"너 다신 연락하지 마라. 진짜 별꼴을 다 보겠네!"

"가자, 가자."

모두가 짐을 챙겨 하나둘 자리를 떠났다. 혼이 나간 듯 길바닥에 멍청하게 서 있는 유나를 보며 도희가 픽 실소했다.

"우리도 가요, 준원 씨."

그 말을 끝으로 시원스럽게 바퀴를 굴리며 사라지는 준원의 차를 유나는 멍하니 바라보았다. 모두가 떠난 뒤 홀로 남은 유나는 실성한 사람처럼 길길이 날뛰며 악을 썼다. 그러고는 땅바닥에 털썩 주저앉아 모든 걸 상실한 사람처럼 목을 놓아 엉엉 엎드려 울었다.

집으로 돌아가는 차 안에서 도희는 호탕하게 웃으며 복수의 짜릿함을 만끽하고 있었다. 그 어느 때보다도 크게 뒤흔들리던 유나의 동공과 미친 듯한 표정을 떠올리자 절로 광대가 상승했다. 불쌍하다는 생각은 들지 않았다. 그저 인과응보일 뿐.

"준원 씨, 차유나 표정 봤어요?"

"네. 곧 숨넘어갈 얼굴이던데요."

"하, 진짜 속 시원하다."

밀려오는 희열과 함께 천년 묵은 때가 벗겨지는 느낌이었다. 지금껏 차유나 때문에 도희가 겪은 수모는 이루 다 헤아릴 수 없는 수준이었다. 그녀가 만든 소문과 자작극으로 도희는 전교에서 따돌림을 당해야 했고, 준원과 사이가 나빠져 이별을 겪어야 했다. 또, 어찌 보면 그 나비 효과로 사고가 일어나 사망하기까지 했다.

"고마워요. 다 준원 씨 덕분이에요."

"난 별로 한 것도 없는걸요."

운전대를 느슨하게 쥔 준원이 낮게 웃자 도희가 고개를 저었다.

"아니요. 준원 씨 등장이 차유나한테는 제일 충격이었을걸요? 사랑에 빠진 서준원. 얼마나 열 받겠어?"

통쾌한 기분에 사로잡힌 도희가 어깨를 으쓱거렸다. 이토록 어려운 남자가 내 사람이 되었다니.

"나였어도 준원 씨가 내 앞에서 다른 여자랑 키스해 봐. 바로 미쳐서 눈 돌아가지."

들뜬 도희는 해맑게 웃으며 말을 잇다가 일순 정색하며 경고를 두었다.

"혹시나 해서 말해 두는데, 그런 일 생기는 순간 바로 죽었다고 복창해요. 난 살려 둘 생각 없으니까."

말도 안 되는 가정이라는 듯 준원은 실소를 터뜨렸다.

"내가 왜 다른 데 눈을 돌리겠어요."

느슨하게 돌아간 준원의 까만 눈동자가 도희를 쓰다듬듯이 내려앉았다.

"세상에서 제일 멋진 여자가 내 여자인데."

흠뻑 젖은 온기에 도희의 가슴이 뭉근하게 풀어진 순간이었다.

빠아아아아앙! 어디선가 미친 사람처럼 자동차 경적을 꽝꽝 울려 댔다. 뇌를 긁어 내는 듯한 소음에 사고가 일순 멈추었다. 이내 쾅!!! 부딪히는 소리에 미간을 찌푸린 도희가 짜증스레 주위를 둘러보았다.

"뭐야……. 아, 저 앞에 사고 났네요."

준원과 도희가 있는 차선의 앞에서는 접촉 사고가 일어난 듯 보였다.

"이러면 어쩔 수 없이 돌아서 가야……."

말을 잇던 도희가 멈칫했다. 무언가 이상한 기류에 고개를 돌린 도희의 동공이 흔들렸다. 핸들을 쥔 준원의 손이 가늘게 떨리고 있었다. 흠칫 놀란 도희의 눈이 커졌다. 고개를 들어 올려 준원을 바라보자, 그의 낯은 죽음을 문턱에 둔 것처럼 하얗게 질린 채 창백했다. 그는 과호흡이 온 듯 거친 숨을 몰아쉬었다.

"준원 씨."

순간적으로 도희가 사망했을 때의 순간과 사고 현장이 겹쳐져 패닉이 온 준원에게는 그녀의 목소리가 들리지 않았다. 걱정스럽게 쏟아지는 시선마저도 느끼지 못한 듯이 정면만 바라보고 있을 뿐이었다.

"괜찮아요?"

"……."

"잠깐 쉬었다 가요, 우리. 응?"

침착한 도희의 음성에 겨우 정신을 차린 준원이 핸들을 꺾어 골목으로 들어가 차를 정차했다. 하마터면 사고가 날 뻔한 상황이었지만 도희의 빠른 대처에 아무 일도 일어나지 않고 무사했다. 하지만 거친 호흡은 쉽사리 멎질 않았다.

"많이 힘들어요?"

여전히 도희의 사고 현장과 겹쳐진 잔해로 일어난 공황이 가라앉지 않은 듯 준원은 불안정한 숨을 토해 냈다.

"나 여기 있잖아요. 무서워하지 말아요."

준원이 힘들어하는 이유가 자신의 사고 때문임을 눈치챈 도희는 그런 그가 안쓰러웠다. 눈앞에서 자신이 차에 치이는 모습을 목격하고, 죽는 순간까지 옆에서 지켜봐야 했으니 그 트라우마는 이루 말할 수 없는 지경일 터였다.

"……."

그녀의 죽음은 결국 그에게 다가가 씻을 수 없는 상처가 되고 말았다.

……이 아픔을 내가 낫게 해 줄 수 있을까. 도희는 가슴이 무너지는 기분에 그대로 두 팔을 올려 준원을 꽉 끌어안았다. 토닥토닥, 치유하듯 차분하게 등을 두드리자 준원의 떨림도 점차 가라앉았다.

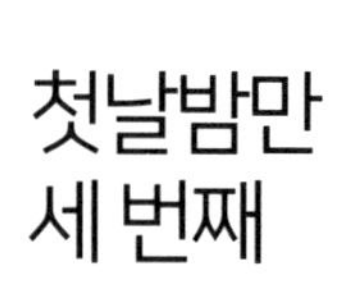

VOL. 3

Three First Nights

CHAPTER 19

함께할, 앞으로의 미래

19

함께할, 앞으로의 미래

다사다난했던 주말이 지나고 월요일은 찾아왔다. 첫 번째 생에서처럼 도희는 급성충수염으로 입원한 하동현 대리 대신 준원과 함께 출장길에 올랐다.

처음의 11월 9일, 원래 출장을 갈 당시만 해도 준원과 도희의 사이는 꽤 서먹서먹했었다. 하지만 두 번째를 사는 지금, 준원과 도희는 출장을 가는 길이 마치 함께 여행을 가는 듯했다.

"고속열차 타길 잘했다. 그렇죠?"

"네. 차로 갔으면 처음의 그 고생을 똑같이 했을 테니까요."

도희의 물음에 준원이 웃으며 답했다. 첫 번째에선 자동차로 부산까지 출장을 내려갔었지만, 이번엔 함께 고속열차에 올라탔다. 아직도 충격의 여파가 남아 쉽사리 차에 올라타지 못하는 준원을 고려한 도희의 따뜻한 배려였다.

"근데 이거 왜 이렇게 안 따져?"

역의 자판기에서 뽑은 비타민 음료 뚜껑은 꽉 맞물린 듯 열리지 않았다. 낑낑거리는 도희를 귀엽게 보던 준원이 손을 내밀었다.

"줘요. 내가 따 줄게요."

병을 건네받아 뚜껑을 잡은 순간, 준원의 시야에 거슬리는 것이 포착되었다. 비타민 음료의 포장지에 프린트된 광고 모델이 어디서 많이 본 얼굴이었다. 골프채를 들고 환하게 웃고 있는 광고 모델의 모습에 준원의 한쪽 눈썹이 꿈틀거렸다.

"……이 비타민 음료, 강이언 씨가 광고 모델입니까?"

"아, 네. 3년 전부터 계속 강이언이 광고 찍고 있어요. 요즘 은근히 여기저기서 스포츠 스타들 광고 모델로 많이 찾는 것 같더라고요."

"……그렇군요. 대단하시네요."

침착하게 답한 준원은 성급히 비타민 음료의 라벨을 확 벗겨 냈다. 이언이 프린트된 라벨이 쫙 뜯겨 나가고 갈색 병은 순식간에 발가벗겨졌다. 힘줄이 드리운 팔뚝은 그 뚜껑을 단번에 열어 버렸다.

"자, 여기요."

얼떨떨하게 병을 받아든 그녀는 준원의 손에 이언이 인쇄된 라벨이 구겨지는 것을 똑똑히 목격했다.

"……왜 라벨 벗겼어요?"

"재활용하려고요. 원래 라벨 떼서 재활용하잖아요."

"근데 왜 그렇게 구겨요?"

"……."

불뚝 힘줄이 솟은 주먹 아래에서 라벨이 껌딱지처럼 꾸깃꾸깃 구겨졌다. 그 모습에 조금 웃음이 나온 도희가 입가를 가렸다.

"혹시 질투해요?"

슬쩍 준원의 옆구리를 찌르고 은근하게 물었다.

"아니요."

"질투하는 것 같은데."

"이런 걸로 질투하지 않습니다, 유치하게."

말은 그래도 몇 번이고 라벨을 확인 사살하는 주먹은 질투의 화신 그 자체였다.

"줘요. 내가 이따 같이 버리게."

도희의 말에 준원은 단호하게 고개를 좌우로 내저었다. 무표정으로 공깃돌처럼 작아진 라벨을 주머니 깊숙이 쑤셔 넣은 준원은 자연스럽게 딴청을 부렸다. 그 모습이 어찌나 우습고 사랑스러운지, 도희는 저도 모르게 살풋, 웃음을 터뜨렸다.

"귀엽고 난리……."

"뭐라고 했어요?"

"아무 말도 안 했어요."

작게 중얼거리자 귀신같이 알아차리는 준원이었다. 한때는 늘 건조한 무표정에 무슨 생각하는지 알 수도 없었던 남자가 지금은 이렇게 속 뻔히 보이는 거대한 멍멍이가 되어 버렸다.

사랑에 빠진 서준원이라니……. 저도 모르게 손을 뻗은 도희는 단단한 준원의 뺨을 살짝 꼬집었다. 그 여파로 잠시 커진 까만 눈이 이내 부드럽게 휘었다.

"도희 씨, 그런데 우리 언제까지 서로 호칭 이렇게 불러요?"

"네?"

"그래도 사귀는 사이인데…… 좀 다르게 부를 수 있지 않나?"

"음…… 뭐라고 불러 줬으면 좋겠어요?"

"글쎄요……."

잠시 생각하던 준원의 입술이 모이며 '오'를 발음할 듯 움직였다. 그것만으로도 '오빠'를 예감한 도희의 표정이 험악하게 구겨졌다.

"미안해요. 도희 씨 표정 보니 내가 죽을죄를 지은 것 같네요."

"알긴 알아서 다행이에요."

바로 꼬리를 내리자 표정을 푼 도희가 고개를 끄덕였다.

"난 오빠가 없어서 오빠라고 부르는 게 너무 오글거리거든요. 나보다 연상인 남자들한테 그냥 이름 부르거나 안 불렀어요."

"뭐, 도희 씨답긴 하네요."

"그래도 다른 건 해 줄게요. 말해 봐요."

관대하게 나오자 준원의 입꼬리가 올라섰다. 그 여유롭게 올라가던 자태로 이내 파렴치한 말을 속삭였다.

"자기야?"

일그러진 미간을 보며 준원이 슬쩍 눈치를 살폈다.

"여보……."

두 가지를 던져 보았으나 하나같이 반응이 그다지 좋지 않았다. 결국 항복을 외친 준원은 두 손을 펼치고 깔끔하게 물러섰다.

"알았어요. 포기할게요."

조금 풀 죽은 듯한 음성이었다. 툭 하면 선 긋는 게 취미였던 예전과는 달라도 너무 다른 모습이 도희는 여전히 적응되지 않았다. 정말 저게 듣고 싶은 건가?

흘끔 그런 준원을 살피던 도희가 자그마한 손을 펼쳐 준원에 귓가에 대고 소곤거렸다.

"오빠?"

동시에 부드럽게 올라서는 것은 준원의 입술 끝이었다. 사르르 녹는 아이스크림처럼 웃으며 내려다보는 시선에 도희도 히죽거리며 한 번 더 속삭였다.

"준원 오빠……."

마냥 좋은 듯 웃는 얼굴이 서른셋 남자라는 게 믿기지 않을 만큼 순수해 보였다. 길쭉한 손가락 하나를 들어 올린 그는 유혹적인 저음으로 도희의 귓가에 속살거렸다.

"한 번만 더……."

어딘가 야릇한 느낌에 도희는 기분이 묘했다. 큼, 목을 가다듬은 도희가 약간 열이 오른 얼굴에 부채질하며 겨우 선을 지켰다.

"정숙하죠, 우리. 공공장소니까."

바로 시무룩해지는 모습이 못 견디게 귀여워 마구 뽀뽀하고 싶었으나 가까스로 참았다. 하지만 자꾸만 삐죽삐죽 솟아오르는 입꼬리는 차마 막을 길이 없었다. 그리고 그 순간, 부드럽게 제 손을 움켜쥐는 커다란 온기에 도희의 눈이 커졌다. 얇은 손가락 사이사이에 제 길쭉한 손가락을 밀어 넣은 준원이 꼬옥 깍지 낀 채 웃었다. 그 나른한 체온에 흐물흐물 녹아내린 도희는 슬슬 눈꺼풀이 무거워지는 것을 느꼈다.

고속열차가 출발한 지 꽤 시간이 흐르고, 도희는 준원과 손을 잡은 채로 잠이 들었다. 창가에 기대 선잠이 든 도희를 가만히 바라보며 준원은 많은 생각에 잠겼다. 준원은 이토록 자꾸만 머릿속에 재생되는 사고의 기억에 시달리고 있는데, 당사자인 도희는 되려 탈 없이 씩씩하게 일상을 살고 있었다.

아니, 아무렇지 않은 척하는 걸지도. 마음은 누구보다도 여린 그녀인데, 항상 가면을 쓰고 벽을 세운 채 강한 척, 굳건한 척 연기하고 있다 생각하니 가슴 한편으로 안쓰러운 마음이 파고들었다. 준원은 창가에 지그시 눌려 있는 도희의 머리를 부드럽게 끌어다가 제 어깨에 기대도록 당겼다. 자그마한 도희의 손을 들어 올려 그 손에 조인을 찍듯 짧게 입을 맞추었다.

"결혼……."

가느다란 네 번째 손가락 위로 포근하게 내려앉은 준원의 손가락이 반지처럼 원으로 말렸다.

"하자고 하면 도망가려나."

늘 형식뿐인 결혼만을 생각했을 뿐이었는데. 평생에 진심이 담긴 결혼을 하고 싶어질 줄은 몰랐다. 지이이잉. 그 순간 도희의 휴대전화가 진동했다. 시선을 매끈한 액정으로 옮긴 준원의 표정이 빠르게 굳었다.

[이 망할 년이 감히 나를 차단해?]

새아버지로부터 온 문자였다.

[네 회사 찾아가서 다 죽여버리기 전에 돈 입금해. 빨리.]

두 번째 생에서도 어김없이 정확히 이 시각, 협박 문자가 도착한 것이었다.

"상대할 가치도 없네."

원래 미래에서도 준원은 이 문자가 도희의 휴대전화에 똑같이 왔던 것을 발견한 기억이 있었다. 오늘은 11월 9일 월요일……. 이제 4일 후 금요일, 11월 13일에 도희의 새아버지가 회사로 찾아와 그녀를 위협할 터였다.

자는 도희의 머리를 쓰다듬은 준원은 수신 차단함으로 들어가 11자리의 숫자를 빼곡히 적어넣었다. 그리고 지그시 눈을 감으며 생각에 잠겼다.

행사장에 도착한 도희와 준원은 능숙하게 현장을 점검하고 담당자들과 미팅을 마쳤다. 꼬박 두 번째 반복하는 일이었기에, 업무에는 조금의 어려움도 없었다. 성공리에 일을 마무리한 도희와 준원은 첫 번째에서처럼 고깃집에 들어가지 않았다. 해변에 있는 레스토랑에 가서 달콤한 분위기 속에 식사를 마쳤다.

"우리 불꽃놀이 보러 갈래요?"

손을 잡고 택시를 타러 가는 길에 도희가 자그마하게 물었다.

"원래 오늘, 같이 갔었던 불꽃 축제요?"

"네. 저번에 봤을 때 되게 예뻤는데, 또 보고 싶어서요."

"그래요, 좋아요."

흔쾌히 응한 준원의 눈이 부드럽게 휘었다. 하지만 지금 도희는 조금 불편한 구석이 있었으니, 아까부터 꽉 발을 옥죄어 오는 하이힐이었다.

처음의 오늘에는 편한 신발을 신고 왔었는데, 이번에는 괜히 들뜬 마음에 새로 산 하이힐을 개시했다. 하지만 이렇게 발이 아플 줄이야. 작게 한숨을 몰아쉬자 옆에 있던 준원이 바로 그런 그녀의 상태를 눈치챘다.

"도희 씨, 여기 앉아 봐요."

바로 옆의 벤치에 도희를 앉힌 준원은 아까부터 줄곧 들고 있던 쇼핑백을 열었다. 그 안에서 나온 하얀 상자를 본 도희의 눈이 커졌다.

"이게 뭐예요?"

"운동화요. 도희 씨 왠지 높은 굽 신고 올 것 같아서 미리 준비했어요."

"아……."

상자 안에서 모습을 드러낸 것은 하얗고 세련된 디자인의 새 운동화였다. 스스럼없이 한쪽 무릎을 굽힌 준원이 도희의 하이힐을 천천히 벗겨 주었다. 가슴에 무언가가 뜨겁게 차오른 도희의 동공이 일렁였다.

"내 발 사이즈 어떻게 알았어요?"

"호텔에서 도희 씨 잘 때 몰래 확인했죠."

낮게 웃은 준원은 도희의 작은 발을 끌어당겼다. 도희의 피부만큼이나 하얀 운동화를 신겨 주는 손길이 마치 유리를 다루는 듯 조심스러웠다. 운동화를 신겨 준 준원은 도희의 신발 끈을 꼼꼼히 매어 주었다. 매듭짓는 기다란 손가락을 멍하니 바라보는 도희의 동공이 탁 풀어졌다.

"언젠가는……."

나른한 음성이 나무의 가지처럼 뻗어 도희의 고막을 간지럽혔다.

"내가 도희 씨에게 이 운동화 같은 사람이 되었으면 좋겠어요."

그 누구보다도 편안한 안식처 같은 사람이 되고 싶다는 뜻이었다. 가면을 쓰고 머리 아프게 계산적으로 대할 필요 없이, 그저 마음 편하게 함께 할 수 있는 사람.

원래의 준원은 결코 편한 사람이 아니었다. 늘 사랑하는 만큼 표현하지 못하고 선을 긋고 벽을 세우기 바빴으며, 지칠 정도로 끌고 미는 행위에 시달렸다. 하지만, 두 번째 생의 준원은 전혀 달랐다.

"……."

도희는 문득 얼마 전 누리가 제게 했던 말을 떠올렸다.

'언젠간 네 짝 만나잖아? 나보다 더 편해질 수도 있어.'

15년 단짝보다도 편안한 사람…….

'평생에 그런 사람 한번 안 만나 보겠어?'

……그래. 이건 마치 기적과도 같은 일이다. 살포시 웃음을 터뜨린 도희가 허리를 굽혀 준원의 입술에 입을 맞추었다. 배시시 예쁘게 웃자 준원이 곧바로 도희의 허리를 번쩍 안아 들어 올려 키스했다.

준원과 도희는 택시를 타고 불꽃 축제를 하는 해변에 도착했다. 수많은 인파를 뚫고 나아가 자리한 두 사람은 떨어지지 않도록 손을 꽉 붙잡았다. 처음보다 조금 더 설레는 마음으로 하늘을 바라보고 있으니, 이내 화려하고 아름다운 불꽃들이 밤하늘을 수놓았다. 형형색색의 예쁜 불꽃이 환하게 퍼지며 만발했다.

"와, 예쁘다……."

그 아름다운 광경에 가슴에 뜨거운 물기가 차오른 도희가 작게 중얼거렸다. 처음과 다름없는 불꽃이었으나 그걸 바라보는 도희의 마음이 달랐다.

"……예전에 어떤 책에서 읽었는데요."

홀린 듯 하늘을 보며 입술을 움직였다.

"행복은 뒤쫓는 게 아니라 발견하는 거래요."

단정하던 준원의 시선이 아래로 흘러 도희에게로 앉았다. 밤하늘의 불꽃보다도 그걸 바라보는 도희가 더 아름답고 사랑스러웠다.

"일상의 사소한 일들에서 즐거움을 발견하면…… 그 즐거움이 모여 행복한 삶을 만드는 거라고 하더라고요."

행복은 먼 곳에 있는 것이 아니었다. 지금 이곳에 함께할 수 있다는 사실 자체가 엄청난 축복이자 기적 같은 일이었다. 한 번 죽음을 경험했다가 다시 태어난 도희에게 지금 이 순간은 그 어느 때보다도 값진 찰나였다. 느슨하게 웃음을 흘린 준원이 도희의 머리를 녹녹하게 쓰다듬었다.

"도희 씨, 지금 행복해요?"

천천히 돌아간 도희의 동공이 준원에게로 맞춰졌다. 주변의 소음이 온통 잦아들고 오롯하게 그에게만 신경이 집중되었다. 두 사람의 시선이 치열하게 맞붙으며 무더운 열기가 불꽃처럼 터져 흘렀다. 소란스러운 사람들 속에서도 두 사람은 서로의 목소리만은 똑똑히 들었다.

"난 도희 씨를 사랑하기 전까지…… 나 자신을 아주 많이 혐오했어요."

"……."

"삶에 미련은 없었고, 언제 죽어도 상관없다고 생각했죠."

붉은 머리카락을 따라 흐르는 손길은 귀중한 것을 어루만지는 듯했다. 보석처럼 빛나는 도희의 눈동자가 어둑한 준원의 눈동자를 한가득 담았다.

"하지만 이렇게 한 번 더 기회를 얻고…… 이 삶이 얼마나 소중한 것인지를, 누군가가 그토록 원하던 오늘일지도 모른다는 것을, 깨닫게 됐어요."

하얀 뺨을 보듬는 준원의 손끝이 잘게 떨렸다.

"사소한 일상을…… 도희 씨와 함께하는 이 순간을 전부 사랑할 게요."

서툴지만 진솔한 속삭임이었다.

"내 행복은 지금 여기에 있으니까."

준원은 두 팔을 벌려 도희를 꽉 끌어안았다. 올라가는 입꼬리만큼이나 도희의 가슴이 부풀어 오르며 상승했다. 작게 속삭이는 준원의 마음이 너무도 따스하게 느껴져서, 건조했던 그에게서 뜨거운 물기가 느껴져서, 무던한 그에게 행복이 될 수 있어서, 도희는 꼭 눈물이 날 것만 같아 입술을 작게 오므렸다.

"……준원 씨는, 언제부터 날 사랑했어요?"

"아마도…… 처음 봤을 때부터."

큰 고민 없이 대답한 준원이 뒷말을 덧붙였다.

"도희 씨가 나 못지않게 불행해 보여서 끌렸다고 했잖아요. 생각해 보니…… 그게 내 인생의 첫 연민이자 공감이자 사랑이었어요."

동정. 도희가 한때는 세상에서 가장 싫어했던 말이었다. 하지만 지금은…….

"준원 씨, 그거 알아요?"

도희의 입술이 나지막이 움직였다. 몽롱한 눈빛이 불꽃에 영롱하게 비추어 아롱거렸다.

"연민이란 건 사실 사랑보다도 더 어려운 감정이래요."

"……."

"남의 불행을 함께 겪으며 공감할 뿐 아니라, 이입할 수 있다는 점에서…… 어쩌면 사랑보다도 더 대단한 감정이라고 해요."

그 말에 준원이 픽 웃었다.

“연민과 사랑은 한 끗 차이의 감정인 걸까요.”

“응. 그러니까 나도 준원 씨도, 처음 봤을 때부터 서로 사랑에 빠진 거예요.”

심장에 여린 나비가 살랑이며 날아드는 듯했다.

“준원 씨도 나의 행복이에요.”

그 여린 날갯짓에 도희는 준원의 허리를 꽉 끌어안으며 속삭였다. 고스란히 스며드는 무더운 열기가 두 사람 사이를 충만하게 맴돌았다.

“오늘도 난 내 행복을 발견했어요.”

낮게 웃은 준원이 허리를 낮추며 도희의 입술에 제 입을 부드럽게 포개었다. 폭신폭신한 카스텔라처럼 여린 입술에 키스하며 얇은 허리를 끌어당겼다. 이슬비처럼 시작된 입맞춤은 이내 폭우가 되어 서로에게 젖어 들었다.

……우리의 행복이 이 일상을 지켜 주길. 우리의 사랑이 이 웃음을 지켜 주길…….

도희는 준원의 목덜미를 끌어당기며 바라고 또 바랐다.

……당신과 함께하는 모든 순간이 빛나고 있어. 매일 매일 행복을 발견하는 삶이 반복될 거야.

우리가 하나가 될 수 있다면…….

함께 불꽃 축제를 즐긴 후 호텔로 돌아오니 시간은 어느덧 늦은 밤이었다. 첫 번째 타임 루프에서처럼 하동현 대리의 실수로 잘못

예약된 룸은 침대가 하나인 더블베드룸이었다.

당연하게도 처음과는 달리 모텔에 가서 잘 거라느니, 소파에서 나가 자라느니 하는 실랑이는 없었다. 함께 샤워를 마친 도희와 준원은 널찍한 침대에 가깝게 누워 서로를 가만히 바라보았다. 어스름한 달빛이 커튼 틈으로 밀려들어 와 도희의 하얀 얼굴을 비추었다. 그 뽀얀 뺨을 타고 흐르는 빛을 따라 준원은 부드러운 살결을 천천히 쓰다듬었다. 떨리는 가슴을 느끼며 도희가 배시시 웃었다.

"준원 씨, 우리 내년에도 부산 또 와요. 그땐 일 말고 그냥 놀러."

단단한 팔이 도희의 허리를 끌어안아 당겼다.

"그래요. 내년에 꼭 다시 같이 놀러 와요."

평범한 대화 같지만, 사실 이건 두 사람에게 다음 해가 있을 거란 가정이었다. 약 45일 후, 12월 24일에 또 시간이 반복되지 않고 타임 루프에서 벗어날 수 있을 거란 가정.

그리고 도희에게는 절대 다시 죽지 않을 거란 확신이자 다짐이기도 했다. 그걸 알고 있기에 준원도 가타부타 말을 얹지 않고 그저 고개를 끄덕여 주었다.

"……준원 씨."

진중하게 눈을 맞춘 도희의 목소리가 준원의 가슴을 두드렸다.

"첫 번째 타임 루프 경험, 이젠 말해 주면 안 돼요?"

원래 준원은 첫 번째 타임 루프 경험과 관련된 이야기를 물으면 줄곧 싸늘하게 얼굴을 굳히곤 했다. 그러곤 무표정으로 돌아가 말을 돌리거나 침묵으로 일관했었다. 대체 무슨 일이 있었던 걸까…….

"어머니…… 돌아가신 거하고 관계있는 거 맞죠?"

어렴풋이 눈치채고 있던 도희가 조심스럽게 목소리를 내었다. 그의 상처가 얼마나 깊은지를 잘 알기에, 물어보는 것만도 엄청난 용기가 필요했다.

"……네. 맞아요."

그리고 털어놓는 데에는 더 큰 용기가 필요했다.

"그동안 말 안 하고 숨겨서……. 도희 씨를 오해하게 했네요."

자신의 아픔을 전부 털어놓은 도희와 달리 준원은 그녀에게 아무것도 말하지 않았다. 그 모습은 도희에게 벽을 쌓는 것처럼 느껴졌었고, 날카로운 칼날이 되어 도희의 가슴에 생채기를 남겼다. 두 번째 생을 사는 지금, 준원은 전처럼 숨기거나 묵인하지 않고 도희에게 제 마음을 거짓 없이 보여 주기로 했다.

"이 이야기를 누군가에게 말하는 건 처음인데……."

20년 전, 처음으로 타임 루프를 겪고 내내 속에만 담아 두었던 지옥 같은 그날의 일을, 준원은 처음으로 입에 담아보았다.

"13살 때…… 어머니가 우울증을 앓고 계셨어요. 원래 되게 자유로운 분이셨는데, 젊은 나이에 저를 낳은 후부터 가정에 속박돼서 작업실에 거의 갇혀 지내셨거든요."

전희선 화백의 그림 스타일은 결혼 전과 후가 극명하게 갈리는 것을 도희는 알고 있었다. 원래는 밝은 색채로 화려한 그림을 그리기로 알려진 전희선이었으나, 결혼 후에는 늘 어두운색으로 우울을 그리고는 했다.

"어느 날은 어머니가 제게 사랑하냐고 물어보셨었어요. 저는 당연히 사랑한다고 했지만, 어머닌 거짓말이라고 하셨고……."

"……."

"그날 밤, 작업실에서 극단적인 선택을 하셨어요."

가슴에 쿵 돌덩이가 내려앉았다. 머리가 서늘해지는 감각에 도희의 동공이 흔들렸다.

"그래서 사랑이란 말이…… 책임이란 말이, 저도 모르게 두려웠던 것 같습니다."

준원이 그토록 사랑이란 말을 아꼈던 이유를, 일정 이상 다가오면 밀어내기 바빴던 이유를……. 도희는 드디어 알 수 있게 되었다.

"그리고 돌아가신 날, 처음으로 타임 루프가 일어났어요."

아니길 바랐던 예상이 들어맞자 도희의 가슴은 고요히 무너져 내렸다.

"어머니를 살리려고 몇 번이고 노력했지만…… 살려도 살려도, 끊임없이 하루가 반복되기만 할 뿐 내일은 오지 않더라고요."

"……."

"그래서 열한 번째 반복된 하루에…… 그저 다 포기하고 불길 속에서 어머니를 방관하기만 했어요."

채 말을 이룰 수 없을 만큼 끔찍한 상황이었다. 겨우 13살, 그 어린 나이에 얼마나 충격이 컸을지는 보지 않아도 알 수 있었다. 어머니의 죽음을 방관했을 때의 죄책감 또한…….

"그 이후부터 내 감정은 고장이 났고…… 난 스스로 내가 이상한 사람이라고 생각했던 것 같아요."

속에 있는 이야기를 털어놓으면서도 준원은 도희가 이 이야기를 듣고 제게 실망할까 두려웠다. 어쨌든 사랑하는 사람을 포기하고 죽음을 방관한 것은 변명할 여지 없는 사실이었기 때문이다.

"……되게 무서웠겠다."

하지만 도희의 입술을 타고 흐른 것은 준원의 예상과는 전혀 다른 말이었다.

"준원 씨도 저도…… 눈앞에서 어머니가 죽는 장면을 목격했네요."

"……."

"그게 얼마나 무섭고 괴로운 일인지를 아니까……."

화살이 날아와 생살이 찢기는 듯 가슴이 아팠다.

"내가 뭐라고 위로를 해야 할지 모르겠어요."

열세 살의 어린 준원이 겪은 고통에 마음이 산산이 무너지며 아팠으나, 그보다 더 도희를 아프게 한 것은 무려 20년이란 세월 동안 그날의 고통을 가슴에 묻고 살아왔을 서른세 살의 준원이었다. 찡하게 아려오는 코끝을 느끼며 도희의 눈가가 빨갛게 부어올랐다. 결국 커다란 눈에는 촉촉하게 물기가 고여 들었고, 준원은 낮게 웃으며 손을 뻗었다.

"왜 도희 씨가 울어요."

길쭉한 손가락이 예쁜 눈가에 아롱아롱 매달린 눈물방울을 훔쳤다.

"……누가 울어요, 울긴."

"그럼 이건 뭐예요?"

"……땀. 눈에서 땀 나는 거예요."

귀여운 변명에 준원은 그만 살포시 웃음을 터뜨리고 말았다. 하지만 도희는 그에 맞춰 웃을 수 없었다. 여전히 먹먹한 가슴을 떨쳐 낼 수 없었던 탓이었다.

저렇게 아픈 과거를 가진 그에게, 또 제 죽음으로 상처를 주었다는 생각에 가슴이 무너졌다. 내 죽음이 그에게 다가가 새로운 트라우마가 됐다는 사실이 다시금 아픔이 되어 도희에게 날아들었다.

"준원 씨가 너무 안쓰러워서……."

자꾸 눈물이 나, 도희는 결국 제 마음을 솔직하게 털어놓았다. 그런 도희가 못 견디게 사랑스러워 준원의 입꼬리는 부드럽게 상승했다.

"듣기 좋네요, 그 말."

연민은 사랑보다 더 깊은 감정이었으니까. 도희는 말없이 준원의 허리를 끌어안고 그의 가슴에 얼굴을 묻었다.

자신의 품으로 점점 더 파고드는 도희를 귀엽게 보며 준원의 입가에 잔잔한 미소가 걸렸다. 얼굴을 보여 주지 않고 가슴에 꼭 묻고만 있는 도희의 머리를 천천히 쓰다듬어 주었다. 제 가슴께가 물기로 촉촉해지는 것을 느끼며 준원이 낮게 음성을 내리깔았다.

"도희야."

움찔 놀란 도희가 고개를 들었다. 고요하게 눈물 흘리던 눈이 놀라 동그랗게 뜨여진 채 준원을 바라보았다.

"왜 울어, 사랑스럽게……."

나지막이 웃은 준원이 도희의 눈가에 달린 눈물을 입술로 훑었다. 투명한 이슬은 준원의 입술 사이로 한 방울 한 방울 흐르고, 모든 물기가 사라지자 준원은 그 입술로 속삭였다.

"키스해도 돼?"

동굴 같은 음성이 도희의 고막을 뜨겁게 적셨다. 두 팔을 뻗어 준원의 허리를 꽉 끌어안은 도희가 고개를 끄덕였다. 부드럽게 다가가 맞물린 두 입술은 고요하게 비벼지며 서로를 탐했다. 뜨거운 온기가 얽히며 일렁이는 파도처럼 두 사람의 가슴이 들썩였다. 한참의 키스가 이어지고, 조심스럽게 입술을 뗀 준원은 도희와 지그시 눈을 맞추었다.

"너와 함께할, 앞으로의 미래가 기대돼."

더 이상 과거에 얽매이지 않고, 이제는 앞을 보고 달릴 것이다.

"사랑해."

너와 둘이서. 들썩이던 가슴이 깊이 벅차오르는 것을 느끼며 도희의 눈가가 다시금 부풀어 올랐다. 하지만 눈물을 흘리는 대신 해맑게 웃어 보였다.

"내가 더 사랑해."

흐릿하게 웃음을 흘린 도희는 준원의 입술에 제 입을 포개었다. 그런 도희의 입술을 적극적으로 받아들인 준원의 키스는 오래도록 이어졌다.

도희가 다시 살아난 뒤, 미래는 꽤 많이 바뀌었다. 서로의 사랑을 인정하게 된 순간, 첫 번째 삶에서 일어났던 모든 것이 변화하며 생을 달라지게 했다.

하지만 아직 끝난 것은 아무것도 없었다. 여전히 무한히 반복하는 타임 루프 안에 갇혀 있기 때문이었다.

이건 두 번째 반복되는 타임 루프……. 미래는 바뀌었지만, 아직 운명이 바뀐 것은 아니었다. 그 사실을 가장 잘 알고 있는 준원은 지금을 사는 데에, 최선을 다하기로 했다.

수요일 아침, 출근 준비를 마친 준원은 이른 아침부터 도희네 집을 찾아 벨을 눌렀다. 한창 출근 준비 중인지 현관문 안에선 부산스러운 소음이 들려왔다.

"이 시간에 누구……."

벌컥 열린 문과 함께 놀란 토끼 눈이 된 도희가 보였다.

"어? 준원 씨?"

의외의 인물에 놀란 도희는 커다란 눈을 깜빡였다.

"아침부터 왜…… 앗."

갑자기 확 끌어안는 힘에 뒷말을 이을 수 없었다. 도희를 양팔로 가두어 터뜨릴 듯 꽉 끌어안은 준원은 그녀의 귓불에 입술을 대고 속삭였다.

"도희 씨 보고 싶어서 왔어요."

너무도 정직한 대답이었다. 심장이 쿵 울리며 도희는 동요했으나 가까스로 아닌 척하며 툴툴거렸다.

"어젯밤까지 같이 있었으면서, 무슨. 아직 12시간도 안 지났어요. 그리고 조금 이따 출근하면 회사에서 볼 거면서……."

"못 참아서 왔어요. 조금이라도 빨리 보고 싶어서."

그 말에 도희는 저도 모르게 살풋 웃음을 터뜨렸다. 서준원의 말이라고는 도무지 믿기지 않는 수준이었다.

"뭐야. 서준원 왜 이렇게 변했지, 정말?"

미치겠다. 좋아 죽겠네……. 진짜 사랑받고 있다는 것을 온몸으로 느낄 수 있는 순간이었다.

"가요. 내가 태워다 줄게요."

"같이 타고 가자고요? 그러다 사귀는 거 들키면……."

"회사에서 조금 떨어진 곳에서 내려 줄게요. 피곤한데 내 차 타고 가요."

준원은 낮게 웃으며 솔직한 마음을 덧붙였다.

"조금이라도 더 같이 있고 싶기도 하고."

그 말에 사르르 녹아 버린 도희는 곧바로 무장해제당해 버렸다. 저도 모르게 헤헤 웃은 도희가 준원의 어깨를 찰싹 때렸다.

"뭐 그런 낯간지러운 말을 아무렇지 않게 해요?"

"진심인데…… 싫어요?"

"아니. 좋아요. 계속 더 해 줘요."

이제 도희도 더는 가릴 것 없이 솔직한 마음을 전부 꺼내 보여 주었다. 처음과 달리 서로에게 한층 더 솔직해진 두 사람이었다.

도희가 기억을 되찾자 이제 본격적인 사내 비밀연애 시작이었다. 평소와 다를 거 없는 일상들이 이어졌으나 준원과 도희는 평소보다 조금씩 더 들떠 있었다. 하지만 회사에서는 관계를 절대 들켜서는 안 됐고, 그 때문에 공과 사는 반드시 구분해야만 했다.

"개발팀으로부터 연락이 왔는데, 업체 측에서 저희가 요구한 사항, 불가하다고 연락받았다고 합니다."

세상 그 어느 때보다도 딱딱한 목소리로 도희는 준원에게 보고했다.

"저희 주거래 업체에서요?"

언제 사랑스럽게 쳐다봤냐는 듯, 준원도 냉철한 눈으로 보고서를 훑었다.

"네. 다른 업체 중에 가능하다고는 하는 곳이 한 군데 있긴 한데……."

움찔. 놀란 도희의 동공에 지진이 일어났다. 준원이 슬쩍 도희의 손을 건든 탓이었다. 사무실의 직원들은 모두 자리에서 업무를 하는 중이었고, 언제 들킬지 모르는 상황에 준원은 도희의 손등을 만지작거렸다.

“아직 확정된 것은 아니군요.”

“……네, 네.”

“생산관리팀에서는 관련해서 피드백 온 사항 있습니까?”

세상 사무적인 태도인 입과는 달리 준원의 길쭉한 검지는 도희의 손등에 하트를 그리고 있었다. 자그마한 하트를 몇 개나 그리는 건지, 반복적으로 손등을 간질이는 검지에 도희는 당황했다.

“아니요……. 이 부분은 다시 논의해 봐야 할 것 같습니다.”

누군가 이쪽을 바라본다면 바로 들킬 게 틀림없었기에 심장이 벌렁거렸다. 다행히도 사무실 모두는 자신의 업무에 정신이 팔려 이쪽에 그리 관심이 없는 듯했다.

“그럼 금주 안에 그 가능하다고 피드백 준 업체와 미팅 일정 잡아보기로 하죠.”

“네, 네……. 알겠습니다.”

하트를 체감상 다섯 개는 그린 손가락이 떨어지더니 도희의 손등에 키스하듯 쪽 붙었다가 떨어졌다. 이내 사람들 몰래 미소 짓는 입꼬리가 어찌나 요망한지.

‘역시…….’

본성은 어디 못 간다고, 멍멍이가 아니라 구미호가 틀림없다.

주말을 앞둔 금요일, 업무 도중 날아든 준원의 메시지에 도희는

비상계단으로 나와 준원을 기다렸다. 같이 사무실을 나서면 티가 나니 약 5분 정도 시간을 두고 나오기로 했다.

"하아……."

깊은 한숨이 폐를 돌았다가 빠져나갔다. 연일 계속된 새아버지의 협박 문자에 기분이 좋지 않았던 도희는 휴대전화를 흉흉하게 노려보았다. 그러고 있는데 돌연 뒤에서 그윽한 블랙 베리 향이 온몸을 감싸왔다.

"아……."

거대한 체구가 도희의 몸을 쏙 뒤에서 끌어안았다. 돌연 백허그당한 도희가 심쿵 한 가슴을 누르며 소리쳤다.

"누가 보면 어쩌려고 이래요!"

"그렇게 간이 약해서 사내 연애는 어떻게 하는 거예요?"

준원이 옅게 웃음을 터뜨렸다.

"전에 말했듯이, 들키면 내가 이직하면 되니까 걱정 마요."

"……싫어요."

도희가 입술을 삐죽거리며 준원의 팔을 꼬옥 움켜쥐었다.

"이직하면 매일같이 얼굴 못 보잖아요. 같은 회사 다니면 계속 같이 있을 수 있는데."

솔직하게 꽁알거리는 모습이 얼마나 귀여운지, 준원은 도희의 뺨에 입술을 비비며 웃었다.

"도희 씨, 나하고 24시간 같이 있고 싶어요?"

"……내가 그걸 꼭 말로 해야 알아요? 센스 없긴……."

투덜거리긴 해도 핑크빛으로 물든 그녀의 귓바퀴는 거짓 없이 솔직했다.

"근데 언제까지 안고 있을 참이에요? 진짜 이러다 들키는 건 시간 문제……."

"왜."

흠칫한 도희의 심장이 뚝 내려앉았다.

"싫어?"

은근하게 귓가에 대고 후우, 숨을 불어넣는 행태에 온몸이 딱딱하게 굳었다. 화악 불이 붙는 듯 온몸이 뜨거워지며 얼굴이 새빨갛게 달아올랐다.

"……갑자기 부르길래 무슨 큰일 생긴 줄 알았는데, 이러려고 불렀어요?"

"큰일이죠. 도희 씨 안고 싶어서 혼났는데."

"으, 약았다. 약았어."

어떻게 하면 기분이 좋을지 누구보다 잘 아는 남자였다.

"이따 같이 일찍 퇴근해요. 오늘 무슨 날인지 알죠?"

"네. 당연히 알죠. 그 인간이 회사 앞으로 찾아오는 날이잖아요."

"또 도희 씨 위험에 처하는 거 못 봐요, 나는."

오늘은 만취한 새아버지가 회사 앞으로 찾아와 도희를 협박하며 술병을 휘둘러 도희를 기절시켰던 날이었다.

"이따 내 차 타고 살짝 빠져나가요."

"네. 그럴게요."

고개를 끄덕인 도희가 제 몸을 감싸고 있는 단단한 팔을 잡고 풀었다.

"그럼 이제 들어갈까요?"

"아니. 아직 안 돼요."

머릿속에 물음표를 띄운 순간 준원이 도희의 입술에 쪽, 뽀뽀했다. 회사의 비상계단에서 울린 낯 뜨거운 마찰음에 도희의 얼굴이 화끈거렸다.

“거참, 이런 것 좀 하지 말라니……!”

쪽. 또 뽀뽀하며 말문을 막아 버리자 도희의 얼굴이 곧 터질 듯한 토마토처럼 빨갛게 달아올랐다. 씩씩거리며 자신을 올려다보는 도희가 귀여워 소리 내서 웃은 준원이 그녀의 양 뺨을 부드럽게 끌어당겼다. 쪽, 쪽, 쪽. 세 번이나 연속으로 뽀뽀당한 도희가 입술을 옹송그려 물었다. 그런 도희가 사랑스러워 죽겠다는 듯 찹쌀떡 같은 뺨을 잡고 늘린 준원이 나지막이 웃었다.

“난 외근 다녀와야 하니까, 이따 지하 주차장에서 봐요.”

커다란 손이 부드럽게 내려앉아 도희의 머리를 쓰다듬었다. 물었던 입술을 놓은 도희는 두근두근 내달리는 심장을 느끼며 고개를 끄덕였다.

퇴근 시간이 되자마자 도희는 준원의 차를 타고 회사를 빠져나왔다. 원래의 미래대로 새아버지와 격돌하지 않고, 문제없이 무사히 집까지 도착했다. 첫 번째 타임 루프에서처럼 도희는 깨진 술병 조각에 맞아 상처가 나지도 않았고, 트라우마에 기절하지도 않았다. 그 대신 준원의 집에서 알콩달콩 다정한 시간을 보낼 뿐이었다.

“내가 이 집 다시는 안 오려고 했는데……. 한 번 봐준 줄 알아요.”

준원과 유나의 신혼집이었다는 이 집을 당시엔 절대 다시 발 들이고 싶지 않았었다. 하지만 두 번째 생을 사는 지금, 어차피 준원은 저만을 사랑한다는 것을 믿기에 과거는 잊고 미래에 집중하기로 했다.

"고마워요."

준원이 부엌에 서서 고군분투 중인 도희를 보며 웃었다.

"근데 저녁 내가 만들어도 되는데. 아니면 사 먹어도 되고."

"준원 씨가 매일 만들었잖아요. 오늘은 내가 꼭 밥해 줄 거예요."

요리 실력이 좋은 준원과 달리 도희는 영 소질이 없었다. 하지만 재능보다도 귀중한 것이 도희에게는 있었으니, 바로 다름 아닌 인터넷 레시피였다.

"그럼 같이 만들까요?"

"됐어요. 거기서 한 발짝도 움직이지 마요."

단단히 경고한 도희는 식칼을 쥔 손에 힘을 주며 파를 썰었다.

"손 조심해요."

"뭐, 파 써는 거 정도로 그러시나. 이 정도는 누워서 떡 먹기죠."

"누워서 떡 먹는 거 어려운데. 잘못 먹으면 기도 막혀서 질식 사고로 이어질 수 있……."

"나 지금 칼 들고 있어요. 알아서 몸 사려요."

픽 실소를 터뜨린 준원이 나긋하게 다가가 도희의 뒤에 섰다. 부드럽게 손을 뻗은 그가 도희의 손 위로 제 손을 겹쳤다.

"어어, 잠깐……."

"썰 때는 여기 말고 여기 잡고. 이러면 위험하니까."

도희의 손을 감싼 준원이 능숙하게 파를 썰었다.

"쉽죠?"

"큼……. 네."

괜히 민망해서 헛기침한 도희가 눈동자를 어설프게 굴렸다. 살짝 긴장한 채 준원을 떨쳐내며 찬장에 손을 뻗었다.

“달걀 풀 그릇을 찾아야…….”

찬장을 열고 안쪽 그릇을 꺼내는데, 손이 미끄러져 접시가 굉음을 내며 떨어졌다.

“아!”

싱크대로 떨어진 접시가 산산조각이 나며 파편이 이리저리 튀었다.

“도희 씨, 괜찮아요?”

놀란 준원이 도희의 어깨를 잡아 들여다보았다.

“아, 아파…….”

“미안해요. 내가 그릇을 잘못 놓았나 봐요.”

“아니에요. 손이 미끄러져서…… 괜히 그릇 깨서 내가 미안하죠.”

뺨을 감싸고 있던 하얀 손이 내려가자 붉게 일직선으로 긁힌 상처가 눈에 들어왔다.

“근데 뺨이 좀 따가운데…… 혹시 여기 상처 났어요?”

대수롭지 않게 묻는 질문에 준원의 표정이 일순 서늘하게 굳었다. 호흡을 멈춘 준원은 맥이 풀린 사람처럼 가만히 도희의 상처를 가만히 들여다보았다.

“…….”

“준원 씨?”

도희의 부름에 준원이 퍼뜩 정신을 차렸다.

“뺨에 상처가…… 났네요. 내가 연고 발라 줄 테니까 이리 와요.”

애써 아무렇지 않은 척하며 준원은 도희의 손을 잡았다. 눈치 빠른 도희는 그런 준원의 태도가 어딘가 이상하다는 것을 알아챘지만 영문을 알 수 없어 고개를 갸웃했다. 도희를 소파에 앉히고 구급상자를 가져온 준원이 조심스럽게 환부에 연고를 발라 주었다.

"……."

하얀 뺨에 옥에 티처럼 그어진 빨간 상처에 연고를 바르는 준원은 그 어느 때보다도 심란한 상태였다. 지금 도희의 뺨에 난 상처는, 원래의 미래에서 도희가 새아버지가 휘두른 병에 맞아 생긴 생채기와 똑같은 상처였다. 환부의 위치와 상처의 정도까지 소름 끼칠 정도로 완벽하게 일치했다.

'……역시.'

알고 있었지만, 이렇게 눈으로 확인받고 나니 가슴이 먹먹했다.

'사람이 다치거나 죽는 것은…… 쉽게 변하지 않는 건가.'

타임 루프와 죽음이 한번 연루되면 미래를 바꾸기는 결코 쉽지 않았다. 준원이 20년 전 어머니를 살리기 위해 열 번이나 하루를 반복했으나 결국 실패했던 것처럼, 어머니가 술병에 맞아 죽는 모습을 계속 반복해서 보다가 결국엔 대신 맞아 죽었던 23년 전의 도희처럼……. 사람의 목숨은, 운명은 그리 쉽게 바꿀 수 있는 게 아니었다. 상황과 이유는 전혀 달랐지만, 정확히 처음과 같은 자리에 난 도희의 생채기가 그것을 말해 주고 있었다.

"무슨 생각 하길래 표정이 그래요?"

하지만 준원은 이 사실을 도희가 모르기만을 바랐다. 그녀가 불안해하지 않도록……. 아직은 그저 행복하게 웃을 수만 있었으면. 욕심일지는 몰라도 도희가 불안에 떠는 모습은 절대 보고 싶지 않았다.

"아니요. 아무것도 아니에요."

반드시 내가 살릴 테니까. 절대 다시는 바로 눈앞에서 그녀를 잃을 수 없었다. 다짐하고 또 다짐한 준원은 그녀를 살릴 수만 있으면 뭐든지 할 준비가 되어 있었다.

12월 24일, 운명의 날은 점점 더 빠르게 다가왔다. 시간은 속절없이 빠르게 흐르고 어느덧 일주일이라는 기간이 흘렀다. 먼저 퇴근한 도희는 준원의 집에서 그를 기다리며 누리와 통화를 했다.

–야. 도희야. 너 그거 알아?

"뭐?"

–차유나 레스토랑 말이야. 문 닫았대.

"아, 진짜?"

–응. 다 접고 그냥 프랑스로 돌아간다던데? 하긴 걔 동창들한테 SNS에서 폭로당하고 전 국민 개쪽당했던데. 나 같아도 한국에선 못 산다.

"……."

–왜. 불쌍해?

"아니, 전혀. 자업자득인데, 뭘……."

원래의 미래대로라면 지금쯤 차유나는 준원과 도희의 틈에서 프로젝트를 빌미로 한창 이간질하느라 바빴을 터였다. 하지만 이제 외국으로 아예 떠나 버렸으니 그녀를 다시 볼 일은 없었다. 새삼스럽게 미래가 정말 많이 바뀌었다는 것을 체감하는 순간이었다.

–야, 야. 근데 나 이번 남친이랑 한 달 기념으로 선물 사려고 하는데 뭐가 나은지 골라 주라.

"뭐? 한 달?"

–응. 문자로 링크 보낸 거 들어가 봐.

"아오, 한 달이 뭐냐. 한 달이. 요즘 애들도 한 달 안 챙겨."

–연애에 나이가 어디 있냐? 챙기고 싶음 챙기는 거지.

"야, 나이 서른에 별꼴이다."

–아아, 왜에. 1번이 나은지 2번이 나은지 말해 줘!

"몰라, 알아서 해. 끊는다."

툭 전화를 끊은 도희가 쯧쯧 혀를 찼다.

"하여간 얘는 무슨 한 달 같은 소리를 하고 있어. 골 때린다, 진짜."

황당하게 중얼거리며 누리에게 도착한 두 통의 문자를 확인했다. 말은 그렇게 했지만, 대체 선물로 뭘 골랐다는 건지 조금 궁금하던 찰나였다. 호기심에 링크를 꾹 누른 순간 도희의 눈이 휘둥그레졌다.

"……미친……."

당연히 평범한 선물일 거라고 생각했는데 사이트의 메인에 나열된 단어부터가 심상치 않았다.

[섹시한, 속옷, 레이스, 망사.]

"아니, 얜 예전에도 이상한 코끼리 팬티를 사지 않나. 도대체가 취향이……."

저도 모르게 마른침을 삼킨 도희가 슬쩍 누리가 골랐다는 물건의 상세페이지를 살펴보았다. 대충 스캔하는 척하며 빠르게 넘기던 도희의 눈앞이 벌게졌다. 머릿속으로 차마 말 못 할 음란한 생각들이 파고들었다.

"……."

섹시한. 속옷. 레이스. 망사……. 순간 정신을 놓은 도희는 저도 모르게 장바구니를 두둑하게 채워 결제를 누르고 있었다.

"도희 씨, 뭐 해요?"

"으악, 깜짝이야!"

화들짝 놀란 도희의 심장이 아래로 쿵 떨어졌다. 동시에 바닥으로 추락한 핸드폰이 아무렇게나 널브러졌다. 벌렁거리는 심장을 부여잡고 뒤를 돌자 막 집으로 돌아온 준원이 물음표를 띄우고 서 있었다.

"뭘 하는데 나 온지도 모르고 보고 있어요. 질투 나게."

"네? 아, 아니요. 아무것도……."

"뭔데요. 같이 봐요."

"아, 아, 아니라니까요! 저리 가요!"

새빨개진 도희가 황급히 바닥에 떨어진 휴대전화를 주우려고 손을 뻗었으나 준원이 한발 빨랐다. 그 순간 도희의 휴대전화가 지이잉, 진동하며 새로운 문자가 도착했다. 도희의 휴대전화를 확인한 준원의 동공이 거칠게 흔들렸다.

"이게…… 뭐예요?"

새빨갛게 얼굴이 붉어진 도희가 준원의 손에 들린 제 휴대전화를 낚아채려고 손을 뻗었다. 하지만 아무리 까치발을 들고 애를 써도 저 높이 손을 번쩍 든 준원에게 닿을 리는 만무했다.

"아, 줘요! 뭐 하는 거예요?"

"도희 씨야말로 이거 뭐예요?"

"……그, 그게……."

뭐라고 말해야 할까? 야한 속옷 사고 있었다고? 레이스에 망사까지 섞였다고?

란제리 사이트에서 쇼핑하는 순간을 들켜 버린 와중에 이상한 질문을 하는 준원 때문에 창피함은 배로 몰려왔다.

“도희 씨 이거 지금까지 숨기고 있었어요?”

이 와중에 준원은 세상 심각하게 물어 왔다. 충격을 받은 듯 굳은 얼굴은 도희를 더욱 뻘쭘하게 만들었다.

“아니, 나도 방금 본 거예요! 원래 숨기려고 그런 게 아니고!”

부끄러움에 양 볼에는 화끈 열감이 올랐다. 당혹감에 횡설수설하던 도희가 제 발 저려 구차하게 변명하기 시작했다.

“아니, 나 진짜 망사나 레이스 같은 거 관심 없는데요…….”

“네?”

“속옷도 그냥 어차피 별로 의미 없다고 생각하는데, 그러니까 그냥 어쩌다 한번 본 것뿐…….”

“난 이 문자 말한 건데.”

“……네?”

준원이 핸드폰을 보여주자 도희의 눈이 커졌다. 밝게 빛을 내는 액정에는 막 도착한 새로운 문자가 화면 한가득 차 있었다.

[희멀건 놈 하나 꼬드겨서 살살 피한다 이거지?]

속옷을 주문하던 페이지는 때마침 새아버지로부터 온 문자에 가려 안 보였던 것이다.

“아…….”

문자는 어김없는 협박성 메시지였다. 준원이 그렇게 심각하게 말했던 이유를 단번에 납득했다. 조금 뻘쭘해진 도희가 머쓱하게 볼을 긁적이며 동공을 굴렸다.

“근데 조금 전에 그건 무슨 얘기예요?”

“네? 뭐, 뭐가요?”

"아까 무슨 속옷, 망사 레이스……?"

"……그냥 못 들은 척해 줘요."

완전히 낭패를 본 도희가 두 손으로 빨개진 얼굴을 폭 가렸다. 핑크빛으로 물든 귓바퀴를 바라보며 준원이 옅게 웃음을 흘렸다.

"설마 새 속옷 주문한 거예요?"

은근하게 다가간 준원이 도희의 팔뚝을 야릇하게 쓰다듬었다.

"날 위해서?"

"……그렇긴 한데."

"그럼 나 기대해도 되는 거죠?"

"음. 뭐, 하든지 말든지……."

머쓱하게 중얼거리며 얼굴을 가리고 있던 손을 천천히 내렸다. 꼭지만 떼어 놓은 딸기처럼 빨갛게 물든 얼굴이 못 견디게 사랑스러워, 준원은 심각한 상황 속에도 자꾸만 웃음이 흘렀다.

"도희 씨, 지금 얼굴 엄청 빨개요."

그 말에 도희의 붉은 입술이 불만스레 삐죽 튀어나왔다. 통통하고 먹음직스러운 입술이 토라진 듯 뾰족하게 내밀어져 있자 준원이 웃었다. 매끈한 엄지로 입술 위를 문지르던 그의 입술이 느슨하게 벌어졌다.

"귀여워……."

쪽. 가볍게 부딪힌 입술이 야릇한 소리를 내며 떨어졌다.

"왜 이렇게 귀엽지, 요즘."

쪽, 쪽, 쪽. 사랑스러워 죽겠다는 듯 여러 차례 퍼붓는 뽀뽀 세례에 도희가 뾰로통하게 고개를 흔들었다. 그 양 볼을 꼬옥 붙잡아서 또 뽀뽀하던 준원이 이내 진하게 키스하려던 찰나였다.

지이이잉, 테이블 위에 잠시 내려놓은 도희의 휴대전화가 진동했다. 본능적으로 새아버지에게 온 문자임을 느낀 준원과 도희의 표정이 일순 굳었다. 느릿한 동작으로 휴대전화 액정을 확인한 도희의 눈꺼풀이 파르르 떨렸다.

[제 어미 뒤지든 말든 눈 하나 깜짝하지 않는 년.]

"……하."

이를 앙다문 도희의 몸에 소름이 끼쳤다. 어쩌면 사람이 이렇게까지 뻔뻔할까 싶은 심정이었다. 첫 번째 타임 루프에서 도희는 친모를 교통사고로 식물인간으로 만든 것이 새아버지의 소행이라는 것을 들어 알고 있었다. 보험금을 타기 위해 사고로 위장하여 자신의 아내에게 사고를 낸 금수보다 못한 인간 주제에, 눈 하나 깜짝하지 않고 저런 문자를 보낸다는 게 황당했다. 거짓으로 보험금을 타는 걸로도 모자라, 그걸 빌미로 제게도 병원비를 뜯어내려고 하다니.

"걱정하지 말아요. 문자는 증거 확보용으로 삭제하지 말고, 접근금지가처분신청 하려면 증거를 수집해야 하니까……."

우려가 섞인 준원의 음성이 낮게 귓가를 울렸다. 살며시 미간을 좁힌 도희가 잠시 생각에 빠진 듯 턱을 문질렀다.

"잠깐. 그보다 확실한 방법이 있어요."

결의에 찬 눈빛이 준원을 향해 굴렀다.

"이런 쓰레기는 내가 아니라, 하루빨리 사회로부터 격리해야죠."

다음 날 아침, 도희는 곧바로 친모의 이름으로 들어 있던 보험 회

사에 전화했다. 식물인간이 된 친모의 사고로 1억 원 상당의 보험금을 탄 새아버지의 보험사기 행각을 신고했다.

머지않아 경찰에 수사가 의뢰되었다고 연락을 받았고, 그 때문인지 새아버지에게는 더는 협박 문자가 오지 않았다. 첫 번째 타임 루프에서, 새아버지는 식물인간 상태에서 깨어난 친모를 살해하고 현장에서 체포되었었다. 만약 이번에 신고함으로써 계부가 먼저 보험사기로 재판을 받고 구속된다면, 이후에 일어날 살인을 막고 친모의 목숨도 살릴 수 있을 터였다. 이렇게 도희의 빠른 기지로 사건은 일단락되는 듯했다.

그렇게 일주일이 마무리되고 찾아온 주말. 낮부터 저녁까지 반나절을 넘게 딱 달라붙어 데이트한 도희와 준원은 그런데도 아쉬움에 헤어지지 못하고 있었다. 첫 번째 타임 루프 때처럼 두 사람은 함께 살고 있지 않았기에, 짧은 헤어짐은 존재할 수밖에 없었다. 도희를 집까지 바래다준 준원은 쉽게 떠나지 않고 그 앞에서 한참을 뜸 들이는 중이었다.

"어서 들어가요. 도희 씨 들어가는 거 보고 갈게요."

"아니에요. 피곤할 텐데 준원 씨야말로 얼른 들어가서 쉬어요."

낮은 웃음소리가 허공에서 공명하고 커다란 손이 자그마한 손을 부드럽게 감싸 쥐었다. 추운 겨울바람을 막아내며 쏟아지는 온기에 도희의 가슴이 일렁였다.

"온종일 같이 있었는데……."

준원이 나지막이 한숨을 토해 냈다.

"왜 이렇게 떨어지기가 싫을까요."

그의 내려앉는 시선은 감출 수 없는 열기를 품고 뜨겁게 타올랐다.

"내일 아침까지 같이 있을래요?"

"아, 뭐예요…… 그 음흉한 멘트. 진짜 구리다, 구려."

말은 그래도 올라가는 입꼬리는 막을 길이 없었다.

"뭐, 그렇게 가기 싫으면……."

장난스럽게 입술을 모은 도희가 쪽, 까치발을 세워 뽀뽀를 남겼다.

"우리 집에서 라면 먹고 갈래요?"

농담인 걸 알면서도 곧바로 낚인 준원은 도희의 허리를 끌어안으며 낮게 웃었다.

"라면만 먹어야 해요?"

"그럼 또 뭘 먹게요?"

"다른……."

"야, 백도희!!!"

그 순간 갑자기 고막을 무례하게 찌르며 들려오는 고함에 놀란 준원과 도희의 고개가 돌아갔다. 두 사람의 시선이 일제히 쏠린 곳에는 익숙한 얼굴들이 서 있었다. 곧 숨이 넘어갈 것처럼 뒷목을 잡은 이언은 노발대발하며 삿대질했다. 그 옆에 술이 잔뜩 든 봉지를 들고 있는 누리는 아저씨처럼 휘파람을 불며 두 사람을 놀려 댔다.

"오우…… 길바닥을 모텔로 만들어 버리는 뜨거운 대화. 아주 좋긴 한데 언제부터 둘이 그런 사이였어요?"

옆에서 계속 읏, 어억, 이상한 소리만 내는 이언 대신 누리가 쯧쯧 혀를 찼다.

"근데 도희 넌 그렇게 튕기더니 결국 넘어갔구나?"

뻘쭘해진 도희가 큼, 헛기침하자마자 준원이 그녀를 두 팔로 끌어안았다. 갑작스러운 격한 포옹에 흠칫 놀란 도희의 눈이 휘둥그레졌다.

"도희 씨 친구분들, 오랜만에 뵙습니다."

정중하게 이야기하는 듯하면서 도희를 안은 손은 껌딱지처럼 달라붙어 떨어질 줄을 몰랐다. 보란 듯이 더 끌어당기는 모습에 이언의 눈앞이 노랗게 물들었다. 일부러 그런 이언을 경계하며 더 도희를 터뜨릴 듯이 끌어안자 되레 당황한 쪽은 도희였다.

"준원 씨, 이것 좀 놔요. 나 들어가야……!"

몸을 빼려고 그의 코트 자락을 살짝 쥐었으나 준원은 더욱더 도희를 안아 올 뿐이었다. 그 광경을 보는 이언의 주먹이 부들부들 떨려왔다.

"으……으아아아!"

결국 보다 못한 이언은 이상한 괴성을 내지르며 어디론가 도망치듯 달려가 버렸다.

"야! 강이언! 어디 가!"

누리가 어처구니없이 이언을 쳐다보았다. 준원에게 술병이 담긴 봉지를 툭 건넨 누리가 삼겹살과 김치를 든 채로 튀어 버린 이언을 뒤쫓았다. 덩그러니 남은 도희는 상황 파악이 안 된 얼굴로 눈만 깜빡거렸다.

이게…… 무슨 상황?

애초에 누리와 이언이 도희의 집에 찾아왔던 이유는 함께 삼겹살과 술 파티를 벌이기 위함이었다. 충격에 도망간 이언을 가까스로 붙잡아온 누리는 반강제로 도희네 집에 침투했다. 집에 돌아가려는 준원에게 같이 술 파티를 제안한 누리 덕에 네 사람은 도희네 집 테이블에 옹기종기 모여앉았다.

희로애락의 표본을 보여 주는 듯, 네 명의 감정 상태는 각기 달랐다. 화난 사람 하나, 심란한 사람 하나, 경계하는 사람 하나, 그저 신난 사람 하나. 오묘한 술자리가 벌어진 가운데, 어딘가 껄끄러운 분위기는 떠날 줄을 몰랐다.

"자, 자, 분위기도 거지 같은데, 짠이나 할까요?"

무거운 공기를 띄우려는 듯 누리가 건배를 제안했으나, 준원과 이언은 여전히 서로를 노려보며 대치하고 있었다. 제각각 따로 놀던 잔이 가볍게 모여 붙고 잔이 부딪치는 소리가 울려 퍼졌다. 술을 마시는 동안에도 준원을 직선으로 쏘아보는 이언의 동공에 준원이 헛숨을 터뜨렸다.

"아무리 제가 맘에 안 드셔도, 그렇게 적대적으로 보진 않으셨으면 하네요."

"적대적으로 보는 게 아니라 원래 이렇게 생긴 겁니다."

"도희 씨 앞에서는 순한 양이시던걸요. 헬렐레하시던데."

"제, 제가 언제 헬렐레했다고!"

당황한 이언이 말을 더듬으며 소리쳤다. 벌겋게 달아오른 얼굴을 보면 참 포커페이스와는 거리가 먼 사람임은 틀림없었다. 문득 그런 이언을 바라보고 있자니 준원은 첫 번째 타임 루프에서, 도희가 죽었을 때 이언이 얼마나 많이 울었는지를 떠올렸다. 이성을 잃고 준원의 멱살을 잡아 올리더니, 끝내는 바닥에 주저앉아 오열을 터뜨렸었다. 그리고 누리는 도희를 살려 내라며 악을 쓰며 울다가 결국 탈진해서 응급실에 실려 가기까지 했다.

원래의 미래를 봤던 준원은 이 둘이 도희를 얼마나 좋아하고 아끼는지 잘 알고 있었다. 그렇기에 저 자신의 질투 때문에 도희의 소중한 친구들을 떨어뜨려 놓을 생각은 없었다.

"근데 우리가 둘 사이 방해한 거 아니죠? 그렇죠?"

누리가 싱글벙글 웃으며 '답은 정해져 있으니 너는 대답만 해'를 시전했다. 이미 훼방이란 훼방은 다 해 놓고 뒤늦게 묻는 말에 도희가 헛웃음 쳤다.

"아까 보니까, 둘이 라면 먹고 가라고, 아침까지 같이 있자고 19금 발언을…… 읍읍."

황급히 누리의 입을 틀어막은 도희가 그녀를 죽일 듯이 노려보며 눈치를 주었다. 더 까불면 요단강을 건너게 해 주겠다는 기세에 주춤한 누리가 입술을 꾹 옹송그려 물었다.

"어쨌든…… 둘이 먹게 놓고 빠져 줬어야 하는 건가?"

"안 되지. 뭔 짓을 할 줄 알고? 내 눈에 흙이 들어가도 둘이 라면 먹는 꼴은 못 봐!"

순식간에 준원을 불한당 취급한 이언은 속이 바짝바짝 타는지 술을 벌컥벌컥 들이켰다. 처음 봤을 때부터 심상치 않다고 촉이 서더니, 아니나 다를까 금세 이런 사이로 발전해 버린 것이다. 여러 가지 복잡한 심경이 밀려들고 누군가 심장을 쥐어짜는 듯이 속이 말라갔다.

빈속에 내리 술만 들이켜는 이언을 보며 도희는 작게 한숨을 내쉬었다. 뭐라도 하기 위해 집게를 든 도희는 누리와 이언이 사 온 삼겹살을 달군 불판 위에 굽기 시작했다. 요리는 못해도 고기 하나는 기막히게 굽는 도희였기에 장인 정신을 발휘하려는 찰나…….

"내가 할게요."

자연스럽게 도희의 집게를 가져간 준원이 고기를 굽기 시작했다. 그 모습을 못마땅하게 보던 이언이 퉁명스럽게 쏘아붙였다.

"근데 그거 아세요?"

"뭘 말씀하시는 겁니까?"

"얘 요리 청소 빨래 그런 거 아예 못 해요. 혹시나 결혼이라도 하면 서준원 씨가 혼자 집안일 다 하셔야 합니다. 시킬 생각하지 마세요."

"못하는 건 알고 있습니다. 도희 씨 말로는 칼보단 펜이 친숙한 뇌섹녀 타입이라고 해서요."

"아, 빨래는 할 수 있거든요!"

다섯 살 꼬마애 취급을 하는 바람에 도희가 꽥 소리쳤다.

"……세탁기가!"

머쓱하게 뒷말을 덧붙이자 준원이 웃으며 도희의 머리를 어루만졌다.

"그럼 도희 씨가 세탁기 담당해요. 요리하고 설거지는 내가 할게요. 나머지는 그냥 가사도우미분의 손을 빌리면 되고."

"세탁기를 담당하는 건 뭐예요? 아니, 그보다 준원 씨가 요리랑 설거지까지 다 한다고요?"

"네. 어려운 일도 아닌걸요."

"그거 너무 밸런스가 안 맞잖아요. 세탁기는 그냥 빨래 넣고 돌리고, 건조기 옮겨서 버튼만 똑 누르면 끝인데……."

"난 요리하는 거 좋아하니까 괜찮아요. 괜히 식품업계 종사자는 아니죠."

"나도 같은 업계 종사자거든요?"

"그래요. 그럼 식품 업계 종사자끼리 사이좋게 매주 같이 장 보러 가요. 손잡고. 어때요?"

"아니, 그럼 설거지는 내가 할게요. 그것도 안 하면 내가 너무 양심이……."

"지금 둘이 뭐 해요?"

한 차례 벌어진 토론을 뚫고 누리가 황당하게 물었다.

"뭐, 내일모레 결혼할 것도 아니고, 왜 갑자기 가사 분담을……."

"못 할 거 없죠."

준원은 옅게 웃으며 답했다.

"저도 도희 씨도 이렇게 서로 좋아하는데…… 때가 되면 결혼해야죠. 그렇죠?"

준원이 흘끔 도희를 보며 묻자 도희가 움찔했다. 결혼…… 결혼이라. 도희는 갑작스러운 말에 뭐라고 답해야 할지 몰라 입만 벙긋거렸다. 한 번도 결혼이라는 것을 진지하게 생각해 본 적이 없었기에, 지금 당장 답을 내리기는 어려운 문제였다.

그 가운데 피가 거꾸로 솟은 이언은 살기등등한 눈으로 준원을 노려보았다. 거의 불타오르는 듯한 눈빛을 온몸으로 받으면서도 준원은 도도한 포커페이스를 잃지 않았다.

"한 잔 받으시죠. 술 잘하실 것 같은데."

"뭐, 어디 가서 밀려 본 적은 없죠."

"아하. 그럼 오늘 처음으로 밀리시는 건가?"

이언의 도발에 준원은 흐트러지지 않고 어깨를 으쓱했다.

"붙어 보면 알겠죠, 뭐."

예전 같으면 그냥 넘겼을 도발이었지만, 지금의 준원은 그렇지 않았다. 승리욕을 불태운 두 사람은 전투적인 속도로 술 배틀을 벌이기 시작했다. 그사이에 낀 도희는 그저 한심하다는 듯 혀를 차고, 누리는 이 상황이 재밌는 듯 '이기는 편 우리 편'을 외치며 깔깔 웃었다.

조금 괴상한 술자리는 어느덧 무르익었고, 6병이나 사 왔던 술은 전부 한 모금도 남지 않은 채 바닥을 보였다. 세상 멀쩡한 준원과 이언은 여전히 서로를 노려보며 대치하고 있었고, 약간 알딸딸해진 도희는 완전히 헤롱헤롱 맛이 간 누리의 등을 흔들며 깨우고 있었다.

"술 다 떨어졌는데, 사러 갔다 올게요."

지갑을 주워든 준원이 무릎을 펴고 자리에서 일어났다.

"아, 그럼 나도 같이……."

"아니야. 내가 갈게."

일어나려는 도희의 어깨를 가볍게 누르며 이언이 자리를 털고 일어났다.

"저하고 같이 가시죠, 서준원 씨."

도전적인 눈빛에 준원의 눈이 가늘어졌다. 단둘이서 무언가 할 말이 많은 듯 이언의 눈빛이 사납게 번뜩거렸다. 픽 실소를 흘린 준원의 눈빛도 만만치 않게 매서웠다. 흡사 동물의 왕국에서 맹수 사이의 전투처럼 비장한 공기가 흘렀다. 마치 지금 당장 단둘이 나가서 주먹다짐이라도 할듯한 분위기였다.

함께 술을 사러 나온 준원과 이언은 아파트 밖을 나설 때까지 한

마디도 하지 않았다. 찬 바람이 도는 서늘한 공기가 두 남자의 침묵을 에워쌌다.

"하실 말씀이 뭡니까?"

말없이 조금 떨어져 걷던 도중, 먼저 말문을 튼 건 준원이었다. 이언이 굳이 같이 가겠다고 나선 것은 단둘이 해결할 용건이 있는 것으로 보였기 때문이었다.

"이렇게 따라 나오신 건, 저에게 할 말이 있으신 것 같아서."

"……맞습니다. 잘 아시네요."

"네. 하시죠, 편하게."

흔쾌히 고개를 끄덕여 주자 이언의 눈매가 가늘어졌다. 잠시 침묵하던 이언의 입술이 벌어지고 낮게 깔린 음성이 목울대를 울렸다.

"저는 솔직히……."

어둑한 고동색 눈동자가 준원을 똑바로 응시했다.

"서준원 씨가 마음에 들지 않습니다."

"알고 있습니다. 좋아하는 여자의 애인을 좋게 볼 사람은 없으니까요."

"……역시 돌직구시네요."

"성격이 원래 이렇다 보니. 불쾌하셔도 양해 바랍니다."

조금의 표정 변화도 없이 덤덤하게 답하는 준원은 언제나 그랬듯 무표정이었다. 어떠한 상황에도 평정을 잃지 않는 게 참 대단하다 싶어 헛숨을 터뜨린 이언이 정면으로 고개를 돌리며 말을 이었다.

"……제가 도희를 좋아하는 건 맞지만, 그 못지않게 친구로서 아끼는 감정도 큽니다. 그걸 말하고 싶었어요."

이언은 준원에게 솔직하게 제 마음을 털어놓았다.

"전 앞으로도 계속 도희 옆에 계속 친구로 남아 있을 거예요. 물론 저도 상도덕은 있는 놈이니까 선은 안 넘겠지만."

도발하려는 의도가 결코 아니었다. 차분하게 낮아진 음성이 그를 대변하는 듯했다.

"우리는 15년을 넘게 알고 지냈어요. 서준원 씨가 제 존재를 불편하게 여기셔도, 도희는 절 쉽게 끊어 내지 않을 겁니다."

"네, 그렇겠죠. 이미 도희 씨한테도 소중한 친구라고 여러 번 이야기 들었고."

"……화나지 않습니까?"

"뭐, 솔직히 말해서 썩 유쾌하진 않죠. 하지만……."

첫 번째 타임 루프에서, 도희가 사망한 뒤 오열하던 이언의 모습이 준원은 아직도 눈앞에 생생했다. 그 모습을 본 이후로 그토록 못마땅했던 강이언을 이젠 밉게만 볼 수 없게 되었다.

"도희 씨에게 소중한 친구라면, 제게도 중요한 사람이니까요."

거짓 없는 진솔한 마음이었다. 제 마음에 들지 않더라도 도희에게 귀중한 인연이라면, 제게도 그만큼 중요하다고.

"그리고 도희 씨가 유일하게 마음을 터놓을 수 있는 친구가…… 연누리 씨와 강이언 씨, 두 분이라고 제게 말하기도 했고."

"……."

"연인으로서 채워 줄 수 있는 부분이 있다면, 한편으로는 친구가 채워 줄 수 있는 결의 정서적 지지가 있다고 생각합니다."

의외의 말에 이언의 눈이 커졌지만 잠깐이었다. 이내 낮아진 시선과 함께 그의 입술 사이로는 헛숨이 흘렀다.

"……뭐랄까, 조금 재수 없는 스타일이네요."

"칭찬으로 듣겠습니다."

정말 맘에 안 든다는 듯 이언이 쯧 혀를 찼다. 하지만 이러나저러나 준원은 도희가 선택한 남자였고, 이언도 언제까지나 그를 경계할 수는 없었다. 계속 도희와 친구로서 지낼 수 있도록, 절친으로서의 본분을 지켜야 했다.

"아실지 모르겠지만 도희, 강한 척해도 사실은 되게 약한 애예요."

이언은 오래전 기억을 더듬었다. 지금으로부터 약 14년 전, 항상 여장부 같던 도희가 처음으로 약해 보였던 날이었다.

"아주 어렸을 때, 도희네 강아지가 차에 치여 죽은 적이 있어요. 근데 걘 울지도 않고 씩씩하더라고요. 그래서 그거 보고 참 대단하다 싶었는데……."

도희가 지내는 보육원에서 길렀던 강아지의 목줄이 끊어졌었고, 홀로 밖으로 탈출했던 강아지는 4차선 도로 한복판에서 차에 치여 죽었었다. 도희는 그 강아지를 몹시 아끼고 좋아했지만, 그 끔찍한 일을 겪고도 아무렇지 않은 것처럼 보였다.

"나중에 보니까 눈이 퉁퉁 부어서 나타났더라고요."

"……."

"뒤에서 혼자 몰래 운 거죠. 그때 얼마나 마음이 쓰리던지……."

이언이 픽 실소를 터뜨렸다.

"의지가 못 된다는 거, 생각보다 되게 힘든 일이더라고요. 전 15년이 넘게 친구로 지내면서, 도희가 우는 걸 두 눈으로 본 적이 한 번도 없어요."

도희의 눈물은 항상 타임 루프에 지워졌다. 시간이 반복되고 하루가 리셋되며 아무도 그 눈물을 기억하지 못했기 때문이다.

"하지만 서준원 씨라면 다르겠죠."

이언은 도희의 옆에 있을 사람이 제가 아니더라도, 꼭 저보다 좋은 사람이었으면 했다. 그녀가 마음을 풀어헤치고 편안히 살아갈 수 있도록 든든한 그늘을 만들어 줄 수 있는 나무 같은 남자이기를.

"도희 울 때 혼자 두지 마세요. 꼭 옆에 있어 주세요."

그 어느 때보다도 진심에서 우러나오는 충고였다. 얼마나 도희를 생각하고 아끼는지 단번에 알 수 있었다. 경쟁자이기 이전에 똑같이 도희를 아끼는 사람으로서, 준원은 그의 마음에 진정으로 공감했다. 희미하게 웃은 준원이 가만히 고개를 끄덕였다.

"네, 걱정하실 일 없을 겁니다."

좋은 친구를 두었다는 것을 인정할 수밖에 없었다. 역시 좋은 사람 옆에는 좋은 사람만 모이는 법이니까.

얼마나 시간이 흘렀을까, 괴이하던 술자리는 어느덧 두 명의 희생자를 낳고 파장 분위기로 접어들었다. 약간 알딸딸해진 이언과 아직은 멀쩡한 준원 사이에 승부는 결국 나지 않았고, 괜한 누리와 도희만 시체처럼 늘어졌다.

"야, 야. 집에 가자."

"으응……. 싫어…… 더 마실래……."

이언이 산송장처럼 바닥을 기어 다니는 누리를 흔들자 그녀가 억지를 부렸다.

"진상 부리지 마라. 너 어차피 통금 지나서 내일 아저씨한테 깨질 예정이잖아? 이제라도 술 좀 깨!"

"으으……."

일그러진 얼굴로 죽을상을 한 누리를 부축해 일으킨 이언이 그녀의 가방을 어깨에 멨다.

"저흰 이만 가 볼게요."

자리를 털고 일어난 이언이 준원에게 목을 까딱했다. 도희에게도 인사하기 위해 눈동자를 굴렸으나 이내 소파에 웅크리고 자는 그녀를 보고 픽 웃었다.

"네. 오늘 즐거웠습니다."

준원이 가볍게 고개를 숙여 답하자 이언이 현관문을 열었다.

"아, 나 안 갈 거야!!! 안 갈…… 웁!"

"좋은 말로 할 때 가자. 길바닥에 버리기 전에."

또 고성을 내지르는 누리의 입을 틀어막은 이언이 짜증스레 경고했다. 이언은 거의 질질 누리를 끌듯이 업고 자리를 떴다.

두 사람이 떠난 뒤, 도희와 단둘이 남게 된 준원은 뻐근한 허리를 곧게 폈다. 술에 취해 소파 위에 강아지처럼 쪼그리고 누워 있는 도희를 보자 절로 웃음이 흘렀다. 천천히 다가가 조심스럽게 머리를 어루만졌다. 커다란 손이 붉은 머리카락을 타고 몇 번 쓸어내리자 곱게 감겨 있던 눈꺼풀이 부드럽게 올라갔다.

"응……?"

헤롱헤롱 풀어진 도희의 눈이 몽롱한 듯 감겼다가 떴다가를 반복했다. 그 사랑스러운 모습에 준원은 나지막이 웃으며 부드럽게 도희의 머리를 쓰다듬었다.

"아까 강이언 씨랑 되게 친해 보이던데? 막 어깨도 툭툭 치고, 스킨십하고.”

은근히 투덜거리는 준원의 볼멘소리에 도희가 픽 웃음을 흘렸다.

“뭐야…… 너 질투해?”

“그럼 질투하지, 안 해?”

어김없이 술에 취해 반 토막 난 말로 쫑알거리기 시작한 도희에게 준원도 반말로 답했다.

“애인이 보고 있는데 다른 남자하고 어깨동무나 하고.”

“응?”

“아주 혼내 줘야겠어.”

장난스럽게 도희의 뽀얀 볼을 꼬집어 늘린 준원의 입가에는 미소가 떠날 줄을 몰랐다. 만취해 붉게 달아오른 뺨이며 퉁퉁하게 삐진 듯 톡 튀어나와 있는 입술이 못 견디게 사랑스러웠다.

“근데 너 왜 반말이야……. 이 건방진 놈.”

그러는 도희도 물론 반말이었다.

“저 잘생긴 건 알아서, 얼굴 믿고 까불어…….”

붉은 입술이 불만 가득 품은 채 꼬물거렸다. 저가 무슨 말을 하는지도 모르고 횡설수설하는 입술에 가볍게 뽀뽀한 준원의 눈이 부드럽게 휘었다.

“우리 밤에는 반말하는 사이 아닌가?”

“침대에서만 반말하는 사이지.”

도희가 손바닥으로 소파를 팡팡 치며 따지고 들었다.

”여기 침대 아니잖아, 바보야.”

“그럼 어서 씻고 침대로 가자. 어때?”

준원이 도희의 빨간 뺨을 보듬으며 귓가에 속삭였으나 소파에 껌딱지처럼 달라붙은 몸은 떨어질 기미가 없었다.

"그렇지만…… 나 몸에 힘이 없어."

"힘이 없어? 일으켜 줘?"

"아니. 그래도 못 움직여……. 양치도 못 해……."

"내가 씻겨 줄까?"

낮게 웃은 준원이 그대로 도희의 다리 아래로 손을 밀어 넣었다. 가느다란 몸을 번쩍 안아 올린 그가 얌전히 안겨 있는 도희의 이마에 대고 뜨거운 숨을 뱉었다.

"깨끗이 씻겨서 침대로 데려가야지."

가만히 있던 도희의 고개가 위아래로 움직였다. 어린 플라타너스의 줄기처럼 가느다란 두 팔이 준원의 굵직한 목덜미에 느슨하게 감겼다. 그의 가슴께에 폭 묻힌 입술이 고요하게 비벼졌다.

"……있지. 나 왜 이렇게 불안할까."

술기운에 몽롱하게 흘러나온 도희의 진심이었다. 아무렇지 않은 척한다고 한들 정말 괜찮을 리 만무했다. 눈만 감으면 차에 치여 죽었던 그 날의 기억이 머릿속을 파고들었고, 악몽에 잠자리를 설친 것도 벌써 여러 번째였다.

이미 없었던 일이 되어 버린 과거의 일이라고 치부해도, 결국 다시 12월 24일은 올 거란 걸 알기에 불안했다. 만약 또 죽고 시간이 되돌아간다면? 몇 번이나 죽어야 타임 루프가 끝나는 거지? 언제까지 이걸 반복해야 하는 거지? 그러다가 돌연 타임 루프가 끝나고 영영 죽어 버리면? 도희는 여러 가지 우려와 사념에 뜬눈으로 밤을 지새웠었다.

"진짜 좋은데…… 너무 좋은데……."

알코올에 젖은 음성이 흐릿하게 흘러나왔다.

"하루하루 행복하기만 한데…… 불안해."

솔직한 토로가 준원의 귓가를 적셨다.

"불안하고…… 무서워."

항상 굳건하게 약한 티를 내지 않던 도희의 속내는 두려움과 불안으로 점철되어 있었다. 비단 준원만이 괴롭고 힘든 것이 아니었다. 당사자인 도희는 죽음의 위협 앞에서 얼마나 괴롭고 고통스러운 사투를 벌이고 있을지…… 위태롭게 떨리는 입술을 보는 준원의 가슴이 먹먹해졌다.

그날 밤, 도희와 함께 샤워하고 좁은 침대에 나란히 누웠으나 준원은 잠 한숨 이루지 못했다. 곤히 잠든 도희를 바라보며 답답한 가슴을 속으로만 삭일 뿐이었다. 새벽안개처럼 뽀얀 빰을 쓰다듬으며 준원은 여러 상념에 잠겼다.

"……."

마음이 가난해질 때마다 그는 속으로 되뇌곤 했다. 긴장하지 말자. 무서워하지 말자. 아무 일도 없을 것이다…….

자신도 이토록 불안한데, 그녀는 또 얼마나 두려울까. 죽을지도 모르는 자신의 미래를 두고 그 심경이 얼마나 복잡할지는 짐작조차 하기 어려웠다. 분명히 하루하루가 고통일 것이다. 도희가 그걸 지금까지 숨기고 비밀로 했다는 것이 준원의 가슴을 아프게 만들었다.

준원은 자는 도희를 두 팔 벌려 꽉 끌어안았다. 그녀의 불안이 사라지도록. 아침에 눈뜰 때만큼은 두려움 없이 그저 평온하기를…….

단전에서부터 끌어올리는 듯한 신음이 낮게 허공을 울렸다.

"으……."

숙취로부터 오는 두통에 얼굴을 찡그린 도희가 가까스로 눈꺼풀을 밀어 올렸다. 상황 파악을 하려는 듯 바쁘게 구르는 눈동자는 이내 저를 내려다보고 있는 준원을 발견하고 동그랗게 확장되었다.

"……!"

놀란 도희가 흠칫했다.

"나, 나 언제 잠든 거……."

또 필름이 반쯤 끊긴 도희가 혼란스러움에 중얼거리자 준원이 웃으며 그녀의 이마에 키스를 남겼다.

"잘 잤어요?"

"네…… 근데 어떻게 된 건지 기억이 잘…… 어?"

문득 제 옷이 잠옷으로 갈아입혀져 있다는 걸 깨달은 도희의 눈이 커졌다.

"나 씻고 잤어요? 옷이 다른데……?"

"내가 부축해서 씻겨 줬죠. 옷도 입혀 줬고."

"아……."

얼굴이 화끈화끈 달아올랐다. 이렇게 또 흑역사 생성이라니.

"혹시 내가 술 먹고 또 실수한 거 없죠? 말실수라던가……."

"없어요."

"애들 돌아가고 나서부터 기억이 없어서 그래요. 나 진짜 말 잘못한 거 없죠?"

"네. 바로 잤으니까 걱정 마요."

도희가 말하는 것이 무엇을 뜻하는지 준원은 잘 알고 있었다. 은연중에 제 불안을 말했을까 봐 걱정하는 것이었다. 준원은 솔직하게 답하는 대신 말을 돌리기로 했다. 그녀의 볼을 감싸 엄지로 쓰다듬으며 낮게 웃었다.

"근데 도희 씨는 술에만 취하면 반말을 하던데."

"……서준원 씨도 하잖아요."

"그거야."

잘록한 허리를 확 끌어당긴 준원이 제 아랫배에 딱 붙였다.

"침대니까 하는 거지."

일순 심장을 확 조여 오는 긴장에 도희의 몸이 딱딱하게 굳었다. 그 긴장을 풀려는 듯 커다란 손은 부드럽게 허리를 쓸어내리며 마사지했다. 거만하게 올라서는 입꼬리가 눈이 시리게 멋있었다. 아침부터 부정맥이라도 온 듯 두근거리는 심장을 느끼며 도희는 가까스로 그의 미소에서 눈을 뗐다.

"그, 그래서, 서준원 씨는 내가 반말하는 게 싫어요?"

"아니."

고개를 내저은 준원이 도희의 입술 앞으로 성큼 다가섰다.

"귀여워서 좋아."

나지막이 속살거린 입술이 쪽, 가볍게 여린 입술 위로 내려앉았다. 저도 모르게 살포시 웃어 버린 도희의 가슴이 꽃잎처럼 흐트러졌다.

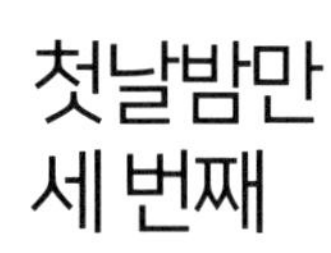

VOL. 3

Three First Nights

CHAPTER 20

단 하나뿐인 사랑

20

단 하나뿐인 사랑

준원의 팀은 이전 달보다 두 배 가까이 성장한 실적을 거두었다. 첫 번째 타임 루프에서 이미 겪었던 시행착오들이 생략되고 이미 알고 있는 정답들로만 일을 추진하니, 능률과 실적은 오를 수밖에 없었다.

또, 도희가 맡은 유튜버 윤보영과의 콜라보레이션 프로젝트가 대박을 터뜨렸는데, 윤보영이 뒤에서 남몰래 행했던 선행이 드러나 이미지가 급상승한 덕이었다. 이 모든 성과는 준원과 도희가 미래를 알고 있었기에 가능한 일들이었다.

"오후에 HK 미팅 누가 가기로 했죠?"

일주일의 시작인 월요일, 평소와 다름없이 KSS 본사는 하루를 여는 아침 회의로 한창이었다.

"네, 제가 가기로 했습니다."

도희가 가볍게 손을 들어 보이자 준원의 한쪽 눈썹이 미세하게 내려앉았다.

"이것도 백 과장이 가기로 했습니까? HK는 하 대리 담당인데."

사실상 현재 팀 내 업무의 상당 부분을 도희는 홀로 소화하고 있었고, HK는 도희에게만 유난히 과중하게 지워진 업무 탓에 준원이 최근 동현에게로 담당을 옮긴 건이었다.

"아, 그게요, 팀장님. 저는…… 사실……."

건조한 준원의 눈동자가 동현에게 쏟아지자 당황한 동현이 말을 더듬었다. 차마 영어 울렁증 때문에 도희에게 부탁했다는 말은 하지 못하고 우물쭈물했다. 7년 차라고는 믿을 수 없을 만큼 바보처럼 말을 더듬는 동현을 보다 못한 도희가 대신 입을 열었다.

"하 대리로 바뀌기 이전까지 제가 계속 담당하기도 했고, 대표님이 외국인이시다 보니 언어가 가능한 사람이 다녀오는 게 좋을 것 같아서요."

"그건 그렇네요. 통역을 쓰기보다는 직접 얘기하는 게 더 효과적일 테니."

도희의 말에 곧바로 납득한 준원이 고개를 끄덕였다.

"그럼 백 과장이 수고해 주세요. 복귀할 필요 없이 현장에서 바로 퇴근해도 좋습니다."

"네, 알겠습니다."

도희는 간만에 야근 없이 칼퇴근할 생각에 입꼬리가 근질거렸다. 이 모든 건 준원의 배려라는 것을 알고 있기에 내심 기분이 좋아졌다. 회의가 끝나고 자리로 돌아온 도희는 얼마 가지 않아 울리는 메신저 창을 확인했다.

[퇴근하고 맛있는 거 먹으러 가요. 오늘 월요일인데.]

준원에게서 온 메시지였다. 살포시 웃음을 터뜨린 도희가 슬쩍 주위 팀원들의 동태를 살피고 은밀하게 회신을 썼다.

[월요일에 웬 의미부여? 언제는 맛없는 거 먹었다고.]

[그야 월요일엔 도희 씨가 한층 더 예쁘거든요.]

[우욱. 느끼……. 아재인 거 티 나요.]

장난스럽게 답장한 도희가 입술을 비집고 나오는 숨을 가까스로 막았다.

[내가 아저씨라면 도희 씨는 뭐예요?]

[난 아직 만으로 20대인걸요?]

[좋아요. 어디 내년 생일 지나고 한번 두고 봅시다.]

결국 숨소리처럼 웃음을 흘린 도희의 눈동자가 도르륵 준원에게로 은근하게 굴렀다. 살짝 시선이 마주치자 팀원들 몰래 은근하게 눈웃음지어 보였다.

[어쨌든 이따 HK 근처로 픽업 갈 테니까 거기서 기다려요.]

[준원 씨가 데리러 오게요?]

[네. 같이 예약해둔 식당으로 바로 이동해요.]

[오케이. 알겠어요.]

도희는 두근두근 설레는 가슴을 느끼며 소리 없이 입꼬리를 들어 올렸다. 그 어느 때보다도 퇴근이 기다려지는 날이었다.

오후가 되고 미팅이 끝난 도희는 거래처의 건물 밖을 나섰다. 번잡한 도로를 따라 걷다가 나온 사거리에 멈춰서서 준원에게로 전화를 걸었다.

“준원 씨, 나 미팅 끝났어요. 어디에요?”

–아직 회사예요. 도착하려면 한참 남은 것 같은데.

“네? 그럼 나 올 때까지 서 있어요?”

수화기 너머로 준원의 웃음소리가 들려오자 도희 입술을 삐죽거렸다. 지금 웃음이 나와?

–사실 바로 앞이에요. 1분만 기다려요.

“어우. 하여간 요즘 틈만 나면 장난은…….”

픽 실소를 터뜨린 도희의 눈이 부드럽게 휘었다.

“천천히 와요. 사거리에 서 있을게요.”

전화를 끊은 도희는 기분 좋게 웃으며 저 멀리 도로를 내다보았다. 눈에 익은 검은 세단이 얼른 도착하기를 바라며 두 손을 모아 비볐다.

아직 11월이었지만 오늘따라 뼛속을 파고드는 쌀쌀한 추위가 어깨를 위축되게 했다. 코트 사이를 비집고 들어오는 냉기에 몸을 가늘게 떤 순간, 주머니에 넣어둔 핸드폰 또 한 번 부르르 진동했다. 당연히 준원일 거로 생각하고 아무 생각 없이 전화를 받았다.

“네, 준원 씨. 어디…….”

일순 도희의 숨이 우뚝 끊겼다. 묘하게 느껴지는 위화감에 벌어진 입술이 가늘게 떨렸다. 수화기 건너편에서는 목울대를 긁는 듯한 거친 숨소리가 들려왔다. 어딘가 섬뜩한 느낌을 감지한 도희가 휴대전화를 내려 액정을 확인했다.

“…….”

준원이 아닌 저장되지 않은 모르는 번호였다. 일순 서늘해진 가슴과 함께 본능적으로 이 전화가 누구에게서 걸려 온 것인지를 느꼈다.

-네년이지…….

성대를 긁는 듯한 음성은 새아버지가 틀림없었다. 발음은 술에 만취한 듯 아무렇게나 꼬여 있었다.

-네가 금감원에 신고했지!!!

고막을 꿰뚫는 듯한 고함에 화들짝 놀란 도희의 손끝이 파르르 떨렸다. 보험 사기 행각을 고발한 것이 도희라는 것을 눈치챈 모양이었다.

-내가 얼마나 어렵게 탄 돈인데!!! 네 애미 병원비 내놓으랬더니 내 등에 칼을 꽂아?!

경찰 조사가 시작되었으니 곧 영장이 발부되고 구속될 거란 사실을 직감한 듯 그는 이성을 잃고 목이 터져라 소리를 질렀다. 이미 사기 및 폭행 전과가 여러 차례 있었기에, 아내를 식물인간으로 만들고 보험금을 탄 행각이 유죄로 밝혀지면 그는 최소 무기징역이었다.

-이 싸가지 없는 년!!! 감방 가기 전에 네년부터 쳐죽일 거야!!!

물러날 곳 없이 벼랑 끝으로 내몰린 새아버지는 더 이상 두려울 게 없다는 듯 소리쳤다.

-다 죽여 버릴 거야!!!

살기 어린 음성에 가슴이 철렁 내려앉았다. 사색이 된 도희가 서둘러 전화를 확 끊어 버렸다. 심장이 엄청난 속도로 내달리기 시작했다. 패닉이 온 도희는 사시나무처럼 경련하는 손으로 핸드폰을 꽉 움켜쥐었다.

……뭐지? 어떻게 해야 하지……?

밀려오는 두려움에 머릿속이 하얗게 물들었다. 땅을 내디디고 있는 두 다리가 후들후들 경련했다. 긴장으로 굳은 눈동자가 바쁘게 도로를 오고 가는 차들을 위태롭게 응시했다. 차가운 겨울의 공기 속에 머리털이 쭈뼛 서며 등골이 오싹해졌다.

빠아아앙!!!

그 순간 엔진소리와 함께 클랙슨 누르는 소리가 뇌를 찢으며 들어왔다.

"……."

소음의 방향으로 흘러간 시선 끝에 닿은 낡은 차 한 대가 엄청난 속도로 다가오고 있었다. 공포에 질린 도희의 동공이 거칠게 흔들렸다. 온몸이 딱딱하게 굳어 버렸다.

가늘게 경련하는 손 틈 사이에 끼워져 있던 휴대전화가 바닥으로 추락했다. 제게 무자비하게 돌진하는 차의 앞머리에 퍼뜩 정신을 차린 도희가 황망하게 뒤를 돌아 내달렸다. 본능적으로 죽음을 감지한 도희는 하이힐 굽이 부러지도록 죽기 살기로 도망쳤다. 덜덜 떨리는 다리를 억지로 종용하다 발을 헛디뎌 그대로 넘어져 버렸다.

"아……!"

심장이 절벽 아래로 떨어졌다. 등 뒤로 강한 헤드라이트 불빛이 화악 쏟아지며 폭발하듯 번져 왔다. 눈을 질끈 감은 도희는 떨리는 팔로 제 머리를 와락 부여잡았다.

끼이이이익!!! 쾅!!!

엄청난 굉음이 총성처럼 도희의 고막을 무자비하게 찔러 왔다. 지진이라도 난 듯 사방이 진동하는 충격에 사지가 바들바들 떨렸다. 타이어가 타는 듯한 악취가 코끝에서 맴돌았다. 질끈 감았던 눈을 조심스럽게 떠 올리자 가장 먼저 시야에 들어찬 것은 유리창 파편들이었다. 뿌옇게 피어오른 연기가 주위를 둘러싸고 있었다.

"……."

어떻게 된 거지? 상황 파악이 되지 않았다. 넘어져서 까진 무릎이 쓰라린 것 외에는 고통이 없었다. 떨리는 고개를 더듬더듬 뒤로 돌리자 크게 뜨여진 눈동자가 거칠게 흔들렸다.

"……준원 씨?"

도희의 심장이 아래로 곤두박질쳤다. 피가 마르는 듯 머리부터 발끝까지가 서늘해졌다. 돌진하던 새아버지의 차는 그 순간 제 앞을 막아선 검은 세단과 충돌해 멈추어 있었다.

"준원 씨!!!"

도희의 눈앞을 새빨갛게 메운 것은 반파된 차량의 운전석에서 피를 흘리고 있는 준원이었다. 퍼렇게 질린 얼굴로 더듬더듬 기어가던 도희가 미친 사람처럼 일어나 준원의 차로 다가갔다.

"왜……! 왜 준원 씨가……!"

옆 차선을 달리던 준원이 순간적인 판단으로 핸들을 꺾어 보도로 돌진하던 새아버지 차량을 차 옆면으로 막아선 것이었다. 엄청난 속도로 돌진해온 새아버지의 차량에 정면으로 충돌한 준원의 차 오른쪽 부분은 완전히 파손되었고 차량은 깡통처럼 찌그러졌다.

"아, 아, 안돼……."

유리창이 전부 박살 난 차 안에서 준원은 핸들에 머리를 기댄 채 미동도 하지 않았다. 어지러이 쏟아진 파편들을 사이, 그의 이마에서는 피가 걷잡을 수 없이 흐르고 있었다. 새빨갛게 물든 현장에 하얗게 질린 도희는 저도 모르게 비명을 내질렀다. 눈가가 뜨거워지는 것을 느끼며 빠르게 차 문을 열고 그를 밖으로 끌어내 바르게 눕혔다. 찢어진 머리에서는 피가 흐르고 있었고 그는 의식을 잃은 듯 축

늘어져 있었다.

"말도 안 돼……."

이 현실이 믿기지 않는 도희는 제 입을 콱 틀어막았다.

"여기 구급차 좀 불러 주세요!!! 빨리!!!"

목이 찢어지라 소리치자 주변에 모여든 사람들이 하나둘 휴대전화를 들었다. 도희는 바들바들 떨리는 손으로 준원의 손을 더듬더듬 움켜쥐었다.

"눈 좀 떠 봐요, 준원 씨……. 제발……."

어쩔 줄 모르고 바보처럼 눈물만 흘렸다. 거칠어진 호흡 끝에 자책이 쏟아졌다.

……왜 이렇게 된 거지? 내가 미래를 바꾸어서 준원 씨가 이렇게 된 거야? 날 지켜 주려다가 이렇게 된 거잖아……!

결국 또 나 때문이야. 차에 치여 쓰러져 있을 사람은 이 남자가 아닌 나였어야 했는데.

울컥 흐른 눈물이 턱 끝에 고여 준원의 손등으로 뚝 떨어졌다. 어떻게 해야 할지, 완전히 사고가 정지하고 굳어 버린 머리는 제대로 돌아가지 않았다. 가늘게 떨리는 손으로 빨갛게 피로 물든 뺨을 쓸어내린 도희는 호흡곤란이 온 사람처럼 울음을 터뜨렸다.

"제발, 준원 씨……!"

내가 죽었을 때, 그가 이런 기분이었을까? 그렇다면 이건 너무도 끔찍한 악몽이야.

심장이 찢겨나가는 듯한 고통에 숨을 쉴 수 없었다. 도희는 준원의 손을 꽉 붙잡고 그의 손등에 얼굴을 묻고 오열했다.

"제발……."

……역시 운명은 쉬이 바꿀 수 없는 것인가. 결국 누군가는 이 차가운 아스팔트 위에 피로 뒤덮인 채 누워야 끝날 운명이었다. 차라리 원래대로 내가 치였어야 했는데……. 내가 죽었어야 했는데.

"도희…… 씨……."

실성한 사람처럼 울던 도희는 제 귓가를 적시는 호흡에 파르르 눈꺼풀을 떠올렸다. 놀란 도희의 동공이 거칠게 흔들렸다.

"울지…… 말아요……."

뺨을 적시는 투명한 눈물에 흐릿하게 눈을 뜬 준원이 더듬더듬 떨리는 입술로 중얼거렸다. 피투성이가 된 손을 뻗은 그가 도희의 뺨을 부드럽게 보듬었다.

"……난 ……도희 씨가 무사해서……."

준원이 힘없이 웃어 보였다.

"……행복하니까……."

그러니까 울지 말아요. 시간을 조금 전으로 되돌린다고 해도 난 똑같이 할 거예요. 도희 씨를 지킬 수만 있다면……. 난 이제 못 할 짓이 없으니까.

"……흐윽……. 흑……."

도희는 더는 아무 말도 할 수 없었다. 당신이 아닌 내가 치였어야 했다고, 대체 왜 날 지켜 줬느냐고, 그렇게 말할 수 없었다. 무슨 말을 해 봐야 그에게 날아가 모두 상처가 될 것이 틀림없었다. 그저 그의 손을 부둥켜안고 오열을 터뜨릴 뿐이었다.

"……도희 씨……."

이제 더는 바랄 게 없는데……. 우는 얼굴이 마음에 걸려 눈을 감을 수가 없다. 부디 조금만 아파하고 씩씩하게 살아갔으면. 의식이 흐릿해진 준원은 거친 호흡을 내뱉었다. 몸에 힘이 빠지고 눈이 느슨하게 감겨 왔다.

"사랑……해……요."

그 말을 끝으로 준원은 눈을 감았다.

"준원 씨!!!"

온몸을 뒤덮는 절망감에 도희는 목을 놓아 절규하며 울부짖었다. 세상이 무너져내리는 듯한 고통에 미쳐 버릴 것만 같았다.

피를 많이 쏟은 준원은 응급실 이송 중에 의식을 잃었다. 이동식 침대에 시체처럼 누워 실려 가는 준원을 보는 도희는 숨이 턱 막혀왔다.

"두부 손상이 의심되는 상황입니다. 응급처치하는 대로 CT부터 찍어보겠습니다."

수술실엔 곧바로 불이 켜졌다. 한참을 목을 놓아 울던 도희는 이내 넋이 나간 사람처럼 멍한 상태가 되었다. 미동도 하지 않고 수술실 앞에 쪼그리고 앉아 있는 도희는 두려움에 덜덜 떨었다.

"……."

설마 일이 이렇게 될 줄이야. 차라리 누군가 꿈이라고 말해 줬으면 했다. 이렇게 될 줄 미리 알았다면 새아버지를 자극하지 않고 맘대로 날뛰도록 두었을 터였다. 그깟 돈, 억을 주더라도 계부에게 다 내놓았을 것이었다. 괜히 또 미래를 바꾸어 보겠다고, 가장 사랑하는 남자를 희생시키고 말았다.

"안 돼……."

오늘은 11월 23일. 사고가 일어날 예정일로부터 약 한 달 전의 날이었다.

"왜……."

왜 사고가 한 달이나 앞당겨진 걸까. 두 번째 타임 루프에서 미래를 바꾼 대가인 걸까?

무엇보다도 왜 내가 아닌 이 가엾은 남자가 이런 일을…….

"제발……."

신이 있다면, 만에 하나 신이 있다면, 이런 가혹한 운명은 거두어 주세요. 차라리 이 남자 대신 나를 데려가 주세요…….

"흐윽…… 흑……."

왜 이렇게 된 걸까. 우리는 지금쯤 평온하게 저녁을 먹고 웃으며 데이트를 즐기고 있었어야 했는데. 대체 왜…….

누군가 심장을 잡고 쥐어짜는 듯이 고통스러웠다. 실핏줄이 다 터진 눈으로 허공을 바라보는 도희는 입술을 깨물고 눈물을 흘렸다. 그렇게 얼마나 시간이 흘렀을까. 오래도록 닫혀 있던 수술실의 문이 열리고 의사가 굳은 얼굴로 걸어 나왔다. 숨을 죽인 도희가 자리를 박차고 일어나 미친 사람처럼 달려들어 의사를 붙잡았다.

"준원 씨는……!"

"서준원 환자분 보호자십니까?"

무표정한 의사가 눈을 가늘게 떴다.

"네……. 수술은, 수술은 어떻게 됐어요?"

긴장한 도희는 느릿하게 벌어지는 의사의 입술을 뚫어져라 바라보았다. 온 세상이 멈춘 듯한 착각이 일었다.

“그게…… 두개골에 선상 골절이 발생했지만, 다행히 뇌에는 이상이 없습니다. 찢어진 이마와 우측 팔꿈치는 봉합수술 진행했고요.”

긴장한 도희가 두 손을 꼭 모아쥐자 의사의 무덤덤한 음성이 이어졌다.

“또, 우측 경골 원위부와 비골 근위부에 골절이 발생하여 철심을 박아 고정하는 수술을 했습니다. 수술은 성공적으로 된 편인데…….”

느릿하게 턱을 문지르던 의사가 말끝을 흐렸다.

“일단 의식이 돌아올 때까지 병실로 이동해서 수술 경과 지켜보겠습니다.”

차량이 완전히 반파된 사고의 규모를 미루어 볼 때 뇌에 출혈이 없었던 것은 기적과도 같은 일이었다. 수술실에 불이 꺼지고 준원은 병실로 이동했다. 침대 위에 시체처럼 누워 있는 준원을 보자마자 도희의 눈가는 촉촉하게 물기가 고였다. 다시 그를 보지 못할까 봐 너무도 두렵고 고통스러운 시간이었다.

“준원 씨…….”

무사히 수술이 끝나 다행이었지만 엉망진창이 되어 누워 있는 준원 때문에 가슴이 산산이 무너졌다. 모든 게 자신의 탓으로 느껴져 도희는 입술을 꽉 깨물었다.

원래의 미래에서 오늘이 무슨 날인지, 도희는 똑똑히 기억하고 있었다. 11월 23일. 첫 번째 타임 루프에서 차유나가 음주운전 차량에 치여 죽었던 날이었다. 최종적으로는 유나를 살리려다가 도희가 오른쪽 다리를 골절하고 팔꿈치가 찢어지는 부상을 입었던 날이었다.

"하……."

상황과 사람은 달라져도, 다치고 죽는 것은 그 정도의 차이만 있을 뿐, 전혀 없는 일로 바꾸긴 어려운 것이었다. 미래를 바꾼 것에 대한 대가를 치르는 거니까.

"……내가 미안해요."

눈물이 걷잡을 수 없이 흘렀다. 준원의 손을 꽉 부여잡은 도희는 소리 죽여 흐느꼈다.

"다 내가 미안해요. 나 때문에……."

떨리는 목소리로 중얼거리던 도희는 뒷말을 흐렸다. 더 이상의 자책은 목숨을 걸고 자신을 살려 준 준원에 대한 예의가 아니었다.

"무사히만 일어나요, 제발……."

내가 진 마음의 빚을 모두 갚게 해 줘요. 하루하루 웃음이 끊이지 않게 그저 행복하게만 해 줄게요. 그러니까, 제발 내 삶의 하나뿐인 사랑을 거두어 가지 말아줘요…….

도희는 준원이 어서 건강하게 눈을 뜨길 빌고 또 빌었다. 그러나 도희의 바람과는 달리 준원은 반나절이 지나도록 깨어나질 못했다. 정상적이라면 이미 마취가 풀리고 일어나고도 남았어야 하는 시간이었다.

불안한 마음속에 하루가 꼬박 흘렀다. 연차를 써서 온종일 준원의 옆에서 그를 병간호했으나, 준원은 계속해서 눈을 뜨지 못했다. 미동도 하지 않고 누워 있는 준원의 앞에서 공포심이 쌓여 가던 도희는 결국 폭발해 버렸다.

"대체 왜 계속 못 일어나는 거예요? 혹시 수술이 잘못된 거 아니에요?"

격양되어 집도의에게 따져 물었으나, 의사는 난색을 표했다.

"종종 사고 당시의 쇼크로 혼수상태에 빠지는 경우가 있긴 한데, 이런 경우 언제 의식을 되찾을지 확답을 드릴 수 없습니다."

의사는 생명에는 지장이 없으나 염려하지 말라는 말을 덧붙였다. 하지만 그 말은 도희에게 전혀 위로가 되지 않았다. 그저 이대로 영영 깨어나지 않는 건 아니겠지, 하는 막연한 불안감에 떨 뿐이었다.

한편, 도희를 살해하기 위해 돌진해 왔던 계부의 차는 그의 소유가 아닌 도난 차량으로 밝혀졌다. 사고 당시 면허 취소 수준의 음주 상태였던 그는 술에 취해 훔친 차를 몰고 도희를 미행하다가 홧김에 범행을 벌인 것이었다.

이 추돌 사고로 계부 또한 큰 중상을 입었는데, 경추가 심하게 골절되어 전신이 마비됐고 중증 뇌출혈로 인해 현재 혼수상태였다. 제 아내를 식물인간으로 만들어 보험금을 챙겼던 계부는 결국 인과응보로 똑같이 손가락 하나 까딱할 수 없는 처지가 된 것이다.

그리고, 도희는 사경을 헤맨다는 계부가 세상 그 누구보다도 고통스러워하다가 죽길 바랐다. 그렇지 않고서야 이 억울함이 풀리지 않을 것 같았다.

"하……."

시간은 속절없이 흐르고 찾아온 11월 25일 아침. 사고가 난 후 이틀 동안 준원의 병실에서 뜬눈으로 밤을 지새웠던 도희는 한껏 수척해진 상태로 한숨을 내쉬었다. 분명히 생명에는 지장이 없다고 했는데, 뇌 손상도 발생하지 않았다고 했는데, 이틀이 되도록 깨어나지 않으니 속이 답답했다. 이른 아침부터 눈가가 빨갛게 부어오른 도희는 여전히 미동 없는 준원을 보며 입술을 깨물었다.

"얼른 일어나요……."

시간이 흐를수록 초조해지는 마음을 숨길 수 없었다. 그가 살아 있다는 것만으로도 감사했으나, 이유도 모른 채 계속 깨어나질 못하니 미칠 것만 같았다.

"제발, 일어나요. 준원 씨……."

또 눈물샘이 시큰거리는 걸 느끼며 도희는 두 주먹을 꽉 그러쥐었다. 평생의 울음을 다 몰아 운 듯, 그의 사고 이후로 온몸의 수분을 다 빼어 낼 작정인 양 울었다. 그러고도 끊임없이 눈물이 나와 헛숨을 터뜨렸다. 크게 숨을 들이마시었다가 내쉰 도희는 천천히 자리에서 일어났다. 좀처럼 떨어지지 않는 발걸음을 억지로 종용하며 출근 준비를 하기 위해 병원을 나섰다.

회사에 출근한 도희는 아무렇지 않은 척, 평소와 똑같은 척 연기했으나 사실 속은 타들어 가고 있었다. 준원이 일어났다는 전화만을 기다리며 온종일 휴대전화를 붙잡고 있었으나 깜깜무소식이었다.

업무에도 집중하지 못한 채 하루가 경황없이 흐르고 퇴근 시간이 되었다. 칼같이 사무실을 나선 도희는 곧바로 준원이 입원해 있는 병원으로 향하려다가 핸들을 꺾었다. 그가 병원에서 생활하는 동안 필요한 물건들을 미리 챙겨가기 위해 준원의 집으로 향했다.

"……."

현관으로 들어서자 쓸쓸하게 느껴지는 적막에 도희의 가슴이 무너졌다. 또 울컥 눈시울이 뜨거워졌으나 가까스로 감정을 추스르고 집 안으로 들어왔다. 안방에서 준원의 짐을 챙기고 있는데, 문득 책상 위에 한 노트가 시선을 사로잡았다.

"……이게 뭐지?"

가까이 다가간 도희는 조심스럽게 그 노트를 펼쳐보았다. 그 안에는 10월 14일부터 12월 24일까지 원래의 미래에서 벌어졌던 일들이 빼곡하게 적혀 있었다. 2달이 넘는 시간 동안 일어나는 일들을 타임 라인을 따라 쭉 정리해 둔 것이었다.

"……."

결국 도희의 눈가에는 또 물기가 모여들었다. 준원이 왜 이렇게까지 꼼꼼히 앞으로 일어날 일들의 타임 라인을 적은 것인지 도희는 그 누구보다도 잘 알고 있었다.

"날 살리기 위해……."

12월 24일에 일어날 사고를 막기 위해 그는 이토록 노력했던 것이다. 도희가 타임 루프를 잊었을 때도 지치지 않고 다가와 기억을 되살려 냈던 남자였다. 뜨거워진 눈시울에서 습한 열기가 방울졌다. 볼을 타고 흘러내린 눈물이 턱 끝에 고여 하나둘 떨어졌다.

"흐윽……. 흑……."

내 미래를 바꿔 준 사람은 당신이었어. 나를 살게 하는 사람은 오로지 서준원뿐이야…….

오열하며 수첩을 넘기던 도희의 눈동자가 진하게 물들었다. 그런 그녀의 시야에 들어온 것은 11월 23일, 사고가 일어났던 날에 대한 메모였다.

〈11월 23일, 월요일〉

〈1. 타임 루프가 일어나 총 다섯 번 하루가 반복. 2. 두 번째 타임 루프에서 차유나 교통사고로 사망. 3. 다섯 번째 23일에 도희 씨가 차유나를 살리다가 우측 발목 염좌 및 팔꿈치 봉합, 전신 찰과상과 타박상.〉

노트에는 원래의 11월 23일에 일어났던 일들이 상세하게 적혀 있었다. 이날은 원래 도희가 미래를 바꾼 나비 효과로 유나가 사망했었던 날이었다. 그런 유나를 살리기 위해 고군분투했던 도희는 결국 유나를 구하는 데에는 성공했지만, 대신 부상을 입었었다.

"……맞아."

11월 23일은 원래 내가 다쳤던 날이었어. 손끝이 파르르 떨리고 입술이 바짝 말랐다. 그 아래에 작게 덧붙인 낙서 같은 메모를 보는 도희의 동공이 거칠게 흔들렸다.

〈사람이 다치거나 죽는 건 쉽게 달라지지 않는다. 즉, 이날 도희 씨에게 사고가 날 확률이 아주 높다. 다치지 않게 최대한 곁에서 지켜 줘야…….〉

온몸의 피가 마르는 듯한 착각에 도희가 제 입을 틀어막았다. 11월 23일, 사고가 날지도 모른다는 걸 준원은 알고 있었던 것이다.

"그걸 알고……."

그래서 HK 미팅도 처음에 도희가 아닌 하 대리가 가도록 유도하고, 미팅이 끝나자마자 데리러 오겠다고 말한 것이었다. 아마도 퇴근하자마자 데이트하자고 말한 것도 종일 곁에서 지켜 줄 의도로 말한 게 틀림없었다.

“말도 안 돼…….”

심장이 철렁 내려앉았다. 그는 처음부터 도희에게 사고가 나면 대신 다치거나 죽을 마음이었던 것이다.

“흑…… 흐윽…….”

무슨 일이 있어도 날 지켜 주려고……. 심장이 터질 것처럼 뛰고 호흡이 가쁘게 조여 왔다. 물기로 축축하게 젖은 도희의 눈동자가 하릴없이 경련했다. 아무렇게나 후드득 떨어지는 눈물이 수첩 위로 얼룩을 만들었다.

“준원 씨…….”

미쳐 버릴 것만 같았다. 가슴을 옥죄는 슬픔에 몸을 가눌 수가 없었다. 누군가 심장을 움켜쥐고 쥐어짜는 듯이 고통스러웠다. 바닥에 주저앉아 오열을 토하는데 옆에 아무렇게나 팽개쳐 놓은 휴대전화는 수도 없이 울리고 있었다. 그렇게 탈진할 것처럼 한참을 울던 도희는 떨리는 손으로 휴대전화를 들었다.

“…….”

병원에서 온 연락이었다. 도착한 문자의 내용을 확인한 도희의 숨이 위태롭게 끊어졌다. 동시에 자리를 박차고 일어난 도희는 황망하게 차에 시동을 걸었다. 정신이 나간 사람처럼 액셀을 밟아 병원으로 향했다.

빠르게 도착한 도희는 넋을 놓은 채 내달려 준원이 입원해 있는 VIP 병동에 도착했다. 떨리는 손을 뻗어 문을 열었다.

“…….”

커튼 틈으로 쏟아지는 달빛이 하얀 병실을 내리쬐고 있었다. 눈이 마주치자 준원은 부드럽게 입꼬리를 들어 올렸다. 동시에 울컥 눈물이 쏟아진 도희는 곧장 준원에게 달려가 와락 안겼다.

"준원 씨……."

그런 도희의 여린 어깨를 한쪽 팔로 감싼 준원이 그녀를 꽉 소중하게 끌어안았다.

"……다행이에요."

사고 당시만 해도 준원은 이대로 영영 눈을 감을지도 모른다고 생각했다.

"이렇게 도희 씨를 다시 볼 수 있어서, 정말 다행이에요……."

오로지 도희만이 삶의 행복이자 미련이었다. 그녀가 없었다면 이토록 살고 싶다는 생각도 하지 않았을 터였다.

"고마워요, 준원 씨……."

그의 어깨에 얼굴을 묻은 도희는 하염없이 눈물을 흘렸다.

"이렇게 무사히 돌아와 줘서, 나, 너무……."

행복해……. 목이 메어 말을 제대로 이을 수 없었다. 밀려오는 안도감에 도희는 아이처럼 엉엉 울음을 터뜨렸다. 그 모습을 보는 준원의 가슴에도 뜨거운 물기가 차올랐다.

"울지 마요. 머리 아프게……."

무슨 일이 생기면 목숨을 바쳐서라도 도희를 지키겠다고 스스로 다짐했었다. 그녀를 살릴 수만 있다면, 내 목숨 하나 죽어도 상관없다고.

하지만…… 바보 같은 생각이었다.

"사랑해요, 준원 씨……."

이렇게 여리고 고운 여자를 두고 눈을 감을 수는 없었다. 훌쩍이며 사랑한다고 되뇌는 도희의 등을 부드럽게 토닥거렸다.

"사랑해요……. 정말, 내 모든 것을 다 주고 싶을 만큼……."

그렇게 말하는 도희가 못 견디게 사랑스러워 준원은 웃음을 터뜨렸다. 환자복이 눈물로 촉촉이 젖어 드는 걸 느끼며 준원은 천천히 그녀의 뺨을 쓰다듬었다. 비스듬히 고개가 올라가자 두 시선이 뜨겁게 맞부딪혔다.

"나도 사랑해요, 도희 씨."

도희의 눈가에 가득 찬 눈물을 닦아 준 준원이 부드럽게 입을 맞추었다.

……다행이야. 단 하나뿐인 사랑을 지켜낼 수 있어서, 그 사랑이 우리의 운명을 뒤바꿀 수 있어서……. 정말 다행이야.

이틀 만에 깨어난 준원은 무서울 만큼 빠른 속도로 건강을 회복해 나갔다. 담당의 또한 이런 회복력은 여태 본 적이 없었다며 혀를 내두를 정도였다.

처음엔 골절의 정도가 심해 거동이 아예 불가했으나, 열흘이 지나니 목발을 짚고 이곳저곳을 걸을 수 있게 되었다. 그렇게 약 2주가 흐르고 퇴원을 하루 앞둔 날 밤. 준원은 오늘도 제 간호를 하다가 그대로 옆에서 선잠이 든 도희를 가만히 바라보았다. 티 없이 맑고 하얀 피부를 천천히 쓸어내리다가 곤히 잠든 얼굴이 귀여워 저도 모르게 살포시 웃음을 흘렸다.

"……."

잔잔해진 입꼬리와 함께 준원의 가슴이 먹먹해졌다.

……그는, 도희에게 진 마음의 빚을 갚기 위해, 목숨을 다 바쳐서라도 그녀를 살리고자 했다. 대신 죽어도 상관없다고 생각했다. 하지만 이젠 그것이 얼마나 바보 같은 생각인지 잘 알고 있었다.

'만약에 우리 둘의 상황이 바뀌어서…….'

그녀가 아닌 그가 미래에 죽을 예정이었다면. 그리고 그녀가 자신 대신 죽으려고 했다면……. 생각만 해도 끔찍한 일이었다.

"……바보같이……."

목숨을 버려서라도 그녀를 지키고자 하는 마음이 얼마나 이기적인 마음이었는지를 깨달았다. 사고가 난 직후, 모든 걸 잃은 사람처럼 울던 도희의 모습에 준원은 제 어리석은 생각을 반성하게 되었다.

'이젠 절대…….'

그런 생각 하지 않을 거야. 너와 함께 행복한 내일만을 그릴 테니까…….

준원은 지그시 눈을 감으며 도희의 눈가에 소중하게 입을 맞추었다.

어느덧 사고로부터 보름이 넘는 시간이 흘렀다. 뛰어난 회복력으로 예정일보다 훨씬 앞서 퇴원한 준원은 도희의 부축을 받아 집에 돌아왔다. 무려 17일 만의 귀가였다.

"당분간은 나도 여기서 준원 씨랑 같이 지낼게요."

도희가 준원이 신발을 벗는 것을 도와주며 말했다.

“다리 불편하니까 움직이는 것도 힘들 거고, 잘 씻지도 못할 테니까요.”

“그럼 우리 다시 같이 사는 거예요?”

“아니요. 잠깐이에요. 잠깐.”

그 말에 올라가 있던 준원의 입꼬리가 시무룩해졌다.

“그런 표정 지어도 안 돼요. 다리 다 나을 때까지만 있을 거예요.”

“그렇게 말하면 평생 안 나을지도 모르는데?”

“아! 그런 말 하면 혼나요, 진짜!”

장난스럽게 중얼거리자 도희가 눈을 흘기며 어깨를 콕 찔렀다.

“어쨌든 우편물이랑 택배는 다 현관 안쪽에 올려놨어요. 상할 것 같은 음식 재료는 냉동실에 넣어 놨고.”

“이러니 꼭 여자 친구가 아니라 부인 같네요.”

“……뭐예요, 그게. 좋은 뜻 맞죠?”

“그럼요. 꼭 신혼부부 된 기분인데.”

커다란 손은 능글맞게 도희의 허리를 슬금슬금 감싸 왔다. 얇은 옆구리를 지분거리는 엉큼한 손에 살짝 움찔한 도희가 고개를 저었다.

“어허, 어디 환자가 19금 눈깔을 하고 있어요!”

강경한 태도에 결국 하릴없이 물러난 굵직한 팔은 얌전히 제자리를 찾았다. 불만스럽게 벽에 기대어 있는 준원은 구석에 쌓여 있는 몇 개의 택배물을 눈으로 훑었다.

“……근데 이건 뭐예요?”

맨 위에 유난히 눈에 띄는 노란색 택배 상자를 본 준원이 의아하게 물었다.

“나한테 온 택배가 아닌 것 같은데…….”

살짝 들어서 발송지를 확인해 보니 해괴한 이름이 들어찼다.

"바나나킹?"

그 말에 놀란 도희의 동공이 크게 확장되었다.

"자, 잠깐 그, 그거……!"

당황한 도희의 눈동자가 거칠게 흔들렸다. 누리 때문에 알게 된 쇼핑몰 바나나킹에서 야한 속옷을 잔뜩 샀던 것이 그제야 떠올랐다.

주소를 실수로 잘못 적은 건가……?! 왜 이 집으로 와 있었지?! 준원의 사고로 경황이 없어 주문했다는 사실조차도 까맣게 잊고 있었다.

"아, 아, 안 돼요!!!"

"섹시한 속……. 섹시한 속이 뭐예요?"

도희가 달려들었으나 준원은 팔을 위로 뻗어 닿지 못하게 하며 송장을 읽었다. 하필이면 주문한 물건의 이름에는 '섹시한 속***'이라고 이상하게 모자이크 처리까지 되어 있었다.

"이게 뭐예요? 설마 도희 씨가 주문한 거예요?"

순식간에 얼굴이 확 달아오른 도희가 창피함에 꽥 소리쳤다.

"아, 몰라도 돼요! 환자가 알아서 뭐 하게요?"

"왜요? 난 알고 싶은데."

다시금 부드럽게 허리를 끌어안는 팔은 이미 도희의 마음을 훤히 들여다보는 듯했다,

"전에 말했던 새로 산 속옷인가?"

"……큼."

뻘쭘해진 도희가 어지러이 동공을 굴리며 헛기침했다.

"풀어 봐요. 응?"

"……싫어요."

"왜요. 난 도희 씨가 날 위해 준비해 줬다니까 기쁜데……."

여린 귓가에 입술을 촉촉하게 붙인 준원은 후우, 뜨거운 숨을 몰아쉬었다.

"퇴원 선물 아니야?"

화끈 달아오른 체온과 함께 도희의 심장이 터질 것처럼 뛰었다. 은근하게 옷 틈으로 파고든 길쭉한 손가락이 살갗을 미끄럽게 문지르자 도희의 입술이 툭 벌어졌다. 결국 노골적인 유혹에 넘어간 도희가 기어들어 가는 듯이 작은 목소리로 물었다.

"……레이스 싫어해요?"

준원이 픽 웃었다.

"좋아합니다."

"망사는."

"아주 많이 사랑하죠."

"……그래요. 준원 씨가 풀어 봐요."

부끄러운지 고개를 한껏 돌린 채로 중얼거렸다. 핑크빛으로 물든 귓바퀴를 귀엽게 보며 준원은 소파에 앉아 택배를 뜯기 시작했다. 그 옆으로 말없이 다가와 다소곳이 앉은 도희는 빨개진 얼굴을 부채질했다. 그런 도희에게 어울릴 만한 예쁜 속옷들을 상상하며 택배 상자를 활짝 열었다.

"……."

열자마자 묘한 느낌을 받은 준원이 그대로 멈칫했다. 도희의 것이라고 하기엔 너무 커 보이는 팬티와 함께 제품명이 시야에 들어왔다.

〈남성 전용 망사 레이스 팬티.〉

……오타인가? 아니면 설마 후유증으로 눈이 잘못된…….

"……도희 씨."

"네?"

"혹시나 해서 묻는 건데, 설마 이거……."

부디 자신이 생각하는 그것이 아니기만을 바라며, 준원이 말끝을 흐리자 도희가 고개를 끄덕거렸다.

"네. 준원 씨한테 주는 서프라이즈 선물이에요."

동시에 준원의 얼굴에 핏기가 싹 사라졌다.

"……제 선물이요?"

"네. 맘에 안 들어요? 레이스랑 망사 좋아한다면서요."

"……좋아하죠. 좋아하는데……."

저렇게 말하니 차마 할 말이 없었다. 당연히 입는 게 아니라 보는 걸 좋아한다는 뜻이었다. 살짝 넋이 나간 준원은 괜한 트집을 잡아 보기로 했다.

"근데 이건…… 너무 타이트해 보이는데요?"

"뭐, 준원 씨한텐 조금 작긴 할 것 같은데……. 망사니까 알아서 늘어나지 않을까요?"

"……음. 그렇겠네요."

그 말을 끝으로 검은색 망사팬티를 망연하게 바라볼 뿐, 준원은 잠시 말이 없었다. 이내 또 다른 트집을 잡아 보기 시작했다.

"근데 망사라서 입으면 다 보이겠어요. 입으나 마나 한……."

"그게 포인트죠. 입으나 마나 한 느낌."

도희가 똑 부러지게 반박했다.

"……시원하긴 하겠어요."

준원의 동공은 여전히 갈피를 잡지 못하고 헤매는 상태였다. 그 반응이 귀여워 살포시 웃음을 터뜨린 도희가 그의 어깨를 은근하게 쓰다듬으며 속닥거렸다.

"대신 내 가슴은 뜨거워질 거예요. 입어 줄 거죠?"

은근한 강요 속에 차마 준원이 답은 못 하고 입술만 달싹거리자 도희가 상냥하게 눈웃음지었다.

"다리 나으면 꼭 입어요. 사람 성의 무시하는 거 아니에요."

"……숨겨 왔던 취향을 이렇게 드러내는 거예요?"

"새로운 취향에 눈 뜨라는 거죠."

지지 않고 응수하는 도희에 준원은 결국 백기를 들고 말았다. 제 여자의 취향을 받아들이기로 한 준원은 도희의 머리를 부드럽게 쓰다듬으며 물었다.

"그럼 내가 이거 입어 주면 뭐 해 줄 거예요?"

쪽, 도희가 그의 뺨에 뽀뽀를 남기고 떨어졌다.

"뽀뽀해 줄게요."

"대가가 좀 약한데요?"

"그럼 키스해 줄게요. 이것도 별로예요?"

준원이 말없이 웃으며 도희를 뚫어져라 바라보았다. 그 뜨거운 시선이 맹렬하게 쏟아지자 도희는 온몸에 열이 오르는 듯했다.

"……그래요. 이렇게 하죠."

"어떻게?"

"입어 주면 내가 손으로 망사를 잡아다가 쫙 찢어 줄게요. 터프하게. 아주 그냥 발가벗겨 버릴 테니까."

도희가 부리부리하게 눈을 뜨고 쫑알거리자 준원이 큰 소리로 웃음을 터뜨렸다. 다리의 불편함과 통증마저도 전부 날려 버리는 사랑스러움에 입가에는 그저 미소만이 감돌았다. 길쭉한 손으로 도희의 부드러운 볼살을 잡은 준원이 살짝 꼬집어 당겼다.

"얼른 다리가 나아야겠어요. 이거 입고 짐승이 된 도희 씨하고 놀려면."

"짐승은 무슨……! 아니거든요?"

"도희 씨는 굳이 살 필요 없어요. 다 나으면……."

통통한 입술을 쓸어내린 손가락이 하얀 목덜미를 타고 흘러 쇄골을 보듬었다.

"입을 새도 없을 테니까."

도희의 얼굴이 화악 붉어졌다.

"각오해요."

장난스러운 속삭임이 도희의 가슴에 다가가 울렸다. 그의 웃음소리가 청명하게 고막을 적시고 새삼 그가 무사하다는 것을 다시 한 번 느낀 도희의 가슴이 부풀어 올랐다. 두 팔 벌린 도희는 준원의 품으로 쏙 들어가 안겼다. 이렇게 든든한 품을 다시는 놓칠 생각이 없었다.

평생 이 남자와 함께 발을 맞춰 걷고 싶다. 우리의 시간이 12월 24일에서 끊기지 않기를 바란다. 부디 더 나아갈 수 있기를…….

생각이 계속되니 괜히 눈가가 촉촉해지기 시작했다. 조금 발갛게 물든 도희의 눈가를 내려다보던 준원의 동굴 같은 저음이 귓가에서 공명했다.

"도희 씨."

차분하게 낮아진 저음이 조근조근하게 흘러갔다.

"우리 이제 이렇게 생각할까요?"

"어떻게……."

"타임 루프는 사라질 거라고."

커다란 동공이 잔잔한 호수처럼 물결쳤다.

"곧 다가올 12월 24일에, 시간은 정상적으로 흐를 거고…… 아무 일도 없을 거라고, 그렇게 생각해요, 우리."

덤덤하게 흘러가는 준원의 목소리는 이제 두려운 것이 없는 듯 초연했다.

"도희 씨는 이 타임 루프 현상의 정체가 뭐라고 생각해요?"

"……타임 루프의 정체요?"

"네. 왜 이 세상에서 오직 우리만 겪고 있는 건지."

그런 의문은 23년 전 처음 타임 루프가 일어났을 때만 생각해 보았었다. 어느 순간부터 타임 루프는 너무도 당연한 현상이었기에 일어나는 이유나 원인을 알려고 하지조차 않았었다.

"난 이게 우리의 마음이 만들어 낸 현상이라고 생각해요."

준원의 생각은 그러했다. 평범에서 어긋났던, 내면이 결핍되었던 우리의 가난한 마음이 기억하지 못해야 할 부분까지 기억했고……. 그래서 이런 현상을 만들어 냈다고.

"그러고 보면 타임 루프는……. 유달리 후회했던 날에만 일어났어요."

준원은 도희의 손을 부드럽게 움켜쥐며 말을 이었다.

"그게 전부 우연이었을까요?"

……후회했던 날?

그러고 보니…… 지금까지 도희에게 타임 루프는 전부 안 좋았던 날에만 일어났었다. 부모에게 버려졌던 날, 수능을 망쳤던 날, 면접을 못 봤던 날, PT에서 실수했던 날……. 전부 후회를 했던 날이었다.

깨달음과 동시에 순간적으로 살갗에 소름이 돋아났다. 단 한 번도 좋았던 날에 일어난 적이 없었다. 왜 지금까지 이 법칙을 모르고 있었는지 황당할 정도였다.

"타임 루프는 우리의 후회가 만들어 낸 현상이에요."

이 남자를 처음 만났던 날에도 그녀는 후회를 했었다. 친구 누리의 이름을 빌려 난생처음 보는 남자와 그런 짓을 했다는 걸……. 한편으론 후회했었다.

"난 더 이상의 후회가 없을 때, 우리가 지금 이 삶을 최선을 다해 살아 냈을 때……."

"……."

"타임 루프가 끝날 거라고 믿어요."

준원의 따뜻한 말은 도희의 가슴에 다가가 단단한 힘이 되었다.

"우리 스스로 암시하자는 거죠? 타임 루프가 끝날 거라고."

"네. 맞아요."

……마음이, 그 정도로 큰 힘을 가지고 있을까?

한편으로는 걱정이 되었던 도희는 속으로만 물음을 던졌다. 하지만 그 마음을 읽은 건지 준원은 웃으며 도희의 어깨를 꽉 끌어안아 포옹했다.

"아무 감정 없이, 미련 없이 살아왔던 내가…… 도희 씨를 만나 처음으로 살고 싶다고 생각했어요."

"……."

"나는 살고 싶어요. 도희 씨와 함께 미래를 그리고 싶어요."

앞으로 나아갈 미래. 그리고 충실하게 살아가야 할 현재.
"우리의 일상을 믿기로 해요."
준원의 말에 도희의 눈동자가 일렁였다.
"더 이상 불안해하지 말고. 하루하루를 마지막처럼 열렬하게 사랑해요."
촉촉하게 젖어 든 도희의 눈가에 눈물방울이 고여 들었다. 아직도 불안이 가시지 않은 도희의 마음을 그는 꿰뚫고 있었다. 가슴에 촉촉하게 내린 이슬비에 도희는 울음 섞인 음성을 내었다.
"내가 어쩌다가, 준원 씨 같은 남자를 만났을까요……."
평생의 복을 전부 이 남자를 만나기 위해 쓴 것만 같았다. 절대 못 할 것만 같았던 진심 어린 사랑을 하게 된 남자가, 이토록 충만하고 따뜻한 사람이라니.
"정말……."
울컥한 도희의 볼을 타고 한줄기 눈물이 흘러내렸다.
"사랑해요, 준원 씨."
세상 그 누구보다도 사랑스러운 남자. 그토록 냉소적이었던 그는 이제 날 위해 어느 때든 활짝 웃을 수 있는 남자가 되었다.
"좋아요. 우리 그렇게 해요."
준원의 가슴에 얼굴을 묻은 도희가 웃으며 속삭였다.
"우리 바로 지금, 이 순간을 최선을 다해서 후회 없이 살아요."
더 이상 아무것도 두려워하지 않기로 했다.
혼자가 아닌 둘이라면, 우리 두 사람이 함께라면, 그 무엇도 두려워할 이유가 없으니까…….

준원이 퇴원하고 얼마 지나지 않아, 전신 마비와 뇌출혈로 중태에 빠졌었던 새아버지는 끝내 숨을 거두었다. 그의 사망 소식을 전해 들은 도희는 충격에 한동안 말을 잇지 못했으나, 곧바로 평정을 되찾았다.

비록 미래를 바꾼 나비효과로 그가 죽게 되었으나 인과응보일 뿐이었다. 또, 그는 머지않아 아내를 살해하고 구속될 운명이었으니, 차라리 지금 죽는 것이 더 이상의 피해자를 만들지 않는 길이었다. 도희는 이제 모든 나쁜 기억을 잊고, 다시 일상을 되찾기 위해 한 걸음 한 걸음 나아갔다. 더는 두려워하지 말자고 되뇐 순간, 운명을 정면으로 마주한 순간, 우리는 되려 평온을 되찾을 수 있었다.

그렇게 퇴원 후 찾아온 첫 번째 주말. 한가롭게 소파에 앉은 준원과 도희는 오래간만에 찾아온 여유를 즐겼다. 온종일 딱 붙어서 밥도 같이 먹고 잠도 같이 자니 꼭 신혼부부가 된 기분이었다.

"우리 같이 놀이공원 갈래요?"

두 사람은 앞으로 함께하고 싶은 일들을 정리하며 한창 버킷리스트를 작성 중이었다. 놀이공원을 가자는 도희의 제안에 준원이 되물었다.

"우리 나이에 놀이공원이요?"

"서른이면 청춘이죠. 누리네 부모님은 얼마 전 결혼기념일에 네버랜드 다녀오셨대요. 완전히 로맨틱."

"난 가도 좋은데…… 도희 씨가 괜찮겠어요?"

7살 때 놀이공원에서 버려졌던 유년 시절의 아픔은 그리 쉽게 지워지는 것이 아니었다. 트라우마가 또 도희의 목을 옥죄어 올까 봐 준원은 걱정이 앞섰다.

"나도 이제 이겨 내야죠. 언제까지나 과거에 머물러 있을 순 없으니까."

23년 전 버려졌던 이후, 도희는 한 번도 놀이공원에 가 본 적이 없었다. 한껏 들떠서 행복하게 웃고 떠드는 수많은 군중 속에 혼자 버려졌던 어린 시절의 기억이 계속해서 되살아났기 때문이었다. 저 빼고 모두가 행복한 것 같았던, 그날의 그 끔찍한 외로움. 지독한 절망에 겨우 7살이었던 도희는 흔적도 없이 이 세상에서 사라지고 싶었다.

"준원 씨가 같이 가 주면, 나 용기 낼 수 있을 것 같아요."

트라우마와 마주하는 일은 쉽지 않다. 하지만 무슨 일이 있어도 꼭 손을 잡아 줄 내 편이 있다면 당당히 앞을 볼 수 있었다.

"그래요, 다리 나으면 꼭 같이 놀러 가요. 도희 씨가 의지해 줘서 기뻐요, 나는."

준원은 낮게 웃으며 도희의 머리를 부드럽게 어루만졌다. 그 다정한 손길에 그의 품에 느슨하게 머리를 기댄 도희의 입술 사이로 숨소리 같은 웃음이 터졌다. 설레는 마음을 주체하지 못하며 도희는 자그마한 노트에 또 다른 버킷리스트를 적어 나갔다.

"우리 당구도 치러 갈까요? 준원 씨, 당구 칠 줄 알아요?"

"그럼요. 도희 씨도 칠 줄 알아요?"

"아, 난 두말하면 입 아프죠. 내가 공부를 너무 빼어나게 잘해서 포기했지, 아니었으면 진작에 프로 당구 데뷔했을 거라니까요."

"누구한테 배웠길래요? 또 강이언 씨?"

준원의 물음에 슬쩍 촉이 온 도희가 가자미 눈을 하고 그를 흘긋

보았다.

"……또 질투하려고 그러죠?"

"역시 강이언 씨 맞나 보네요."

어김없이 준원은 불만 가득한 표정이 되었다. 눈을 가늘게 뜨고 추궁하듯이 바라보았으나 도희는 모른 척 태연하게 입을 열었다.

"강이언 걔가 공으로 하는 건 다 잘하거든요. 골프, 당구, 축구, 야구 만능이에요, 만능. 그중에 골프를 제일 잘해서 프로 골퍼 된 거고."

"……자꾸 내 앞에서 다른 남자 칭찬할 거예요?"

준원이 완전히 삐딱해지자 도희가 큰 소리로 웃음을 터뜨렸다. 그가 질투할 때마다 왜 이렇게 기분이 좋고 광대가 절로 상승하는 건지 알 수가 없었다. 한편 도희의 환하게 웃는 얼굴에 슬그머니 욕망 스위치가 켜진 준원은 부드럽게 도희의 허리를 감싸 안았다. 순식간에 엉큼해진 까만 눈빛이 도희의 머리부터 발끝까지를 뜨겁게 쓰다듬었다.

"어쨌든 큐대 잡은 도희 씨, 되게 매력적이겠어요."

"어허, 어디 엄숙한 스포츠에서 19금 눈빛을……."

허리를 주물럭거리는 커다란 손등을 찰싹 아프지 않게 때렸다. 말 잘 듣는 강아지처럼 하릴없이 물러나는 손은 시무룩하니 힘이 축 빠져 있었다.

'하여간 귀엽기는…….'

근래 들어 점점 더 깜찍해지는 준원 탓에 도희의 입가에는 웃음이 마를 새가 없었다.

"알았어요, 이리 와요."

그 사랑스러움에 백기를 들었다. 준원의 손을 끌어다가 어깨에 두

르자 나지막이 웃은 그가 도희를 확 끌어안았다. 그의 커다란 품에 포옥 안긴 도희는 두근두근 기분 좋은 속도로 뛰는 심장을 느끼며 웃었다. 꼭 소풍이라도 온 아이처럼 들뜨는 기분으로 여러 가지 하고 싶은 일들을 늘어놓았다.

"참, 우리 패러글라이딩도 해요! 번지점프도 해 보고 싶은데. 준원 씨 해 본 적 있어요?"

"아니요. 둘 다 해 볼까요, 우리?"

"응! 적을게요."

벌써 노트 첫 장은 버킷리스트들로 빼곡해졌다.

"아, 그리고 내년 봄엔 한강에 가서 치맥 할래요? 나 한강에서 뭐 먹으면서 술 한잔하는 거 해 보고 싶었어요."

그 누구보다도 도도하고 강철 같았던 도희도 이제는 숨김없이 제 속을 드러내 보였다. 아이처럼 신나게 조잘거리는 도희가 못 견디게 사랑스러워 준원은 나지막이 웃음을 흘렸다.

"도희 씨 하고 싶은 게 이렇게 많았는데, 왜 지금까지 안 하고 살았어요?"

"그야 당연하죠."

그 답은 너무도 명확했다.

"서준원이 없었으니까."

"……."

"내가 이걸 하고 싶은 건, 준원 씨랑 같이하고 싶어서 그런 건데."

단정한 입꼬리가 부드럽게 올라갔다.

"다른 사람 아니고, 오직 서준원이랑만 하고 싶은 거예요."

그 말에 고요하던 준원의 검은 눈동자가 일렁였다. 사랑하는 사람이 날 필요로 한다는 것은, 특별하게 여긴다는 것은 말로 형용할 수 없을 만큼 황홀한 일이었다. 녹녹하게 젖어 든 기분으로 도희의 입술에 가볍게 입을 맞추고 떨어지자 그녀가 배시시 웃으며 말을 이었다.

"그리고 나 또 하고 싶은 거 있어요."

"어떤……."

"같이 네일샵 가기."

"……."

"……."

"……한 번만 봐주세요."

쯧, 도희가 혀를 찼다.

"그래요. 내가 한번 봐줬다."

장난스레 답한 도희는 볼펜으로 노트 위를 톡톡 두드렸다.

"근데 우리 이거 다 하려면 최소한 100살까지는 살아야겠어요."

그 말에 준원이 픽 웃음을 터뜨렸다.

"100살 먹은 도희 씨라…… 할머니 중에 제일 예쁠 것 같은데요."

"다 쪼글쪼글해질 텐데 무슨."

"그럼 더 좋죠. 옆 동네 영감들이 노릴 일도 없고."

천천히 다가온 손이 도희의 뺨을 보듬었다.

"나만 마음 편히 독차지할 수 있을 텐데."

"……실없는 소리는."

도희는 은근히 심쿵 한 가슴을 숨기며 툴툴거렸다. 앞으로의 미래를 두고 장난스럽게 이야기하는 것. 이 모든 대화는 둘에게 앞으로의 미래가 있을 거라고 확신한 말들이었다. 물론 아직도 사고가 일어나는 크리스마스이브가 여전히 두렵고 불안했지만, 서로가 있기에 그들은 이제 마음이 편안했다.

운명을 외면하지도 회피하지도 않은 지금, 그들은 함께하기에 더없이 행복하니까.

"도희 씨."

준원은 도희의 얼굴 위로 드리운 머리카락을 귀 뒤로 넘겨 주었다.

"난 가끔 이런 생각을 해요. 만약 우리가 작년에 만나지 않았다면…… 어떻게 됐을까."

"그래도 사랑하지 않았을까요."

도희는 조금의 망설임도 없이 답했다.

"기억을 잃었던 내가, 다시 준원 씨에게 끌렸던 것처럼 말이에요."

작게 벌어진 준원의 입술이 단정하게 일자로 다물렸다. 그 굳게 닫힌 입매를 가만히 바라보던 도희가 조심스럽게 입을 열었다.

"만약 작년 선 자리에서 처음 만났을 때로 시간이 되돌아간다면…… 준원 씨는 미래를 바꿀 거예요?"

꽤 망설이며 던진 질문이었으나 준원은 망설임 없이 고개를 끄덕였다.

"네. 난 바꿀 겁니다."

"……."

"이렇게 1년 넘게 쓸데없이 시간 보내지 않고…… 하루빨리 도희 씨와 사랑할 거예요."

왜 그렇게 감정을 아꼈는지 이제 와서 돌이키면 후회되는 일들이 참 많았다.

"처음 도희 씨를 봤을 때부터 난 사랑에 빠졌으니까…… 그걸 깨닫는 데 1년이 넘는 시간이 걸려 버린 게 항상 아쉬워요.”

“…….”

“가장 좋은 시절, 하루빨리 사랑할걸.”

도희는 파도처럼 일렁이는 제 가슴을 느끼며 잔잔하게 미소 지었다.

“어차피 앞으로 함께할 시간이 더 많은걸요.”

“맞아요. 그래서 앞으론 후회하지 않고…… 더 많이 사랑하려고 해요.”

쏟아지는 준원의 눈빛이 너무도 따스해서 도희는 온몸이 녹아내릴 것만 같았다.

“……고마워요, 준원 씨.”

저 까만 눈동자 속에 잠겨 혼절하고 싶었다.

“이런 날 사랑해 줘서 정말 고마워요.”

그의 사랑에 취해 바보처럼 웃고만 싶었다. 아무도 보려 하지 않았던 자신의 마음을 처음으로 봐 준 남자였으니까. 세상에서 가장 서늘한 불꽃으로 가슴을 열대야보다도 무덥게 만들어 주었으니까…….

부드럽게 뻗어진 준원의 손이 도희의 뒷머리를 부드럽게 감싸 끌어당겼다. 촉촉한 입술이 부드럽게 맞물려 오자 도희가 지그시 눈을 감았다.

아랫입술을 빨아들이며 입구를 벌린 그는 깊숙하게 파고들었다. 내부를 훑는 움직임은 도희의 모든 것을 탐할 것처럼 예사롭지 않았다. 미끌미끌한 감각이 황홀하게 뒤엉키고 도희의 숨은 턱 끝까지 차올랐다. 강렬하게 키스하며 도희의 가느다란 손가락을 더듬어 내려간 준원은 그녀의 손을 부드럽게 들어 올렸다. 천천히 떨어진 입술 사이로 뜨거운 숨결이 오고 갔다.

"도희 씨……."

도희의 가슴이 쿵쿵 뛰었다.

"나와 결혼해 줄래요?"

왼손 약지를 파고드는 금속의 감촉에 도희의 눈동자가 커졌다. 가늘게 떨리며 내려간 시선 끝에 닿은 것은 다이아몬드가 정교하게 커팅된 반지였다. 그 황홀한 광채만큼이나 도희의 심장에서도 불빛이 어른거렸다.

"하루하루가 마지막인 것처럼 사랑하며 살고 싶어요. 도희 씨와 함께."

시큰거리는 눈가를 느끼며 도희는 감동에 무너져 내렸다. 이보다 더 달콤하고 진솔한 고백은 없었다.

"미안해요. 무드 없이 이렇게 집에서 프러포즈해서……."

사고가 났던 11월 23일, 준원은 원래 도희에게 프러포즈를 하기 위해 호텔 레스토랑도 예약하고 꽃다발도 준비했었다. 하지만 사고로 다리를 심하게 다쳐 그 모든 준비가 어렵게 되었다.

"왜요? 난 집이 젤 편안하고 좋은데."

가장 중요한 것은 값비싼 음식도, 몽환적인 분위기도 아닌 진실한 마음이었다.

"좋아요. 결혼해요, 우리……."

울컥한 도희의 눈가에 촉촉하게 물기가 고여 들었다. 흐르지 않는 이슬을 손으로 훔친 도희는 부드럽게 입꼬리를 들어 올렸다.

"아니, 나와 결혼해 줄래요?"

두 팔을 뻗어 올린 도희가 준원의 목덜미를 끌어당겨 입을 맞추었다. 심장이 온통 녹아드는 기분이었다. 열화와 같은 감정을 끌어안고 두 사람은 서로를 소중하게 안았다.

……우리가 이 행복을 지킬 수 있다고 믿어. 어렵게 맺어진 이 사랑이 영원할 수 있다고 믿어.

이 시간의 반복 속에 영원히 빠지더라도 좋으니까……. 최선을 다해 현재를 후회 없이 살아가자. 두려움은 반드시 떠나갈 거야.

일요일 아침, 준원과 도희는 함께 준원의 아버지 서윤건이 입원해 있는 병원으로 향했다. 암 투병 중에도 준원을 걱정하며 매일 밤잠 못 이루고 계셨을 아버지를 찾아뵈러 가자고 도희가 제안했기 때문이었다. 아버지와 사이가 좋지 않은 준원은 떨떠름한 반응이었으나 도희의 단호한 명령에 백기를 들고 얌전히 그녀가 하자는 대로 따랐다.

"준원이 왔니?"

윤건이 입원해 있는 VIP 병동의 1인실에는 언제나 그랬듯 그의 둘째 부인인 이수연이 함께였다.

"여기 앉으렴. 아버지께서 많이 걱정하셨는데, 연락 좀 하지 그랬니."

의자에서 일어난 수연은 준원에게 자리를 내어주었다. 못마땅한 표정의 윤건은 목발을 짚고 걸어오는 준원을 보며 쯧쯧 혀를 찼다.

"칠칠치 못한 놈. 제 아비보다도 먼저 가려고 하고 있어? 천하의 불효자식 같으니."

처음 사고가 났다는 소식을 들었을 때 윤건은 가슴이 철렁 내려앉았었다. 아내에 이어 하나뿐인 아들까지 먼저 보낼 뻔했던 윤건은 매일 잠도 자지 못하고 준원을 걱정했으나 그에게는 전화 한 통 없었다.

"……몸은 좀 괜찮냐?"

나직한 물음에 준원은 말없이 고개를 끄덕였다. 어머니 전희선 화백의 그림 상속 문제가 아니었다면 진작에 끊어졌을 만큼 악화된 부자 사이였다. 아무도 입을 열지 않으니 두 사람 사이에는 무거운 침묵만이 감돌았다. 그렇게 한참 동안 이어지는 정적을 꿰뚫은 것은 병실 문을 두드리는 소리였다. 똑똑.

"안녕하세요, 아버님!"

경쾌하게 병실 문을 열고 들어온 도희가 활짝 웃으며 인사했다. 끝없는 정적을 보다 못한 도희가 직접 나서기로 한 것이다.

"누구……?"

"저 준원 씨 여자 친구 백도희라고 합니다. 처음 뵙겠습니다!"

타임 루프 때문에 윤건과 수연은 도희가 완전히 초면이었다. 두 사람은 놀란 얼굴로 갑자기 등장한 도희를 멍하니 바라보았다.

"아…… 여자 친구라고?"

"네. 같은 회사에서 과장으로 일하고 있어요."

첫 번째에서처럼 도희는 윤건의 환심을 사기 위해 사르르 상냥하게 웃었다.

"준원 씨한테 말씀 정말 많이 들었는데, 진작에 인사드리지 못해서 죄송해요."

"아이고, 아니야. 여기까지 오는데 힘들진 않았고?"

"아휴, 그럴 리가요. 전 아버님 처음 뵐 생각에 설레서 잠도 못 잤는걸요."

사회생활이라면 도가 튼 도희는 어떻게 행동하면 어른들 마음을 살 수 있을지 잘 알고 있었다.

"허허, 젊은 아가씨가 싹싹하기도 하지."

첫인상부터 도희가 퍽 마음에 든 윤건은 오랜 투병으로 힘이 없는 와중에도 큰소리로 웃었다.

"요즘 우리 아들이 좀 변했다 싶었는데, 그게 다 아가씨 덕분이었군."

최근 준원에게 일어난 미묘한 변화를 윤건은 눈치채고 있었다. 건조한 말투는 평소와 다름이 없었으나, 전보다는 확실히 얼굴에 흐릿하게나마 표정이 생겨났기 때문이었다.

"그런데 그건 웬 거예요?"

윤건의 옆에 속을 알 수 없는 표정으로 도희를 바라보던 수연이 도희의 손에 들려 있는 과일바구니를 보며 물었다.

"아! 이거 별건 아니지만, 아버님께서 과일 좋아하신다고 하셔서요."

"어머, 세심하기도 해라. 이리 줘요."

수연이 웃으며 과일바구니를 받아 들었다.

"하하하, 뭘 이런 걸 사 왔어. 그냥 오지."

"아버님 뵈는데 빈손으로 올 수 있나요. 정성이니까 맛있게 드셔주세요."

윤건은 도희와 대화를 하면 할수록 그녀가 마음에 쏙 들었다.

"아가씨는 올해 나이가 어떻게 되나?"

"서른입니다. 준원 씨보다 세 살 아래에요."

"아이고. 딱 좋은 나이네. 예쁘고 착한 아가씨가 저런 놈을 왜 좋아할까?"

말은 그렇게 해도 벌써 골칫덩어리 아들 장가보낼 생각에 윤건의 입꼬리는 귀까지 올라간 상태였다.

"같은 회사면 매일 붙어 있겠구나. 만난 지는 얼마나 됐나?"

"1년 조금 넘었어요."

"1년이나? 이놈 자식 티도 안 내던데, 꽤 오래됐구먼. 하하."

기분 좋게 웃는 윤건을 무표정하게 바라보던 준원이 건조하게 입을 열었다.

"그래서 말인데, 저희 이제 결혼하려고 합니다."

"……뭐?"

"내년 여름 안으로 결혼하기로 했습니다."

갑작스러운 말에 윤건은 한 대 맞은 듯이 멍한 얼굴을 했다. 그 옆에 도희는 속으로 탄식하며 밑도 끝도 없이 결혼을 선언한 준원을 원망했다. 설마하니 이렇게 아무런 밑 작업도 없이 결혼하겠다고 난데없이 말했는데 허락을 해 줄 리가…….

"아이고! 잘됐네. 경사 났어!"

있었다.

준원이 하루빨리 번듯한 가정을 꾸려 보통의 사람들처럼 평범하게 살아가길 바랐던 윤건은 눈물까지 글썽이며 결혼을 반겼다. 오랫동안 도희의 손을 잡고 이것저것 물어본 윤건은 그녀의 진심을 확신하고 안도감에 젖어 들었다. 이제 편히 눈을 감을 수 있겠다고 말하며 고개를 주억거렸다. 감정이 북받쳐 온 윤건이 고맙다고 수도 없이 반복한 후에야 도희와 준원은 병실을 떠날 수 있었다.

"고생했어요. 불편했을 텐데."

윤건의 병실에서 나와 VIP 휴게실로 향한 준원이 도희에게 말했다.

"에이, 불편할 게 뭐가 있어요? 오히려 감사하죠. 예전이랑 똑같이 반겨 주셔서."

다리가 불편한 준원을 부축해 의자에 앉힌 도희가 웃었다. 윤건은 첫 번째 타임 루프에서보다도 훨씬 도희를 마음에 들어 했다. 연기였던 첫 번째와 다르게 지금은 준원을 제 목숨보다도 사랑했기에 그 진심이 윤건에게도 전해진 탓이었다.

준원의 옆에 도희가 앉으려는 순간, 윤건의 병실 문이 드르륵 열렸다. 그 소리의 근원지로 도희와 준원의 고개가 돌아가자 사뿐히 걸어 나오는 이수연이 시야에 담겼다. 슬그머니 미간을 좁힌 도희는 첫 번째 타임 루프에서 수연이 했던 행동들을 떠올렸다. 처음에는 거액을 줄 테니 준원과 헤어지라고 회유를 하다가, 마음처럼 되지 않자 도희의 약점을 잡고 결혼하지 말라며 협박을 했던 악질적인 여자였다. 보나 마나 또 돈을 줄 테니 헤어지라고 헛소리를 늘어놓을 게 뻔했…….

"어머, 우리 준원이랑 도희 씨!"

했는데.

"멀리서 봐도 너무 잘 어울리네. 정말 선남선녀야, 천생연분!"

……뭐지? 미친 건가?

"도희 씨, 결혼 정말 잘하는 거예요!"

"……네?"

"준원이 얘가 좀 무뚝뚝하긴 해도, 돈 굴리는 데 천부적인 재능이 있거든? 내가 이 나이 먹도록 여러 남자 많이 만나 보니까 결국은 돈 많은 게 최고야."

윤건은 결혼만 하면 총합 가치 20억 원에 달하는 어머니 전희선 화백 그림 31점을 전부 준원에게 넘기겠다고 조건을 내걸었었다. 그 고액의 그림을 탐냈던 윤건의 현부인 수연은 도희와의 결혼을 필사적으로 막으려 했었다.

“어머니 전희선 씨 그림도 준원이가 조만간 다 물려받을 텐데, 우리 도희 씨 결혼하면 미술관이라도 하나 차리면 어때요?”

그런데 대체 왜 이러는 거지……. 진짜 미친 건가?

호호호, 신나게 웃는 수연이 도희는 조금 무서울 지경이었다. 이렇듯 첫 번째 타임 루프와는 180도 달라진 수연의 태도가 도무지 이해되지 않아 혼란스러울 뿐이었다.

‘왜 이 여자가 이렇게까지 바뀐 거지?’

풀리지 않는 의문을 품고 병원을 나선 도희는 집으로 돌아가기 위해 차에 올랐다. 운전대를 잡은 도희는 내내 황당한 상태였다.

“준원 씨, 대체 무슨 짓을 한 거예요?”

아무리 생각해도 수연의 태도가 저렇듯 180도 바뀐 것은 준원의 작품으로 보였다.

“저 여자 흥신소에 내 뒷조사까지 의뢰해서 우리 결혼 막으려고 했던 미친 아줌마잖아요. 어떻게 저렇게 만들었어요?”

낮게 웃은 준원은 별일 아니라는 듯 차창에 팔을 기댔다.

“타임 루프 덕에 두 달이나 미래를 내다볼 수 있는데 활용할 수 있을 만큼 활용해야죠.”

“그러니까요. 어떻게 한 거예요?”

“이수연은 오직 돈에 의해 움직이는 사람입니다. 어머니 그림을 탐내는 이유도 돈이 돼서니까.”

의미심장한 말에 도희의 눈이 가늘어지자 준원의 입꼬리가 여유롭게 올라갔다.

"거래했죠. 원하는 대로 거액을 벌게 해 줄 테니 결혼과 그림 상속에는 관여하지 말라고."

"거액? 돈을 어떻게……."

"신약 개발 예정인 제약 회사의 주식을 미리 사 두라고 귀띔해 줬거든요."

두 달하고도 열흘 앞의 미래를 알고 있는 준원은 제우제약의 새로운 당뇨 치료제 개발 정보를 수연에게 슬쩍 흘렸었다. 준원의 탁월한 투자 센스를 잘 알고 있는 수연은 사방에서 돈을 끌어모아 원금 15억을 투자했고, 알맞은 시기에 매매하여 약 100퍼센트 가까이 수익을 벌었다.

"제우제약이 요 며칠 연속 상한가를 쳤거든요. 나도 이수연도 신약 공시 전에 들어갔는데, 거의 두 배 올랐어요."

"미래에 오를 주식들을 전부 다 기억하고 있어요?"

"내가 원래 주식투자가 취미라서요. 시간 되돌아오자마자 오를 종목에 전부 투자했는데, 나도 이번에 집 한 채는 이익 봤어요."

"……헐."

준원이 낮게 웃으며 도희에게 눈짓했다.

"이왕 온 타임 루프, 잘 이용해야죠?"

"……와, 소름."

이 정도면 회사는 취미로 다니는 게 아닌가 싶을 정도였다.

"준원 씨 생각보다 무서운 사람이네요."

여러모로 대단한 준원의 설계에 혀를 내둘렀다. 큰 그림을 그리는 걸 보니 적으로 두면 가장 위험할 인물 1순위임이 틀림없었다. 집으로 돌아가는 길에는 뽀얗게 눈이 내려 도로가 소복해지기 시작했다. 능숙하게 와이퍼를 켠 도희는 붉은 신호 앞에 부드럽게 정차했다.

"거리가 벌써 온통 크리스마스 분위기네요."

크리스마스를 12일 앞둔 오늘, 거리는 어느새 번쩍이는 전구의 불빛과 다채로운 트리 장식으로 화려하게 꾸며져 있었다. 크리스마스가 다가온다는 것은, 도희가 세상을 떠나고 타임 루프가 일어났던 12월 24일까지도 얼마 남지 않았다는 뜻이었다.

"우리 크리스마스에 뭐 할까요?"

내색하지 않고 태연하게 물음을 던지는 준원에 도희 역시 평온하게 미소 지었다.

"밖에 나가지 말고 집에서 맛있는 거 먹어요. 어때요?"

"좋아요. 사람도 많을 텐데, 그날은 집에서 단둘이 보내요."

"그럼 우리 케이크에 초도 불고 트리도 만들까요?"

들뜬 도희의 말에 준원이 나지막이 웃으며 고개를 끄덕였다. 불안보다는 긍정을, 두려움보다는 희망을 생각하며 하루하루 최선을 다해 살아 내는 것. 그것이 지금은 준원과 도희가 누릴 수 있는 최고의 행복이었다.

어느덧 운명의 날까지 딱 열흘을 앞두게 되었다. 빠른 회복 속도 덕분에 준원은 사고로부터 약 20일 만에 온전히 정상 생활을 할 수 있게 되었다. 여전히 목발이나 부축이 없으면 제대로 걷기 어려웠으나, 너무 오래 자리를 비운 탓에 준원은 조금 무리해서 오늘부터 정상적으로 회사에 출근하기 시작했다. 그의 부재 동안 이전처럼 팀장 업무를 대행하느라 눈코 뜰 새 없이 바빴던 도희는 이제 한숨 덜 수 있게 되었다.

"팀장님 다시 오셔서 너무 다행이에요. 그렇죠?"

점심 식사를 마치고 휴게실에서 도희와 새봄, 지예와 세 사람은 함께 커피를 마시며 찰나의 여유를 즐기고 있었다.

"전 그 완벽한 얼굴을 다신 못 보는 줄 알고 무서웠다니까요? 진짜 직장 생활의 유일한 낙이 팀장님 미모 감상인데."

"맞아, 맞아. 병문안도 못 오게 하시고."

조잘거리기 바쁜 새봄과 지예의 사이에서 도희는 가만히 커피를 한 모금 머금었다.

"저는 혹시 얼굴에 상처라도 나셨을까 봐 조마조마했어요."

"어휴, 팀장님 얼굴에 흠집 나면 그건 진짜 국가적 손실이다. 안 그래요, 과장님?"

호들갑을 떨자 도희가 픽 실소했다.

"뭐, 얼마나 잘생겼다고 오버들이야. 그냥 무사히 복귀하셨으니 다행인 거지."

세상 시크한 도희의 말에 지예가 꺄르르 웃었다.

"에이, 저는 과장님 그런 말씀 하실 때마다 어떤 남자 만나실지 궁금하다니까요? 눈 엄청 높으실 것 같은데."

"과장님, 솔직히 남자 친구 있으시죠, 그렇죠?"

갑자기 추궁하기 시작한 지예와 새봄에게 도희가 헛웃음을 치며 고개를 저었다.

"아니야. 일하느라 데이트할 시간도 없는데 연애를 어떻게 해."

사내 연애라 내내 붙어 있을 수 있다는 것은 청첩장 돌릴 때까지 비밀이었다.

"참, 그보다 우리 이번에 도시락 신상품 PT 관련해서 말인데……."

자타공인 일 중독 도희에게 잡담은 찰나에 불과했다. 곧바로 업무 이야기를 하며 주머니에서 휴대전화를 켠 도희는 카메라 앨범을 꾹 눌렀다.

"이런 느낌은 어때?"

아이디어가 될 만한 레퍼런스 사진들을 미리 핸드폰으로 촬영해 둔 도희가 지예와 새봄에게 보여 주었다.

"오오, 좋은데요?"

"괜찮지? 아이템 너무 겹치지 않게 여러 가지 방향으로 생각해 보는 게 좋으니까."

지예가 도희의 휴대전화를 받아 카메라 앨범의 레퍼런스 사진들을 쭉쭉 넘겨 보았다.

"네네. 뭐랄까, 경쟁사 포지션 생각했을 때도 되게 경쟁력 있는……."

앨범의 사진을 확확 넘겨보며 말을 잇던 지예가 멈칫했다. 돌연 준원이 도희를 끌어안고 볼에 뽀뽀하고 있는 커플 셀카가 등장한 탓이었다.

"자, 자, 잠깐만!!!"

도희의 심장이 철렁 내려앉았다. 화들짝 놀란 도희가 서둘러 제 핸드폰을 확 빼앗아 뒤로 숨겼으나, 이미 지예와 새봄의 눈은 튀어나올 듯이 커진 상태였다.

"……."

"……."

까무러치게 놀란 지예와 새봄의 동공은 거칠게 흔들렸다. 그와 달리 숨소리 하나 들리지 않는 정적은 휴게실 안을 고요하게 메웠다.

"어, 음……."

뭐라고 말을 해야 하는데, 하필이면 준원이 뺨에 뽀뽀하고 있는 셀카라 변명도 할 수가 없던 도희였다.

"……헐."

퍼뜩 정신을 차린 지예와 새봄이 경악하며 입을 쩍 벌렸다. 귀신이라도 본 듯 튀어나오기 직전으로 뜨여진 눈들을 보며 도희는 망연자실했다.

'……망했다…….'

완전히 망해 버렸어!

얼어붙은 동상처럼 아무 말도 못 하고 입만 떡 벌리고 있는 지예와 새봄의 사이에서 도희는 속으로 죽었다고 복창했다.

"저기…… 양 대리, 새봄 씨……."

조심스럽게 입을 연 도희가 울며 겨자 먹는 심정으로 부탁했다.

"당분간만 비밀로 좀 해 주면 안 될까?"

그 말에 일시 정지라도 누른 듯 멈춰 있던 새봄과 지예가 퍼뜩 정신을 차리고 고개를 끄덕거렸다.

"네, 네!"

"다, 당연하죠!"

"근데 어, 언제부터 그렇고 그런 사이셨어요……?"

"진짜 식스 센스급 반전……."

그렇게 말하는 눈들이 초롱초롱한 게 당장이라도 사내에, 아니 전

세계에 소문낼 기세였다. 보나 마나 강제 공개 연애 행이었지만, 별 수 있겠는가. 일단 비밀로 해 준다는 말을 믿어 볼 수밖에…….

다음 날, 출근 준비를 하는 내내 도희는 불안감에 전전긍긍했다. 지예와 새봄에게 들킨 사실을 준원에게도 털어놓았으나 그는 아무렇지 않은 듯 세상 여유로워 보였다.

"어차피 곧 결혼하면 다 알게 될 텐데 별로 상관없잖아요?"

"불편하잖아요. 결혼 전까지 최대한 숨기려고 했는데……."

왜 하필 카메라 앨범을 보여 줘서는……. 이렇게 황당하게 들킨 게 억울해 미칠 지경이었다. 부디 지예와 새봄이 소문내지 않았기만을 바라며 조마조마한 마음을 안고 회사에 출근했다. 준원이 먼저 사무실로 올라가고, 뒤이어 엘리베이터에 탑승한 도희는 어딘가 묘한 시선을 느꼈다.

'뭐지……?'

자기들끼리 묘한 눈빛으로 보며 쑥덕거리는 듯한 느낌이 들었지만 기분 탓이라고 되뇌며 사무실로 향했다. 평소처럼 자리에 앉아 업무에 열중하는데 돌연 바로 옆의 상품개발팀의 사무실에서 우렁찬 목소리가 들려왔다.

"뭐?! 백 과장하고 서 팀장님이 사귄다고?!"

하동현 대리의 목소리였다. 어찌나 목소리가 큰지 도희와 준원이 앉아 있는 곳까지 쩌렁쩌렁하게 들려왔다.

……저 망할 하동현! 아주 온 동네 확성기를 들고 소리를 쳐라!

못 견디게 창피해진 도희가 화악 달아오른 얼굴을 수그리며 이를 갈았다.

"아하하하, 음. 저, 저는 아현이한테밖에 말 안 했는데……."

뻘쭘해진 지예가 도희에게 자그마한 소리로 종알거리자 저 멀리 앉아 있던 인턴 남아현이 화들짝 놀라 고개를 저었다.

"아, 아니에요! 저, 저는 인턴 동기들한테만 살짝 말했는데……."

이래서 사내 연애는 복사기 빼고 모두가 안다고 하는 건가. 한두 명만 알아도 동네방네 다 퍼지는 게 소문의 정석을 보여 주었다. 영혼이 빠져나간 도희가 시뻘겋게 달아오른 얼굴을 감추며 신세를 한탄했다. 그에 비해 너무도 태연한 준원은 픽 웃음을 흘리며 자리에서 일어나 목발을 짚었다.

"10분 뒤 회의 시작합니다. 모두 준비하세요."

누가 서준원 아니랄까 봐 그는 남 일이라도 되는 듯이 뜬금없이 회의 시작을 알렸다. 혼자만 쏙 빠져나가려는 준원을 도희가 찌릿 흘겨보았다.

"아, 그리고."

사무실을 나가려다 멈칫한 준원이 팀원들을 바라보며 건조하게 말했다.

"백 과장하고 저, 결혼합니다."

세상 덤덤한 폭탄선언에 사무실 모두가 화들짝 놀라 술렁였다. 그 속에 낀 도희는 발갛게 달아오른 얼굴에 손부채질하며 골치 아프다는 듯 고개를 저었다. 당당하게 투포환을 던진 준원은 한차례 충격에 휩싸인 사무실을 두고 유유히 밖으로 걸어 나갔다.

일련의 폭풍 같은 사건이 지나고 도희와 준원은 명실상부 전략기획본부 대표 비주얼 커플이 되었다.

"그거 알아? 백도희 과장님이랑 서 팀장님 둘이 사귄다며?"

"맞아, 맞아. 곧 결혼까지 한다던데! 진짜 대박……."

"잘 어울리긴 진짜 잘 어울린다."

겨우 이틀 남짓만에 사내에 모르는 사람이 없을 정도로 널리 소문이 퍼져 버렸다. 덕분에 도희는 회사에서 사람을 마주칠 때마다 추궁을 들어야 했다.

"백 과장님, 서 팀장님하고 사귀신다면서요?!"

"언제부터 만나셨어요? 너무 부럽다!"

그때마다 대충 얼버무리며 머쓱하게 웃을 뿐이었다. 공개 연애로 회사 생활이 더 성가셔지긴 했지만, 완전히 단점만이 있는 것은 아니었다. 준원과 대놓고 당당하게 출퇴근을 할 수도 있었고, 점심시간에 단둘이 식사해도 이상하지 않았다. 차라리 이렇게 다 까발려지고 나니 마음만은 후련했다.

"도희 씨, 오늘도 시달렸어요?"

온종일 복작복작하게 지지고 볶다가 겨우 숨을 돌리는 시간. 준원과 도희는 잠시 옥상으로 올라와 직원들 몰래 오붓하게 바람을 쐬었다.

"네. 다들 뭐가 그렇게 궁금한지 몰라요. 준원 씨도 엄청나게 시달렸죠?"

"저도 뭐, 똑같죠. 그래도 사내에 도희 씨 노리는 사람은 없어져서 좋은걸요?"

장난스럽게 웃으며 도희의 손을 부드럽게 움켜쥐었다.

"누가 보면 어쩌려고……."

"손만 잡고 있는데 뭐 어때요. 그리고 아무도 없잖아요?"

눈이 시리게 멋있는 미소에 도희는 못 이기는 척 수줍게 웃었다. 준원의 옆자리에 앉은 도희는 마침 할 말이 떠올라 손뼉을 마주쳤다.

"참, 준원 씨. 오늘 말이에요."

12월 16일, 오늘은 원래의 미래에서 도희의 친모가 식물인간 상태에서 깨어났던 날이었다.

"낳아 준 친엄마가 혼수상태에서 깨어나는 날이거든요."

조심스럽게 말문을 연 도희는 작게 한숨을 쉬었다. 의외의 말에 살짝 놀란 준원의 눈이 커졌다.

"준원 씨한테는 말 안 했던 것 같지만……."

원래의 미래에서는 새아버지가 눈을 뜬 친모의 목을 졸라 그녀를 살해했었다. 하지만 미래가 바뀌어 새아버지는 사고로 사망했고, 그 나비 효과로 친모는 죽지 않고 살아남을 터였다.

"어쨌든 이번 토요일에 만나러 가 보려고요."

"친어머니를요?"

어렸을 때 버려졌던 도희의 트라우마가 되살아날까 봐 염려한 준원의 표정이 어두워졌다.

"괜찮겠어요? 난 안 가는 게 좋을 것 같은데……."

"꼭 해 주고 싶은 말이 있어서요."

사랑하는 남자가 제 곁을 지켜 주고 있는 지금, 도희는 더없이 행복한 나날을 보내고 있었다. 하지만 여전히 마음에 걸리는 문제가 있었고, 앞으로의 행복을 위해서라면 이 문제는 반드시 해결해야 했다.

"무엇보다도 내 트라우마의 원인을 직면해야지 나도 앞으로 나아갈 수 있을 것 같아요."

내 고통의 이유를 정면으로 맞서고 이겨 내는 것. 친모에게 버려진 유년 시절의 사건은 도희의 모든 불행의 시초였고, 이 오래된 숙원을 해결해야 그녀는 더욱 행복해질 수 있었다.

"그럼 나도 같이 가요."

"아니에요. 이건 오로지 내가 이겨 낼 몫이니까."

"……."

도희의 설득에도 준원은 걱정이 되는지 말없이 그녀의 손을 꼭 붙잡을 뿐이었다.

"나 정말 괜찮아요. 이제 준원 씨가 있어서 아무것도 무섭지 않거든."

씩 웃어 보이는 입매에는 조금의 과장도 없었다. 진심 어린 말에 준원의 눈동자가 고요하게 흔들렸다. 결국 준원은 도희의 뜻을 존중하기로 했다.

12월 19일, 도희는 긴장되는 가슴을 누르고 조심스럽게 친모가 입원해 있는 병원으로 향했다. 병실로 향하는 내내 무슨 말부터 해야 할지 머리가 터질 것처럼 복잡했으나 막상 문 앞에 서니 그 어느 때보다도 차분해졌다. 잠시 숨을 고른 도희가 병실 안으로 들어섰다.

"……."

가만히 앉아 있던 친모는 문을 열고 들어온 도희를 멍하니 바라보았다. 1년이 넘게 누워 있다가 겨우 하루 전에 깨어났으니 아직 몸이 성치 않은 듯 보였다. 주먹을 움켜쥔 도희는 무표정으로 천천히 다가가 친모에게로 다가갔다.

"누구……."

퍼석하게 마른 친모의 입술이 벌어지고 잔뜩 쉬고 갈라진 목소리가 흘러나왔다. 무려 23년 만의 재회였기에 친모는 도희를 알아보지 못했다. 자칫 움직이는 시체처럼 보일 만큼 친모의 상태는 목불인견이었다. 반쯤 백발이 된 머리는 산발이었고 몸은 빼빼 말라 뼈밖에 남지 않은 몰골이었다.

지금껏 긴 세월을 어떻게 살아왔는지 단번에 알 수 있는 모습에 가슴에 가시가 박히는 듯했다. 꽉 깨물었던 입술을 놓은 도희는 조용히 그녀의 베드 옆의 의자를 빼고 앉았다.

"눈 뜨고 있는 모습을 보니 기분이 좀 묘하네요."

"……."

"몸은 좀 괜찮으세요?"

덤덤한 도희의 물음에 친모의 동공이 뒤흔들렸다. 가까이서 도희의 얼굴을 마주하자 가슴이 철렁 내려앉았다.

"너, 설마……."

친모의 눈이 커다랗게 뜨여졌다.

"도희니……?"

그렇게 묻는 친모의 얼굴이 형편없이 일그러졌다. 대답 대신 시선을 내리깐 도희는 차분하게 말을 이었다.

"얼굴이 좀 많이 달라지셨네요."

온갖 고생을 했는지 친모의 몰골은 흉측하게 변해 오래전의 기억과는 차이가 컸다.

"23년 전 그렇게 떠나고…… 별로 행복하지 않으셨나 봐요."
"……."
파들파들 떨리던 친모의 눈동자에 이내 촉촉한 물기가 고여 들었다. 고개를 떨군 그녀는 말없이 흐느끼기 시작했다.
"유전자 등록, 왜 한 거예요?"
도희가 친모를 찾을 수 있었던 것은 친모가 기관에 자신의 유전자를 등록했기 때문이었다. 그건 친모도 도희를 찾으려고 시도했다는 뜻이었다.
"20년이 넘게 지나서, 왜 날 찾으려고 했죠?"
표정 없이 덤덤하게 말하는 도희와 달리 친모는 몰려오는 회한에 하염없이 눈물을 쏟았다.
"……미안하다."
"……."
"내가 정말 미안해……."
수도 없이 미안하다고 반복하며 그녀는 죄인이라도 된 것처럼 고개를 들지 못했다.
"네가 7살일 때, 널 그렇게 두고 해외로 떠나서……."
그녀의 한이 담긴 눈물방울이 하얀 환자복 위로 뚝뚝 떨어졌다.
"난 매일 밤 울었다. 죄책감에, 후회에…… 그리고 그리움에……."
"……."
"미안하다. 정말 미안해……."
형편없이 일그러진 얼굴을 보는 도희의 마음이 아프게 조여 왔다.
"만약 시간을 되돌릴 수 있다면…… 23년 전으로 돌아갈 수 있다면……."

그녀는 목이 메어 말을 채 잇지 못했다.

"아니, 그 인간을 만나기 전으로 돌아갈 수 있다면……."

"……."

"도희 너와 둘이서 살아갈 텐데."

수십 년의 세월을 돌아보며 그녀는 괴로운 울음을 터뜨렸다. 23년 전 도희를 그렇게 버리고 떠나 평생을 죄인처럼 무거운 마음의 짐을 안고 살아왔었다. 그 생에 대한 후회가 온몸으로 느껴지자 도희는 입술을 꾹 다물었다. 그토록 원망하고 미워했던 친모에게 미약하게나마 동정심이 일었다.

"……죄책감 느끼지 마세요."

이것은, 도희가 그녀에게 줄 수 있는 마지막 호의였다.

"지금 난 행복할 수 있고, 사랑받을 수 있고……."

눈가에 촉촉하게 물기가 고인 도희는 입꼬리를 들어 올렸다.

"웃을 수 있어요."

이 말을 그녀에게 반드시 해 주고 싶었다.

"당신도……."

진심으로 그녀가 앞으로 남은 생은 부디 행복하길 바랐다.

"다시 웃을 수 있길 바라요."

그 말을 끝으로 도희는 천천히 뒤를 돌아 병실 밖으로 나섰다. 마지막으로 볼 수 있는 제 딸의 모습이라는 것을 본능적으로 느낀 친모는 두 얼굴을 감싸고 오열을 터뜨렸다. 그 울음을 들으며 도희는 북받쳐 오르는 감정을 누르고 병실을 떠났다. 그토록 미워했던 친모에게 남긴 최후의 복수였다.

금방이라도 터질 것 같은 감정을 누른 도희는 두 주먹을 꽉 움켜쥐고 친모의 병실을 나왔다. 데스크에서 지금까지 밀린 병원비를 모두 수납한 뒤 주차한 차로 향했다. 이제 그녀를 다시 찾아올 일은 없었다. 이건 마지막 정리였을 뿐, 지금껏 그랬듯이 앞으로도 평생토록 모녀가 아닌 남으로 살아갈 것이다.

"……하아."

가까스로 감정을 다스리며 한 발짝, 한 발짝 걸음을 옮기던 도희의 발걸음이 멈칫했다. 붉게 달아오른 눈시울이 아리도록 욱신거렸다. 무더워진 눈가에 고인 물기는 하얀 볼을 타고 주르륵 흘러내렸다. 제 차로 향하던 도희는 결국 그 자리에서 털썩 주저앉아 눈물을 터뜨렸다.

도대체 왜 울음이 나는 건지 알 수가 없었다. 엄마가 원망스러워서? 미워서? 불쌍해서? 아니면 어린 시절의 트라우마가 떠올라서……? 이유는 알 수 없었으나 한번 터진 눈물은 마를 기미가 없었다. 슬픔에 목이 메도록 오열을 토하는데 문득 머리 위로 어둑하니 그림자가 졌다.

"……."

익숙한 얼굴에 놀란 도희의 눈이 커졌다. 준원은 말없이 도희를 한 손으로 일으켜 차 안에 태웠다.

"여긴 어떻게……."

"혼자 가는 게 마음에 걸려서요."

홀로 이겨 낼 일이라고 씩씩하게 가던 뒷모습이 가슴에 남았던 준원은 택시를 타고 뒤따라왔었다.

"울어도 괜찮아요, 도희 씨."

낮게 속삭인 준원은 더 이상의 말을 덧붙이지 않고 그저 도희를 꽉 끌어안았다. 상처받은 아이를 다독이듯이 천천히 등을 쓰다듬는 손길에 도희의 눈가가 일그러졌다.

"……흐윽……."

울어도 괜찮다는 말에 눈물이 걷잡을 수 없이 흘렀다. 그토록 원망했던 친모가 그 누구보다도 초라한 모습으로 후회를 말하니 속이 타들어 가는 것만 같았다.

후회, 후회, 후회.

……그놈의 후회. 만약 엄마도 타임 루프를 느낄 수 있었다면, 두 번째에는, 아니, 세 번째에는……. 아니. 열 번째에는 날 버리지 않았을까……?

넓은 품에 안긴 도희는 엉엉 아이처럼 목을 놓아 울었다. 물론 이미 지나간 일은 돌이킬 수 없다는 것을 잘 알고 있었다.

……그렇기에, 부디 오늘로 모든 아픔을 잊을 수 있기를. 슬픔은 전부 잊고 앞으로는 행복만 할 거니까. 난 사랑하고, 사랑받을 수 있는 사람이니까. 행복할 자격이 있는 사람이니까…….

시간은 빠르게 흘러 어느덧 12월 23일이 되었다. 첫 번째 타임 루프에서 도희가 세상을 떠났었던 12월 24일까지 하루를 앞둔 날이었다. 골절된 뼈의 회복이 빨라 철심을 제거한 준원은 이제 갑갑하던 깁스에서 벗어날 수 있게 되었다. 목발 없이도 걸을 수 있게 되었고 가볍게 운동을 시작하며 재활에 힘썼다.

"나 태어나서 트리 만드는 거 처음이에요. 준원 씨는요?"

"나도요. 도희 씨 덕분에 어렸을 때 못 해봤던 걸 서른 넘어서 다 하게 되네요."

퇴근한 준원과 도희는 함께 저녁 식사를 마치고 함께 트리를 만들기 시작했다. 각양각색의 방울들과 선물 상자 모형들, 화려한 장식을 나무의 끝에 하나하나 정성스럽게 매달았다.

"거참, 미적 감각이 영 떨어지시네."

뜬금없이 정중앙에 방울을 다는 준원의 손등을 톡 치며 도희가 고개를 저었다.

"하여간 서준원 아니랄까 봐, 예술 쪽엔 소질이 너무 없는 거지."

쯧쯧 혀를 차자 준원 픽 웃었다.

"그러는 도희 씨도 썩……."

찌릿, 노려보는 시선에 빛보다 빠른 속도로 태세 전환했다.

"잘하네요. 아주 훌륭합니다."

엎드려 절받기에도 씩 웃은 도희는 만족스럽게 고개를 끄덕거렸다.

"이 선물 상자는 어디에 달까요?"

"여기 위에 달면 될 것 같아요."

멀리서 전체적인 조화를 보는 도희의 지시대로 준원이 마지막 선물 상자를 매달았다. 크고 작은 방울들과 상자들, 기타 여러 장식을 전부 매달고 나니 어느 정도 그럴듯한 모양새가 완성되었다.

"이제 전구 감아야 해요. S자로 감으라고 여기 쓰여 있는데……."

"내가 감을게요. 이리 줘요."

도희의 키보다 더 큰 180센티의 트리였기에 그녀가 혼자 감기에는 역부족이었다. 전구가 달린 선을 가져간 준원은 천천히 S자로 전선을 감았다.

"이제 불 켜 볼까요?"

"응. 내가 누를게요."

스위치의 버튼을 꾹 누르자 트리를 감싼 전구에 화려한 불빛이 가득 들어왔다. 순식간에 형형색색으로 빛나기 시작한 전구들은 집 안을 밝게 밝혀 주었다.

"와, 불 켜니까 진짜 예쁘다!"

"그럴듯한데요?"

번쩍번쩍 빛을 발하는 트리는 더할 나위 없이 아름다운 자태를 자랑했다. 소파에 나란히 앉은 준원과 도희는 완성된 트리를 지그시 바라보았다. 몽롱해진 분위기와 함께 준원은 도희의 어깨에 팔을 두르고 토닥토닥했다. 한참 동안 말없이 반짝이는 전구의 불빛을 바라보던 도희가 조용히 입을 열었다.

"있잖아요. 나한테 크리스마스는 항상 악몽 같은 날이었거든요……."

거리에 울리는 캐럴, 환하게 번쩍이는 불빛과 커다란 트리를 보면 반사적으로 옛 기억이 떠올랐었다. 왁자지껄한 놀이공원의 거대하고 화려한 트리 앞에서, 홀로 버려져 엄마를 외치며 울부짖었던 기억의 조각이…….

"그런데, 이젠 캐럴이 들려도, 트리 앞에 있어도 슬프지 않아요. 준원 씨랑 함께 있어서 그렇겠죠?"

소곤소곤하게 물으며 올려다보자 준원이 도희의 머리를 상냥하게 어루만졌다.

“네. 그러니까 앞으로 매년 같이 트리 만들어요. 평생 절대 도희 씨 혼자 두지 않을 거니까.”

두근, 두근. 도희는 빠르게 뛰는 심장 박동을 느끼며 단단한 어깨에 기대어 웃었다. 함께 있다는 사실만으로도 이렇게 웃음이 끊임없이 흘러넘치는 것은 축복과도 같은 일이었다. 몽환적인 분위기 속에 서로에게 기대 트리를 바라보고 있는데, 어느덧 벽에 걸린 시계의 바늘은 빠르게 움직여 자정을 알렸다.

12월 24일 00시 00분.

드디어, 그날이 되었다.

“도희야.”

저를 부르는 낮은 음성에 도희의 가슴이 쿵 울렸다. 동그랗게 뜨여진 눈을 귀엽게 보며 준원은 트리에 달린 상자 중 유난히 크기가 큰 상자를 떼어 냈다.

길쭉한 손가락은 단번에 리본을 풀어 상자를 열었다. 그 안에서 모습을 드러낸 것은 다이아몬드와 루비가 촘촘히 박힌 열쇠 모양 목걸이였다. 놀란 도희와 눈을 맞추며 웃은 준원이 부드럽게 그녀의 목에 목걸이를 걸어 주었다.

“생일 축하해.”

12월 24일은 도희가 차 사고로 숨을 거두고 타임 루프가 일어났던 날이었다.

그리고, 그녀의 생일이자 크리스마스이브.

“널 만난 건 내게 기적보다 더한 일이야…….”

내 생에 모든 불행을 전부 행복으로 바꾸어 놓은 단 하나의 사랑.

“세상에서 가장 행복한 여자로 만들어 줄게.”

따스한 약속에 도희의 가슴에는 물기가 차올랐다. 제 목에 감긴 목걸이를 손끝으로 더듬으며 웃었다.

“상상도 못 했는데…….”

수줍게 올라간 입꼬리가 사랑스러웠다. 두 팔을 뻗은 준원은 도희를 뒤에서 꽉 끌어안으며 귓가에 속삭였다.

“태어나 줘서 정말 고마워.”

제 어깨에 고개를 묻는 준원을 느끼며 그의 머리를 한 손으로 끌어안았다.

“나도 고마워, 준원 씨…….”

단정한 준원의 머리칼이 도희의 손 아래 흐트러졌다. 느껴지는 온기에 도희의 가슴은 파도처럼 일렁였다.

“생일날 보통 소원 빌잖아요. 어렸을 때부터 지금까지 내 소원은 늘 같았어요.”

나지막이 입을 연 도희는 제 마음속에 담긴 이야기를 털어놓았다.

“성공하게 해 주세요. 돈 많이 벌게 해 주세요.”

씁쓸한 미소가 입가에 감돌았다.

“악바리처럼 성공만을 위해 앞만 바라보고 달렸던 내가, 올해는 처음으로 다른 소원을 빌려고 해요.”

비스듬히 준원을 향해 올라가는 눈매가 부드럽게 휘었다.

“행복하게 해 주세요.”

그저 건강하게 웃을 수 있게만 해 주세요……. 삶에 진정한 가치는 부와 명예, 성공에 있는 것이 아니었다.

“비혼주의였던 내가 결혼을 결심한 것도 비슷한 마음이에요. 돈,

커리어, 성공, 이런 것들이 가장 중요했던 나에게 그보다 더 소중한 가치가 생겼으니까."

"……고마워요. 나를 진심으로 가치 있게 생각해 주는 사람, 도희 씨가 유일해요."

까만 눈동자가 열화와 같은 온기를 품고 뜨겁게 내려앉았다.

"지금의 난, 도희 씨와 함께해서 더 나은 사람이 됐어요. 앞으로도 우리가 함께하면 더 좋은 우리로 나아갈 수 있을 거라고 믿어요"

준원의 속삭임에 도희가 웃으며 그의 입술에 입을 맞추었다. 12월 24일 자정이 넘은 시각. 타임 루프가 일어나기까지 24시간도 남지 않았지만, 두 사람은 서로가 있기에 조금도 두렵지 않았다.

아침이 되면 해가 뜨듯이, 이 두려움은 반드시 물러갈 테니까.

날이 밝고 태양 빛이 영롱한 아침이 되었다. 오늘 두 사람은 함께 집 안에 온종일 틀어박혀 단둘이 시간을 보내기로 하고 나란히 연차를 냈다. 이른 아침부터 기상한 준원은 도희를 위해 고기를 한가득 넣은 미역국을 끓여 주었다. 맛있게 아침 식사를 마친 두 사람은 미리 주문해 두었던 케이크를 꺼내 초를 꽂았다.

"맛있겠다! 초콜릿 먼저."

함께 소원을 빌고 초를 분 도희는 제 취향이 백 퍼센트 반영된 초콜릿 케이크를 신나게 먹기 시작했다.

"으음, 달다. 맛있어."

장식으로 올라가 있는 하트 모양 초콜릿을 쏙 빼 먹은 도희는 세상 기쁜 표정을 지었다.

“이거 은근히 질투 나려고 하네. 케이크를 너무 좋아하니까.”

픽 웃음을 터뜨린 준원이 장난스레 턱을 괴었다.

“초콜릿이 좋아요, 내가 좋아요?”

“……그게 서른세 살 남자가 할 질문이에요?”

제가 생각해도 조금 많이 유치했단 걸 느낀 준원이 대답 대신 눈을 가늘게 떴다. 시선을 마주하던 두 사람은 동시에 살포시 웃음을 터뜨렸다. 타임 루프가 일어날 예정인 날이었지만 준원과 도희는 내색하지 않고 밝게 하루를 시작했다. 짐짓 초연하게 맞이하는 운명의 날이었다.

이윽고 평화로운 휴가에 찾아온 다소 피 튀기는 현장. 종일 집에서 여가를 보내기로 한 준원과 도희는 이언이 추천한 게임을 함께하기 시작했다.

“아, 빨리 시프트 눌러요! 저거 잡아야지!”

“점프했는데 도희 씨 어디 갔어요?”

“여기, 여기. 이리로!”

“따로 가요, 따로. 그렇지. 침착하게.”

“어? 잠깐! 나 죽겠다! 안 돼!!! 잠깐!”

두 사람이 함께 팀이 되어 협동하는 게임이었으나 이 분야에 영 소질이 없는 도희와 준원은 스테이지 2에서 막혀 더 나아가지 못했다. 초등학생들도 깬다는 게임을 그렇게 몇 시간 동안 고전하다가,

홧김에 도희가 콘센트를 뽑아 버리고 나서야 컴퓨터 게임은 막을 내릴 수 있었다.

“우리 이거 할래요? 걸린 사람 딱밤 내기 어때요.”

마트에서 사은품으로 준 복불복 게임인 악어 이빨 룰렛을 꺼낸 도희가 내기를 제안했다. 쩍 벌어진 악어 모형의 입에 있는 13개의 이빨을 번갈아 가며 하나씩 누르다가 먼저 입이 다물어지는 쪽이 지는 게임이었다.

“후회할 텐데. 내가 은근히 운이 좋아서.”

“그 말은 일단 해 보고 나서 하시죠?”

픽 비웃은 도희가 악어 모형을 책상에 내려놓았다.

“그럼 나부터 할게요. 난 이거.”

가장 안쪽 어금니를 꽉 누른 도희가 의기양양하게 준원을 돌아보았다. 곧장 망설임 없이 중앙의 이빨 하나를 툭 누른 준원이 웃었다.

“이런 건 확률상 정중앙은 아닐 가능성이 크죠.”

“……그런 확률은 누가 내는 거예요?”

황당한 표정을 지은 도희가 이빨 하나를 더 눌렀다. 그렇게 몇 번을 더 반복하고 남은 이빨이 몇 개 남지 않자 슬슬 두 사람 사이에 긴장감이 감돌았다.

“으음…….”

신중하게 고민하던 도희가 뒤에서 두 번째 이빨을 조심스럽게 누르자 악어 모형의 입이 콱 닫혔다.

“악!!!”

도희의 패배였다. 반사적으로 소리치자 준원이 낮게 웃으며 두 손을 허공에 대고 털었다.

"내가 이겼죠?"

"……치. 그래요. 때려요."

도희가 턱을 뾰족하게 치켜들자 낮은 웃음소리가 귓가를 촉촉하게 적시었다. 뽀얀 얼굴에 드리운 머리카락을 넘기는 손길이 다정하고 부드러웠다. 이마를 살살 보듬는 손길은 누가 봐도 딱밤을 때릴 생각이 없어 보였다.

"봐주지 마요. 나 자존심 상하니까 세게 때리라고요! 네?"

뾰로통하게 외쳤으나 준원은 그저 웃을 뿐이었다.

"대답해요! 살살 때리기만 해…… 악!!!"

이마를 쓰다듬던 준원이 돌연 중지를 튕겨 딱! 아프게 딱밤을 때렸다. 욱신욱신 고통이 밀려오자 발끈한 도희의 눈이 부리부리해졌다.

……이게 세게 때리라고 했다고 진짜 세게 때려?!

"다시 해요. 다시!"

"또요? 보나 마나 질 텐데."

"뭐래. 웃기는 소리 하지 마시죠? 운빨로 이겨 놓고 혓바닥이 너무 길어주시는 거지."

승부에 진심인 도희가 귀여워 준원이 웃음을 터뜨렸다.

"그래요. 이번엔 뭐로 할까요? 또 악어?"

"아니요. 복불복은 아닌 것 같아."

아무래도 행운의 여신은 또 이 남자의 손을 들어 줄 것 같으니 다른 방도를 고민해야 했다. 복수의 칼날을 간 도희는 필승의 전략을 떠올리고 회심의 미소를 날렸다.

"상대방 먼저 웃기기 어때요?"

“주고받으면서 공격, 방어. 먼저 웃기는 사람이 승리.”

“좋아요. 도희 씨 먼저 해요.”

신사적으로 양보하는 준원의 배려를 흔쾌히 받아들인 도희는 두 손을 번쩍 들었다. 그대로 준원의 옆구리를 붙잡고 살살 간질여 보았으나 그는 끄떡도 없었다.

……왜 안 웃지? 위기감을 느낀 도희가 목덜미와 배를 집중적으로 공격했으나 준원은 여유롭게 어깨를 으쓱했다.

“나 원래 간지럼 안 타는데, 몰랐어요?”

“…….”

입술을 삐죽인 도희가 하릴없이 물러났다.

“그럼 내 차례죠?”

“아, 잠깐!”

“왜요?”

“그…… 간지럼은 지금부터 반칙인 거로.”

뻴쭘하게 동공을 굴리며 새로운 규칙을 하나 던지는 도희에 준원이 여유롭게 한쪽 눈썹을 들어 보였다.

“어차피 난 간지럼 같은 거 안 태워요. 몸보다 두뇌를 사용하는 뇌섹남 타입이라.”

……몸보다 두뇌를? 순간 긴장한 도희가 입꼬리를 아래로 억지로 끌어내렸다. 절대 웃지 않겠다는 의지로 슬픈 생각을 하며 두 주먹을 꽉 쥐었다.

“미꾸라지보다 큰 물고기는?”

하지만 긴장한 것이 무색하게도 들려온 것은 황당한 물음이었다.
“……그게 뭐예요? 미꾸라지보다 큰 물고기가 얼마나 많은데.”
“그러니까 맞혀봐요.”
“음…… 뭐 개복치?”
“땡. 미꾸엑스라지.”
“…….”
……순간 살짝 웃을 뻔한 도희였다. 자존심 상해! 저딴 아저씨도 아닌 할아버지 개그에 입꼬리가 반응할 뻔하다니!
“재미없었어요?”
“네. 너무 재미없어서 울 뻔했어요, 주먹이 아주 징징징.”
헛웃음 친 준원이 도희의 작은 주먹을 감싸 아래로 내렸다. 그 손을 확 끌어당긴 도희가 승부욕을 불태우며 마지막 한 방을 준비했다.
“그럼 이제 내 차례죠?”
“네. 도희 씨 차례.”
숨겨 왔던 필살기를 개방하려는 듯 도희의 눈빛이 비장해졌다. 슬쩍 준원의 손을 놓은 도희는 곧장 활짝 예쁘게 웃으며 손으로 하트를 그렸다. 쪽, 준원의 볼에 뽀뽀한 도희가 사르르 눈웃음 지었다.
“오빠.”
“…….”
“준원 오빵.”
한 번도 본 적 없는 도희의 애교에 준원의 입술이 벌어졌다. 세상 사랑스러운 모습에 자연스럽게 올라가는 입꼬리를 막을 수가 없었다. 결국 큰 소리로 웃음을 터뜨린 준원이 제 얼굴 짚으며 고개를 저었다.

"그래요. 내가 졌어요."

감정 장애를 안고 평생을 억지로 웃어 왔던 준원이었기에 불과 몇 개월 전이면 질 리가 없는 게임이었다. 하지만 이제는 도희를 만나기 이전의 모습이 기억나지 않을 정도로 자연스럽게 웃음이 지어졌다. 그동안 준원이 얼마나 많이 바뀌었는지를 여실히 보여 주는 순간이었다.

"도희 씨가 너무 귀여워서 어쩔 수가 없었……."

빠악!!! 말을 채 잇기도 전에 도희는 검지와 중지를 모아 준원의 손목을 부러뜨릴 듯이 내려쳤다.

"아……."

구멍이라도 내어놓을 작정인 양 세게 때리는 바람에 낮게 신음을 흘린 준원이 미간을 모았다.

"왜 이마가 아니라 손목이에요?"

"내가 미친 사람도 아니고, 한 달 전에 두개골에 금 갔었던 사람 이마를 때리진 않죠."

"……우리 한 판 더 합시다."

의미심장한 말에 도희가 움찔했다.

"시…… 싫어요."

"왜요? 한 번 더 해요."

"……으음."

"깔끔하게 가위바위보로 하죠. 어때요?"

못마땅하게 준원을 보던 도희가 어쩔 수 없이 고개를 끄덕였다. 세상 엄숙하고 긴장되는 분위기가 감도는 가운데, 준원과 도희는 가위바위보를 했다.

“아!!!”

보자기를 낸 도희는 가위를 낸 준원에게 패배하고 말았다.

“이씨…… 그래요, 때려요. 아주 그냥 날 죽여!”

두 눈을 꽉 감은 도희가 어깨를 바짝 움츠렸다. 제 이마에 느껴질 고통을 상상하며 얼굴을 꾸깃꾸깃 구긴 채 긴장해 있는데,

“음…….”

돌연 입술로 촉촉한 입술이 부드럽게 포개져 왔다. 강하게 빨아들이는 감각과 함께 앞에서 밀려오는 거구에 의해 흐드러지게 눕혀졌다. 놀란 도희는 바닥에 깔린 채로 제 입술에 키스하는 준원을 느끼며 비스듬히 눈을 떴다.

“……뭐야, 갑자기.”

입술을 뗀 준원이 쪽, 이마에 키스하며 나지막이 웃었다.

“이마, 많이 아팠어?”

못 견디게 부끄러워진 도희가 얼굴을 붉히며 준원의 어깨를 톡 쳤다.

“……몰라.”

“미안해. 힘 조절을 못 했다.”

은근슬쩍 귓가를 녹이는 반말과 제 위를 장악한 커다란 몸에 심장이 터질 것처럼 박동했다. 아슬아슬하게 스치는 두 입술 사이에 맴도는 숨결이 점점 무덥게 짙어졌다. 화끈 열기로 달아오른 도희는 배꼽 근처가 간질간질한 기분에 입술을 혀로 한번 적셨다.

“눈 감아.”

어둑한 목소리가 그녀의 귓바퀴를 타고 끈적하게 흘렀다.

“키스하게…….”

반사적으로 눈을 감자 비스듬히 고개를 튼 준원이 도희의 아랫입

술을 부드럽게 물고 빨아당겼다. 능숙하게 제 안을 파고드는 몰캉한 혀에 촉촉한 감각이 감미롭게 뒤엉켰다. 누구의 것인지 모르게 뒤섞인 끈적끈적한 타액이 입 안을 함빡 적시자 호흡이 턱 끝까지 차올랐다. 할짝, 입술을 핥고 떨어진 준원이 비스듬히 도희를 내려다보았다.

"……아."

두근, 두근. 허리를 파고드는 커다란 손에 정신이 나가 버릴 것만 같았다. 살결을 쓰다듬는 다정한 손길은 황홀함 그 자체였다.

"귀여워……."

손이 닿는 부위마다 발갛게 달아오르는 피부는 더없이 사랑스러웠다.

"나날이 더 좋아져서 큰일이네……."

마음엔 한계가 없어서, 우주처럼 무한히 뻗어 나갈 수 있다. 더 좋아할 수 없을 만큼 좋아한다고 생각했는데……. 이보다 더 사랑할 수 있다는 게, 이 얼마나 큰 축복인가.

"도희야."

나직하게 웃은 준원은 도희의 뺨을 부드럽게 보듬었다.

"네가, 내 여자라서 좋아."

배시시 웃은 도희가 양팔을 뻗어 그를 꽉 끌어안았다. 분명히 오늘은 그토록 무서워했던 12월 24일이었는데도, 두려움 대신 사랑만이 한가득 넘치는 행복한 하루였다.

은밀하고 달콤한 시간을 보내고 찾아온 밤. 저녁을 먹은 도희와

준원은 함께 맥주를 마시며 소파에 앉아 로맨스 영화 한 편을 다 보았다. 함께 씻고 침실에 들어오니 어느덧 시간은 자정을 향해 달려가고 있었다.

"올해도 며칠 안 남았네요. 나이 또 한 살 더 먹겠다."

준원과 도희는 침대에 마주 보고 누워 가만히 서로를 지켜보며 시시콜콜한 대화를 나누었다.

"그러게요. 곧 신년이네요."

"준원 씨, 우리 1월 1일에 해돋이 보러 갈까요?"

"좋아요. 옷 따뜻하게 입고 가요."

도희와 준원은 눈을 마주하며 함께 웃었다. 이렇게 아무것도 하지 않고 얼굴만 보고 있어도 웃음이 마를 새가 없었다. 팔을 뻗은 준원은 잘록한 허리를 감아 끌어당기며 오뚝한 콧잔등에 입을 맞추었다.

"잠들 때, 눈 뜨고 일어날 때…… 혼자가 아니라는 게 이렇게 행복한 일일 줄 몰랐어요."

준원의 속삭임에 도희가 잔잔하게 입꼬리를 들어 올렸다.

"나도 그래요. 퇴근하고 왔을 때 적막한 집 안이 되게 싫었는데…… 누군가와 시간을 공유한다는 거, 되게 멋진 일인 것 같아요."

물론 두 사람이 공유하고 있는 시간은 결코 평범하지 않았다. 끝을 알 수 없는 반복의 굴레에 빠져 있었으니까.

"……시간이 과연 흐를까요?"

온종일 집에서 함께 시간을 보냈던 도희와 준원은 자정이 가까워진 지금까지 무탈하게 하루를 보냈다. 사고는 일어나지 않았지만, 아직 끝난 것은 아무것도 없었다. 첫 번째 타임 루프에서 도희가 세상을 떠나고, 정확히 12월 24일 밤 11시 59분에 시간은 앞으로 되돌아갔었다. 타임 루프가 사라진 게 아닌 이상, 시간은 다시 두 달하고도 열흘 전, 즉 10월 14일로 되돌아갈 터였다.

"타임 루프는 끝날 거예요. 반드시."

이건 우리의 후회가 만들어 낸 현상. 시간이 흐를 거라고 굳게 믿으면 비로소 이 현상은 끝이 날 터였다.

"만약에, 정말 만약에요……."

이제 남은 시간은 4분,

"또다시 시간이 10월 14일로 되돌아간다고 해도……."

지그시 눈을 감았다 뜬 도희가 준원의 눈을 똑바로 바라보았다.

"우린 이 순간들을 잊지 말아요. 우리가 사랑했던 지금, 이 순간을."

나도 다시는 기억을 잃지 않을 테니까…….

부디 우리의 마음이 이 일상을 지켜 주길 바라.

톡, 분침이 고요하게 움직였다.

11시 57분.

……내일은 올 거야. 반드시 시간은 흐를 거야.

도희와 준원은 속으로 되뇌며 고요하게 숨을 죽였다.

톡. 11시 58분.

"도희야."

작게 벌어진 준원의 입술이 가늘게 떨렸다.

"……사랑해."

나는 살고 싶어, 너와 함께 내일을 살고 싶어.

"나도, 많이……."

톡. 11시 59분.

"사랑해, 준원 씨."

두 사람은 운명을 정면으로 마주하며 지그시 눈을 감았다. 움직이는 초침에 따라 준원과 도희의 심장이 쿵, 쿵, 울렸다. 주변이 고요하게 잠들고 시간이 멈춘 듯한 기분에 휩싸였다.

똑딱, 똑딱, 똑딱. 톡.

12시 00분.

도희는 질끈 감았던 눈꺼풀을 느슨하게 떠 올렸다.

"……."

아무 일도 일어나지 않았다. 시간은 정상적으로 흐르고 그토록 바라던 12월 25일이 되었다.

"……하……."

도희는 울컥 가슴에 치미는 뜨거운 열기를 느꼈다. 북받쳐 오르는 감정에 도희의 눈가에는 촉촉하게 물기가 고여 들었다. 아무 일도 일어나지 않은 지금, 그 어느 때보다도 평온한 순간이었다. 참아왔던 울음이 단번에 터지며 볼을 타고 하염없이 흘렀다.

기적이 일어난 순간. 준원과 도희는 말없이 서로를 꽉 끌어안고 포옹했다. 살아남았다는 안도감과 여러 가지 감정들이 복합적으로 밀려온 도희는 준원의 가슴에 얼굴을 묻고 눈물을 쏟아 냈다. 그런 도희를 절대 놓아줄 수 없다는 듯 세게 부둥켜안은 준원이 짙은 숨을 내뱉었다. 두 사람은 누가 먼저랄 것도 없이 떨리는 입술을 포개었다. 마주 닿은 입술로부터 느껴지는 뜨거운 온기가 이 순간이 꿈이 아닌 현실이란 것을 느끼게 해 주었다.

……이건 우리의 일상의 기록이다. 지나고 나면 아픔이 아닌 추억이 될, 삶의 빛나는 한 페이지가 비로소 지나갔다.

두려움은 모두 사라졌다.

+

EPILOGUE

추운 겨울은 빠르게 지나가고 벚꽃이 예쁘게 쏟아지는 봄이 되었다. 그날 이후로 타임 루프는 완전히 사라졌고, 도희와 준원은 그토록 원하던 평범한 행복을 거머쥐게 되었다.

오늘은 두 사람이 결혼식을 올리는 날. 푸르른 정원에서 야외결혼식을 올리게 된 새신랑 새신부는 화창한 날씨 아래 그 어느 때보다도 빛이 났다.

"이제 부부로 탄생한 두 사람이 새로운 인생의 첫발을 내딛게 되었습니다."

근사한 턱시도를 차려입은 준원과 고아한 머메이드 웨딩드레스를 입은 도희는 따스한 봄 햇살 아래 손을 맞잡았다.

"두 사람의 무한한 행복을 위하여 하객 여러분께서는 큰 박수로 축하해 주시길 바랍니다."

자리에 앉은 지인들은 이 자리의 주인공인 두 남녀를 바라보며 우렁차게 손뼉을 마주쳤다. 행진을 앞둔 준원과 도희는 부드럽게 시선을 마주하며 웃었다.

"갈까요?"

그들은 불행했었다. 지금 이 행복이 믿기지 않을 만큼, 끝없는 어둠에 잠겨 있었다. 마음의 문에 빗장을 걸어 잠그고 그 누구도 들이지 않고 홀로 불행을 자처했었다. 그랬던 그들은 굳게 닫힌 마음의 문을 열어젖히고, 서로의 안으로 들어와 기적처럼 따뜻한 불을 밝혀 주었다. 오랫동안 외롭게 얼어 있던 둘은 서로에게 녹아내렸다.

"사랑해요, 준원 씨……."

이제 남은 것은 미래를 향해 함께 전진하는 일.

"내가 더 사랑해요."

칠흑의 어둠을 이기는 마음의 빛.

이건 아마도…… 당신이 있기에 가능했던 기적.

> 외전으로 이어집니다.

segue.
이어서

a due.

외전

+

전지적 짝사랑 시점

지금으로부터 20년 전. 아주 어린 초등학생일 때부터 이언과 누리는 친구 사이였다. 이언은 대구에, 누리는 서울에 살았기 때문에 자주 만나지는 않았지만, 부모님끼리 아주 친밀한 사이였기에 종종 왕래가 있었다.

그렇게 적당히 아는 사이였던 두 사람이 본격적으로 친해진 것은 이언의 가족이 서울로 이사를 오면서부터였다.

"여기는 대구에서 전학 온 친구, 강이언이에요. 새 친구가 잘 적응할 수 있도록 모두 잘 대해 주세요."

대구에서 초등학교를 졸업한 이언은 중학교 2학년 시절 누리와 도희가 다니던 중학교에 전학을 왔었다. 이언은 도희의 옆자리에 앉게 되었고, 그렇게 도희와 처음 만나게 되었다.

"……안녕?"

짝꿍이 된 도희에게 인사를 건넸으나 그녀는 이언 쪽을 흘끔 곁눈질하더니 고개를 한번 끄덕일 뿐이었다. 이름이라도 알려주는 게 보통일 터였으나, 도희는 아무 말도 없이 읽던 책에 도로 시선을 돌렸다.

"……."

그런 도희의 첫인상은 딱 한 줄이었다. 예쁘지만 쌀쌀맞은 여자애. 전학 오기 전부터 상상했던 서울 여자애들의 표본이었다. 놀랄 정도로 화려한 얼굴이긴 했지만, 그 미모를 가릴 만큼 도희는 계속 차가운 표정을 짓고 있었다.

'웃으면 되게 예쁠 것 같은데…….'

어쩐지 웃는 얼굴이 궁금하다고 생각할 즈음. 건너편에 앉아 있던 누리가 찾아와 이언에게 알은척을 했고, 도희를 정식으로 소개해 주었다.

"얘는 내 제일 친한 친구, 백도희! 인사해!"

그제야 창밖만 보던 도희가 이언에게 관심을 보이기 시작했고, 그렇게 두 사람은 처음으로 말문을 텄다. 조금은 어색하고 껄끄러웠던 순간, 이언이 도희를 처음 만난 날의 기억이었다.

한 달의 시간이 흐르고, 세 사람이 꽤 친해졌을 때의 토요일. 학교 체육관에서 운동을 마친 이언은 늦은 시간에 집으로 돌아가기 위해 교문 밖을 나섰지만 얼마 가지 않아 멈칫할 수밖에 없었다.

"왜 갑자기 비가 오냐."

억센 빗물이 땅을 거침없이 때리고 있었기 때문이었다.

"하. 우산 없는데……."

교문 앞에 서서 한숨을 쉰 이언이 난감하게 폭우가 쏟아지는 하늘을 바라보던 찰나였다.

뒤에서 뚜벅뚜벅 단정한 발걸음 소리가 들려오는가 싶더니 도희가 차분하게 다가와 우산을 펼쳤다.

“뭐야. 강이언 너 우산 없어?”

“보면 모르냐. 넌 왜 아직도 학교에 있어?”

“곧 중간고사잖아. 도서관에서 공부했지.”

보육원에서 생활했던 도희는 일찍 집으로 돌아가도 공부할 수 있는 환경이 아니었다. 그래서 종종 이렇듯 학교 도서관에서 공부하다가 집에 돌아가고는 했다.

“씌워 줄까?”

“어?”

“우산 없다며. 같이 쓰고 정류장까지 가자.”

사실 택시를 탈 생각이었던 이언이었지만 왠지 모를 기분에 이끌려 고개를 끄덕였다.

“우산 줘. 내가 들게.”

이언은 약간 어색한 기분으로 중얼거리며 손을 뻗었다. 도희가 우산대를 넘기자 작은 우산에 커다란 몸집이 들어왔고, 두 사람은 발을 맞춰 교문을 나섰다. 흘끔 곁눈질한 도희는 멀찍이 떨어져서 걷는 이언이 못마땅했다.

“왜 그렇게 떨어져서 걸어?”

축축하게 젖은 어깨가 거슬려 그의 옷자락을 잡고 살짝 자신의 쪽으로 잡아당겼다.

“다 젖는다, 바보야. 더 이쪽으로 붙어.”

안 그래도 또래보다 훨씬 몸집이 큰 이언인데 우산을 절반만 걸치고 있자니 쓰나 마나였다.

"어? 자, 잠깐……."

당황한 이언이 말을 더듬었다. 두 사람의 어깨가 딱 달라붙으며 순식간에 밀착되자 긴장이 몰려와 숨을 멈추었다.

"비 많이 오네. 그렇지?"

무덤덤한 도희의 음성에 뻣뻣하게 굳은 이언이 살짝 아래를 내려다보았다. 항상 보았던 얼굴이 숨결이 느껴질 만큼 가깝게 있자 심장이 낮은 소리를 내며 쿵쿵거렸다.

"……백도희, 넌 진짜 종잡을 수 없는 애야."

"뭐래. 왜 시비야? 비 쫄딱 맞으며 가고 싶은가 보지?"

"……큼."

남에게 관심 없고 도도한 애라고 생각했던 도희는 사실 따뜻한 마음을 가지고 있었다. 이언은 제 어깨에 닿는 도희의 체온에 왠지 머리에 열이 오르는 기분이었다. 그녀에게서 항상 풍겨 오던 달콤한 과일 향기가 코끝을 자극하자 우산대를 쥔 손에 힘이 들어갔다.

'미치겠다…….'

머리가 새하얗게 물드는 기분이었다. 정류장으로 향하는 5분이 5년으로 느껴졌다.

"헐, 너 어깨 다 젖었잖아!"

정류장에 도착해서 우산을 접은 도희는 이언의 축축하게 젖은 어깨를 보고 소리쳤다.

"그러게 왜 자꾸 우산 밖으로 나가? 내가 붙으라고 그렇게 말했는데."

"아니야. 괜찮아. 집 가서 말리면 되고……."

일순 하얀 손이 제 어깨에 닿자 이언이 움찔했다.

"뭐, 뭐 하는 거야?"

"움직이지 말고 가만히 있어. 바보야."

가방에서 티슈를 꺼낸 도희는 그의 젖은 교복 재킷을 꼼꼼히 닦아 주었다. 그 느릿느릿한 손길에 움찔한 이언의 몸이 딱딱하게 굳었다. 온몸의 신경이 온통 어깨로 쏠려 있는 것만 같아 침을 꿀꺽 삼켰다. 당황한 이언이 서둘러 도희의 손을 붙잡았다.

"안 닦아도 되는데……."

그 순간 고개를 들어 올린 도희와 시선이 맞부딪혔다. 커다랗고 동그란 눈동자를 정면으로 마주한 이언의 심장이 쿵 내려앉았다. 갑작스럽게 밀려오는 알 수 없는 감정에 사고가 일순 정지했다. 달콤한 체취가 코끝을 찔러 오고 얼굴이 붉게 달아올랐다.

"뭐야? 너 어디 아파?"

빨개진 이언의 얼굴에 놀란 도희가 걱정스레 물었다.

"아니, 그게……. 더, 더워서……."

"덥다고? 날씨가 이렇게 추운데?"

"……."

4월의 꽃샘추위에 무리수를 던졌다는 것을 인정할 수밖에 없었다. 할 말을 잃은 이언이 입술을 꾹 다물었다.

"비 맞아서 감기 걸린 거 아냐?"

걱정스럽게 중얼거린 도희가 손을 뻗어 이언의 이마를 짚었다. 동시에 흠칫한 이언의 눈이 커다랗게 뜨여졌다. 제 이마에 닿은 작은 손은 추운 날씨에도 따뜻했고 부드러웠다.

"열은 없네. 다행이다."

그렇게 말하며 픽 웃는 얼굴에 이언의 심장이 떨어졌다. 이내 엄청난 속도로 쿵쿵, 박동하기 시작했다. 완전히 사고가 정지한 이언은 바보처럼 멍하니 서서 도희를 바라보았다.

"아, 나 버스 왔다. 나 먼저 갈게. 월요일에 봐."

"……어, 잘 가."

도희는 때마침 도착한 버스를 타고 자리를 떴다. 하지만 이언은 그 이후로도 한참 동안 멍하니 그 자리에 묶인 듯 서서 도희가 떠난 자리를 물끄러미 응시했다.

"하……."

한참 만에 터뜨리듯 헛숨이 터졌다. 빨개진 얼굴에 마른세수하며 한숨 지었다.

"……미쳤다."

그날 밤 이언은 잠을 이루지 못했다. 15살, 첫사랑의 시작이었다.

이언이 보기에 도희는 참 이상한 친구였다. 첫인상은 까칠하고 퉁명스럽게 보였지만, 사실은 다정하고 배려심 있었다. 자신이 손해를 보더라도 당연하다는 듯 타인을 도왔고, 생색 한번 내지 않는 성격이었다.

그리고, 자신의 약점을 절대 드러내지 않는 사람이었다. 그걸 알게 된 사건은 중학교 3학년 여름에 일어났다.

"우리 포롱이가 나가서 돌아오질 않아. 아무 일 없었으면 좋겠는데……."

도희네 보육원에서 길렀던 강아지가 돌연 행방불명 된 것이었다.

"내가 같이 찾아볼까?"

"나도! 학교 끝나고 다 같이 찾자."

이언과 누리가 강아지를 찾는 데 동참했고, 그렇게 전단까지 만들며 수소문한 지 며칠 지나지 않은 날이었다. 목줄이 끊어져 홀로 보육원을 나섰던 포롱이가 집에 돌아오지 못하고 배회하다가 4차선 도로에서 차에 치여 죽었다는 소식을 들었다.

"야……. 백또, 괜찮냐?"

걱정스레 묻는 이언의 말에 도희는 아무렇지 않은 듯 어깨를 으쓱했다.

"응. 괜찮아. 어쩔 수 없지, 뭐."

이언은 아무렇지 않은 척 씩씩하게 대답하는 도희의 말을 곧이곧대로 믿고 그녀가 아주 강한 사람이라고 생각했다. 하지만 다음 날 학교에서 도희를 만났을 때, 그녀의 눈은 빨갛게 부어올라 있었다.

"강이언, 하이. 오늘 날씨 되게 덥더라."

전날 얼마나 운 것인지 퉁퉁 부은 눈을 하고 도희는 웃는 낯으로 아무렇지 않게 인사했다. 겉으론 결점 하나 없이 강하게만 보이던 도희가 사실은 얼마나 약하고 여린 아이인지를 깨닫게 된 순간이었다.

그리고 그날, 이언은 속으로 생각했다. 도희를 반드시 행복하게 해 주겠다고. 혼자 눈물 흘릴 일 없도록 만들어 주겠다고. 의지가 될 수 있는 쉼터가 되어 주겠다고……. 그 맹세를 지키기 위해, 이언은 10년이 넘는 세월 동안 도희의 옆을 지켰다.

……하지만, 이언은 미처 알지 못했다. 언젠간 그녀를 다른 사람 곁으로 보내 줘야 할 순간이 온다는 사실을…….

5월의 첫째 날, 토요일. 도희와 준원의 결혼식이 있는 날이었다. 밤새 잠을 설친 이언은 무거운 몸을 이끌고 결혼식이 열리는 야외 예식 공원으로 향했다. 북적이는 사람들 틈에서 캐슬 안에 위치한 신부 대기실을 찾는 이언의 걸음걸이는 결코 가볍지 않았다.

"어? 강이언, 왔어?"

순백의 화려한 웨딩드레스를 입은 도희가 활짝 웃으며 이언에게 인사했다.

"왜 이렇게 늦게 와, 멍청아!"

오전부터 들러리로 도희를 도왔던 누리가 타박하자 이언이 헛웃음 쳤다.

"차가 막혀서 좀 늦었다. 그래도 아직 시간 괜찮잖아?"

누리에게 대충 변명한 이언이 도희에게로 시선을 돌렸다.

"뭐…… 잘 어울리네, 드레스."

무덤덤하게 한마디 툭 뱉자 고운 입꼬리가 부드럽게 올라갔다.

"그럼. 말 안 해도 알지, 나 예쁜 거."

"뭐래. 예쁘다고는 안 했거든? 뭔 놈의 새신부가 잘난 척을……."

쯧쯧 혀를 차자 지켜보던 누리가 이언을 끌어당겨 도희의 옆에 풀썩 앉혔다.

"자, 자. 빨리 사진 찍자. 시간이 별로 없어."

"아, 뭔 사진을 찍어? 난 안 찍을래. 너희 둘이 찍어라."

"어쭈. 이게 죽으려고 토를 다네?"

"야, 원래 경상도 출신 남자는 사진 같은 거 안 찍는다고. 알아?"

"왜? 사진 찍으면 대구 시청에서 잡아가기라도 하냐?"

갑자기 출신을 들먹이는 이언에 도희가 가볍게 농담을 던지며 쿡쿡 웃었다.

"아니면 요즘 거의 연예인이라고 빼기는 거야, 뭐야?"

"아, 알았어! 찍을게, 찍을게!"

결국 두 손 두 발 다 들고 항복한 이언이 아무렇게나 소리쳤다. 그 호탕한 허락에 내내 서서 눈치를 보던 사진사가 웃으며 손짓했다.

"자, 자. 남자분 어서 앉아 보세요! 찍습니다."

찰칵!

도희를 가운데 두고 누리와 이언이 앉자 사진사가 셔터를 눌렀다. 그렇게 몇 장을 찍은 뒤 자리에서 일어난 이언은 아까부터 내내 행복한 듯 웃고 있는 도희와 눈을 마주했다.

"와 줘서 고마워, 이언아. 난 솔직히 네가 안 올 줄 알았거든."

"네가 결혼하는데 어떻게 안 오냐? 전쟁 나도 와야지."

"오올. 의리남."

장난스럽게 대꾸한 도희가 눈짓하자 이언이 괜스레 목을 가다듬었다. 머쓱하게 뒷머리를 긁적이는 이언의 시선 끝에 도희의 웃는 낯이 걸렸다.

"백또…… 아니, 도희야."

이언의 입술이 조심스럽게 벌어졌다.

"응? 왜?"

짝사랑을 시작한 순간부터, 이언의 바람은 단 한 가지였다.

"너…… 지금 행복해?"

네가 행복했으면 좋겠어. 혼자 눈물 흘릴 일 없었으면 좋겠어.

"응."

그저 환하게 웃을 수 있었으면 좋겠어.

"행복해……. 정말."

그 어느 때보다도 햇살처럼 맑게 웃는 도희에 이언의 입꼬리가 부드럽게 상승했다.

"그래……."

그거면 됐어. 네가 행복하면 그걸로 됐어.

"……다행이다."

네가 웃을 수 있어서 정말 다행이야.

"결혼 축하해, 도희야."

오늘은 오랫동안 잡고 있던 끈을 놓아주는 날.

……16년 전, 어느 봄날에 시작되었던 짝사랑은 이렇듯 화창한 햇살이 쏟아지는 또 다른 봄날에 비로소 막을 내렸다.

+

이십년지기 여자 사람 친구

도희의 결혼식이 끝난 뒤, 이언은 근처 술집에서 혼자 조용히 술잔을 기울였다. 구색을 갖추기 위해 대충 아무 안주나 시켜 놓고 알코올만 내리 들이켰다.

"하아……."

실연 아닌 실연을 한 상황에 청승 떨고 싶진 않았지만, 이렇게 술이라도 마셔야 전부 잊고 털어 버릴 수 있을 것만 같았다. 하지만 고요한 분위기도 잠시. 귀신같이 알고 찾아온 누리가 돌연 이언의 뒤통수를 빡! 갈기며 등장했다.

"야, 여기서 혼자 뭐 하냐?"

순식간에 머리를 얻어맞은 이언이 황당함에 뒤를 돌아보았다.

"연누리……. 미쳤냐? 머리를 왜 쳐?"

짜증스레 묻자 누리는 세상 당당하게 대꾸했다.

"응. 대가리가 딱 강스파이크 날리기 좋게 생겼더라고. 아주 그냥 빠악."

크게 제스처 하며 깔깔 웃는 누리에 이언이 두 손 두 발 다 들었다는 듯 고개를 절레절레 내저었다. 그런 이언을 가만히 보던 누리가 픽 웃으며 앞의 의자를 빼고 털썩 앉았다.

"비련의 여주인공처럼 혼자 처박혀서 술 마시니까 좋냐?"

"……좋겠냐?"

"실연의 아픔이 그렇게 크디?"

"……하."

가볍게 물어도 대답하지 않고 그저 한숨만 푹푹 내쉴 뿐이었다. 말없이 술잔을 들이켜는 이언을 한심하게 바라보며 누리가 오른팔을 번쩍 들었다.

"이모! 여기 닭발에 소주 한 병, 그리고 수저랑 잔 하나 더 세팅해 주세요."

"……허."

이언이 황당함에 헛숨을 터뜨렸다. 제멋대로 자리를 차지하는가 싶더니 대장부처럼 호탕하게 주문하자 그야말로 어이 상실이었다. 무엇보다도…….

"왜 닭발이야? 나 닭발 못 먹……."

"그러니까 시키는 거지. 내가 다 처먹으려고."

"……그래. 많이 먹고 아주 뒤룩뒤룩 살쪄라."

한숨을 푹 내쉰 이언이 소주병을 들고 잔을 가득 채웠다. 주저 없이 꺾이는 손목과 함께 아슬아슬하게 넘실거렸던 수면은 순식간에 사라지고 빈 잔이 되었다.

"재수 없게 왜 자꾸 한숨 쉬고 지랄일까."

그 모습이 못마땅했던 누리가 툭 한마디 내뱉었다.

"뭔 운동하는 놈이 내일 없는 사람처럼 술을 먹어. 내일 골프 연습 없어?"
"응. 당분간 쉬기로 했어."
"너 몇 달 후에 또 세계대회 있잖아. 준비 안 해? 출전한다며."
"몰라……."
오랫동안 가슴에 품어왔던 열병을 지우는 일은 절대 쉽지 않았다.
"아무 생각도 하기 싫어."
이언은 지금 그 어느 것도 신경 쓰고 싶지 않았다. 스스로 마음을 정리할 시간이 필요했기 때문이었다.
"야. 우리도 이제 서른하나다. 어? 늙었어. 죽자고 술 마실 나이 아니라고."
"……그 말을 연누리 너한테 들으니까 어이가 없다, 내가."
하루가 멀다고 술을 마시는 누리의 훈수에 이언은 황당할 뿐이었다.
"아, 어쨌든! 이미 유부녀 된 애한테 그만 미련 갖고 정리하라고. 세상에 여자가 도희 하나냐?"
누리는 축 늘어진 이언을 조금 동정 섞인 눈으로 보며 술을 따라주었다.
"무엇보다도 그거, 도희한테도 서준원 씨한테도 못 할 짓이야."
"알아. 나도……. 정리했어. 그래서."
이언은 한가득 따른 술을 또 한 번에 원샷 하며 후우, 깊은숨을 토해 냈다.
"오늘로 진짜 끝이다."
16년간 단 한 번도 변한 적 없었던 마음을 이제는 접어야 할 때였다.
"이제 더 이상은……."
이 지긋지긋한 짝사랑은 일종의 습관 같은 일이었다. 인식하고 행동하는 것도 아니었고 그저 본능처럼 이끌리듯 좋아했을 뿐이었다.

“뭔가 남들은 다 쉽게 좋아하고 싫어지고 그러는데…….”

계속 한 자리에 매여 있는 감정은 그야말로 악습이었다.

“난 그게 안 돼.”

도희가 아닌 누구에게도 결코 마음이 열리지 않았다. 꽉 막힌 속이 답답해 미칠 것만 같았다.

“왜 이렇게 한심하냐, 나…….”

바보 같은 모습에 자책이 밀려왔다. 물론 오랜 세월 홀로 짝사랑을 하는 동안 포기하고 싶었던 적도 많았다. 그래서 부러 다른 여자를 사귀어 보기도 했고, 도희의 미운 점을 꼽아 보려고 노력하기도 했다. 하지만 결국은 원위치. 이언의 오래된 습관은 그리 쉽게 고쳐지는 것이 아니었다.

“어떻게 남들은 감정이 그렇게 쉽지? 다들 마음이 그렇게 빠르게 흘러?”

세상엔 누리처럼 달마다 애인이 바뀌는 부류도 있었고, 좋아하다가도 금방 시들어 버리는 사람도 많았다.

“난 항상 여기에 멈춰 있는데…… 모두 그냥 빠르게 흘러가.”

“마음 붙들고 살아서 뭐 해. 그냥 흘러가는 대로 내버려 두는 거지.”

누리가 덤덤하게 대꾸하며 제 잔에 알코올을 넘치게 따랐다. 한 사람을 계속 좋아하는 이언이 누리는 도리어 신기할 지경이었다.

“어쨌든 어깨 펴고 살아.”

잔을 치켜들고 건배하는 것처럼 손짓했다.

“너 객관적으로 보면 꽤 멋있는 놈이니까.”

“……뭐냐? 갑자기 소름 끼치게.”

"위로해 줘도 시비네, 이게? 건배나 해."

짠, 두 술잔이 맑은 소리와 함께 가볍게 맞부딪혔다. 단숨에 잔을 비운 이언이 알코올에 젖은 숨을 뱉으며 입술을 열었다.

"근데 연누리 너는 가만 보면 참 신기해."

"뭐가?"

"이놈 만났다가 저놈 만났다가. 365일 중에 남자 없는 날이 이틀은 되냐?"

"아, 이틀 되거든?! 당장 지금도 일주일째 남친 없구만."

"뭐? 또 헤어졌어? 왜?"

"그냥…… 어느 날 갑자기 맘에 안 들더라고. 그래서 2주 플랜 그러데이션 이별을 준비했지."

"그러데이션 이별은 또 뭐야?"

"갑자기 헤어지자고 하면 납득 못 할 거 아냐. 그러니까 2주 동안 그러데이션으로 점점 정떨어지는 것처럼 연기하다가 헤어지자고 하는 거지."

"……아주 징글징글하다, 징글징글해. 그 남자 불쌍해서 어떡하냐?"

상상을 초월하는 이별 방식에 이언이 혀를 찼다.

"연애가 다 그런 거지, 뭐. 이번 달 안으로 새 애인 찾아보려고."

악동처럼 웃은 누리가 호기롭게 두 손가락을 척 펼쳐 보였다.

"알차게 속이 여물고 나보다 두 배 큰 남친으로."

"……무슨 걸리버 여행기 찍냐? 이상형이 거인족이야?"

남자는 무조건 잘생기고 키 크면 장땡이라고 외치는 누리의 이상형은 세상 단순하기 그지없었다.

"덩치가 커야 쓸 만하지. 그리고 혼자 사는 놈이 좋아. 걸릴 게 없거든.”

“참나. 너희 아버지가 너 이런 거 아시면 경기 일으키시겠다.”

자유연애주의자인 누리와 보수적인 사상의 집안은 늘 대립할 수 밖에 없었다.

“그러니까 연누리 넌 나한테 항상 약점 잡혀 있다는 거 명심해라. 어?”

이언은 누리의 부모님과도 친밀한 사이였기에 까딱하면 그녀의 일탈을 전부 불어 버릴 수 있었다.

“이 형님한테 충성하란 말이야. 까불지 말고.”

의리로 비밀을 숨겨 준 지 어언 십여 년째, 장난으로 으스대 보았으나 누리는 씩 웃으며 중지를 들어 보일 뿐이었다.

“응. 엿 먹으렴.”

“……고맙다, 아주. 덕분에 속이 든든하네.”

어쩌다 이런 이상한 애하고 친구를 해서. 이언이 툴툴대며 구시렁거리자 누리가 깔깔 웃었다. 세상 괴이한 대화를 뚫고 때마침 주문한 닭발이 테이블 위로 올라왔다.

“와우, 맛있겠다!”

신나게 젓가락을 들어 올린 누리가 닭발을 집어 쪽쪽 빨아들였다. 영혼까지 흡입할 기세로 닭발 한쪽을 초토화한 누리가 두 번째 닭발을 주워들었다.

“뭐랄까, 내가 남자를 닥치는 대로 만나는 이유는 말이지…….”

포문을 연 누리가 가볍게 어깨를 으쓱했다.

“이 젊음을 낭비하기가 싫어.”

“젊음?”

“응. 좀 있으면 엄마 아빠가 점 찍어 준 상대랑 대충 결혼해서 창살 없는 감옥에서 살 텐데. 그 전에 하나라도 더 만나서 즐겨야지.”

“……결혼을 감옥으로 생각하는 사람은 너밖에 없을 거다. 심지어 오늘 친구가 결혼했는데.”

그러거나 말거나, 누리는 정신없이 닭발을 물어뜯기 시작했다. 야만인을 보는 듯한 눈으로 그 모습을 관망하던 이언이 혀를 찼다.

“나 걱정하지 말고 너야말로 좀 정착해서 살아. 뭔 남자를 달마다 갈아치우면서 만나? 일 년에 12명 고정 풀코스냐?”

“에이씨, 이게! 안 그래도 지금 맘에 드는 남자 없어서 열 뻗쳐 죽겠는데!”

짜증스레 성질을 부린 누리는 먹던 닭발을 도로 내려놓았다. 덥석 잔을 움켜쥔 누리가 과격하게 알코올을 꿀꺽꿀꺽 삼켰다.

“크으…… 야, 더 따라 봐. 내가 오늘 작정하고 같이 마셔 준다.”

“갑자기?”

“간만에 우리 둘 중에 누가 더 오래 버티나 내기하자. 어때?”

이언이 콧방귀를 뀌었다.

“게임이 되겠냐?”

“길고 짧은 건 대 봐야 아는 법이지. 그리고 이미 넌 나보다 더 많이 마셨잖아?”

누리가 오기 전 이미 홀로 소주 두 병은 마신 이언이었기에 페널티는 충분했다.

“그래. 어디 한번 해 보자고.”

같잖다는 듯 비웃은 이언이 술병을 주워들었다. 유치한 말싸움으로부터 발발한 한바탕 전쟁이 치열하게 펼쳐졌다.

그리고, 이때만 해도 누리와 이언은 전혀 알지 못했다. 이 사건이 얼마나 충격적인 상황을 불러일으킬지 말이다.

"으으……."

엄청난 두통에 미간을 찌푸린 누리가 고통스러운 신음을 흘렸다.

"아, 우욱……."

어마어마한 숙취로 속이 메슥거려 구토가 나올 것만 같아 입을 틀어막았다. 천근만근인 눈꺼풀을 조심스럽게 들어 올리자 낯선 천장이 시야에 들어왔다.

뭐지……? 여기가 어디지? 상황 파악이 되지 않아 몽롱한 눈동자를 이리저리 굴렸다. 무채색의 가구들과 천장에 매달린 샹들리에, 새하얀 벽지가 차례로 달려들었다. 난생처음 보는 이곳은 호텔이 틀림없었다.

"……어?"

전날의 기억을 더듬어 보았으나 2차를 간 이후부터 전혀 생각이 나지 않았다. 혼돈에 빠진 눈동자를 굴려 주위를 둘러보던 누리가 아래를 보고는 흠칫 딱딱하게 굳었다. 제 옷이 다 벗겨져 알몸이나 다름없는 상태였기 때문이었다.

"뭐, 뭐야……!"

너무 놀라 숨을 멈춘 누리는 제 가슴을 가리며 옆으로 고개를 돌렸다. 곧 시야에 들어온 거대한 체구를 발견하고 용수철처럼 벌떡 침대에서 일어났다.

"으아아아악!!!"

제 옆에서 벌거벗은 채로 자는 남자는 다름 아닌 강이언이었다. 옆으로 돌아누워 있어 얼굴이 보이진 않았지만, 구릿빛 피부와 운동으로 다져진 근육들이 '나는 강이언이요', 하고 있었다.

"미, 미, 미, 미친……!!!"

"아, 뭐야……."

누리가 한바탕 소란을 일으키자 잠들어 있던 이언의 미간이 움찔거렸다. 잠에 취한 이언이 짜증스럽게 눈꺼풀을 들어 올리며 몸을 돌렸다.

"왜 소리를 지르…… 으아아아악!!!"

마찬가지로 제 옆에 헐벗은 채로 있는 누리를 본 이언이 지구가 떠나가라 비명을 내질렀다. 심지어 자신도 홀딱 벗고 있다는 걸 깨달은 이언은 곧바로 패닉 상태에 빠져들었다.

"꺄아아아아악!!!"

"으아아아아!"

누리와 이언은 합창이라도 하듯 서로에게 삿대질하며 목이 터지라 고래고래 괴성을 내질렀다.

"아, 아……!"

차라리 꿈이기를, 누리가 속으로 절규했다. 졸지에 가족보다 더 친한 이십년지기와 호텔 침대에서 벌거벗고 누운 채 기상하고 말았다. 이게 무슨 끔찍한 일인가?! 꿈이 아니라면 그야말로 대재앙이었다.

+

이십년지기 남자 사람 친구

"강이언, 이 미친 새끼가!!!"

"으아악!!! 눈 버렸어!!!"

누리는 누리대로 게거품을 물며 꽥꽥대고, 이언은 제 눈을 가리며 비위 상했다는 듯 소리쳤다. 물론 충격적인 현장에 패닉이 왔을 뿐 서로 상황 파악은 전혀 안 된 채였다.

"야! 연누리! 네가 내 옷 벗겼냐?"

"뭐래, 이 미친놈이! 너야말로 나한테 무슨 짓을 한 거야!"

"아오, 옷이나 입어! 눈 썩겠다, 진짜!"

"뭐? 썩어? 참나, 어처구니가 없어서!"

이불을 끌어당겨 앞섶을 가린 누리가 황당하다는 듯 이언을 째려보았다. 당혹스러운 상황에 머리가 빙빙 도는 와중 얼른 옷을 입어야겠다는 생각뿐이었다.

"야! 나 옷 입어야 하니까 저쪽 보고 있어!"

누리의 고함에 이언이 헛숨을 터뜨리며 고개를 돌렸다. 서둘러 옷을 주워 입은 누리의 얼굴이 분노로 붉으락푸르락했다.

"너, 강이언 이 새끼!!! 조만간 경찰서에서 정모 있을 테니까 딱 기다려!!!"

"뭐래? 내가 할 말이야! 내가 먼저 신고할 거야!"

누리와 이언은 입에 침이 마르도록 옥신각신 말다툼했다.

"이게 아주 범죄자로 뉴스 1면을 차지해 봐야 정신을 차리지?! 스포츠 스타에서 성범죄 스타로 전락하고 싶냐?"

"그러는 너야말로 방송국에 소문나서 밥줄 끊기고 싶나 보지? 국가대표 강이언을 겁탈한 변태 리포터로 얼굴 팔리게 해 줄까?"

더듬더듬 핸드폰을 찾으며 이언이 아무렇게나 떠들어 댔다.

"뭐? 겁탈?! 돌았냐, 너 지금?"

"남자 갈아치울 때마다 알아봤지, 내가! 너 딱 기다려. 내가 매니저 형한테 전화해서 아주 그냥 참교육을……."

"꺼져! 나야말로 당장 우리 아빠한테 전화해서 네 대가리를 두 동강…… 헉!"

일순 엄청난 사실을 깨달은 누리의 얼굴에서 핏기가 싹 가셨다. 시체처럼 창백해진 누리는 다급하게 이언의 핸드폰을 뺏어 들어 시간을 확인했다.

"몇 시야, 지금?! 나 통금……!"

"통금 같은 소리하고 있네. 밖에 해 뜬 거 안 보이냐? 이미 하루가 지났는데."

"미쳤어!!!"

통금 12시를 지키지 못하면 용돈으로 제공받는 카드가 끊기는 신세였기에 누리는 늘 신데렐라 상태였다. 하지만 이건 대체 무슨 일인가. 술에 취해 다른 놈도 아닌 강이언과 호텔에서 외박하고 만 것이다.

"이런 미친!!!"

"난리 칠 여유 있으면 빨리 집으로 가지?"

"말 안 해도 갈 거거든?! 너야말로 옷이나 입어! 그러고 집 갈 거냐?"

누리는 속옷만 입고 있는 이언에게 삿대질하며 덤벼들었다.

"그래, 재밌겠네! 스포츠 1면에 헤드 라인 딱! 강이언 선수, 알고 보니 바바리맨 꿈나무?! 골프채 말고 다른 걸 덜렁이며 휘두르는……."

"이게 말이면 단 줄 아나!"

벌겋게 달아오른 이언이 크게 소리쳤다. 두 사람 모두 서로 못 잡아먹어 안달인 앙숙처럼 핏대를 세우며 버럭버럭했다.

"아오, 내가 말을 말아야지!"

침대에서 내려와 바닥에 떨어진 옷가지를 대충 주워 입은 이언은 그 어느 때보다도 빠르게 문으로 돌진했다. 하지만 얼마 가지 않아 누리에게 옷자락을 잡혀 백스텝을 밟을 수밖에 없었다.

"어딜 먼저 가려고! 내가 먼저 나갈 거야!"

"뭐 하는……!"

"비켜!!!"

"너나 비켜!"

좁은 문을 두고 서로 먼저 나가겠다고 한바탕 몸싸움을 벌였다. 아웅다웅하다가 동시에 문밖으로 떠밀리듯 나온 두 사람은 엘리베이터로 향하는 와중에도 싸우느라 여념이 없었다.

"진짜 미쳤어, 미쳤다고!!! 아무리 미쳐도 이건 좀 아니잖아!!!"

"내가 할 말이거든?"

"감히 날 덮쳐? 네가 날 덮쳐?! 내가 아무리 예뻐도 그렇지!"

"네 얼굴은 거의 무기인데 뭔 소리야! 그리고 덮치긴 누굴 덮쳐?!

내가 총 맞았냐?"

"허! 진짜 어처구니가 없고 끔찍해서 말이 안 나오는……."

온갖 성질을 다 내며 꺼져 있던 휴대전화를 켠 누리의 동공이 거칠게 흔들렸다. 액정 화면에 떡하니 찍혀 있는 문구에 입이 떡 하고 벌어졌다.

[부재중 전화 71통.]

발신인은 전부 부모님이었다.

"……."

"……."

순식간에 얼어붙은 누리와 함께 그 옆의 이언도 함께 묵념하며 애도를 표했다.

"나…… 죽었다."

망연자실한 누리가 그대로 바닥에 풀썩 주저앉았다. 말도 없이 외박했으니 이대로는 집에서 쫓겨날 게 틀림없었다.

"……설마 죽기야 하겠냐."

"죽진 않지만 대신 내 카드가 죽겠지……."

나름대로 생각해서 던진 말이었으나 누리에게는 조금의 위로도 되지 않았다.

"토할 것 같아……."

집으로 들어가기가 무서워진 누리의 얼굴이 흙빛으로 일그러졌다. 자포자기의 한숨이 고요하게 흘러나왔다.

"아, 몰라. 몰라!"

이렇게 된 거 그냥 똥배짱으로 나가기로 한 누리는 핸드폰 전원을 도로 꺼 버렸다.

"야, 강이언."

"왜?"

벌떡 일어난 누리가 이언의 어깨를 주먹으로 툭 쳤다.

"순댓국 먹으러 가자. 네가 사."

조금 전까지 죽느니 마느니 싸우던 두 사람은 언제 그랬냐는 듯 근처에 순댓국을 파는 가게로 함께 이동했다. 주문한 지 얼마 지나지 않아 팔팔 끓는 뚝배기 두 그릇이 먹음직스럽게 서빙되자 누리가 입맛을 다셨다.

"너 이거 다 먹기만 해 봐. 바로 그냥 경찰에 달려가서, 확 그냥 다리 몽둥이를 부러뜨려 버릴 테니까."

흘끔 이언을 곁눈질한 누리가 흉흉하게 엄포를 놓으며 수저를 건넸다.

"너나 다 먹고 도망가지 마라. 그대로 잡아다가 감방에 넣어 줄 테니까."

서로서로 덮쳤다고 생각하는 둘은 미어캣처럼 서로를 경계하면서도 습관적으로 잔에 물을 따라 주었다. 시선은 그대로 누리를 노려보며 누리의 그릇에 이언이 양념장을 넣어 주었다.

"다대기는 왜 넣어 주고 지랄이야?"

"너 맵게 먹잖아, 아니야?"

"……그래! 잘 아네."

양념장이 양껏 들어가 얼큰해진 국물을 숟가락으로 휘휘 저었다. 누리는 이언을 매서운 눈초리로 흘겨보며 순댓국을 크게 한 수저 퍼 올렸다. 우물우물 먹는 와중에도 눈은 그를 째려보느라 여념이 없었다.

"너 오늘 일 도희한테 말하면 죽는다, 진짜!"

"연누리 너나 말하지 마."

순댓국을 열심히 먹으면서도 서로를 향한 경계는 풀리지 않았다. 서로를 질책하듯 노려보는 두 사람의 생각은 한결같이 똑같았다.

대체 왜? 도대체 어제는 왜 그런 상황이 된 걸까! 뭘 했길래 둘이 호텔에서 헐벗고 일어난 거냐고……!

'토할 때까지 술을 마신 것까지는 기억나는데…….'

살다 살다 강이언과 한 침대에 눕는 날이 오다니, 누리는 제 인생이 황당하고 창피해 죽고 싶은 심정이었다.

"하아……."

두 사람은 합창하듯 동시에 한숨을 쉬었다. 이언도 누리도 기억하지 못하니 전날 밤의 사건은 그저 미스터리일 뿐이었다.

'어젯밤…….'

순댓국을 잠자코 퍼먹던 이언은 곰곰이 전날 밤 일을 기억하려고 노력해 보았다.

하루 전, 도희의 결혼식이었던 5월 1일, 밤.

"2차 가자, 2차!"

함께 내일이 없는 사람들처럼 술을 마시던 누리와 이언은 둘 다 완전히 만취한 채로 거리를 활보하다가 또 다른 술집에 들어갔다.

어김없이 부어라 마셔라 미친 사람들처럼 몇 병을 마시자 시간은 어느덧 야심한 새벽으로 접어들었다. 이윽고 술집의 사장은 영업시간 종료를 알려 왔고, 두 사람은 강제로 가게에서 쫓겨났었다.

"야, 연누리. 일어나. 야! 집 안 가냐?"

"으……."

이언은 만취한 와중에도 누리를 부축해 일으켰지만, 완전히 고주망태가 된 누리는 갈 생각이 없어 보였다.

"안 가……. 못 가……. 통금 지났어……."

"그럼 어쩌라고. 그냥 버리고 간다?"

"나 졸려……. 나 잘래……."

여간 골치 아픈 상황이 아닐 수 없었다. 이언도 취기로 제정신이 아니었기에 다른 선택권이 없었다. 누리를 업고 바로 옆 건물의 호텔로 향해 체크인한 이언은 짐짝 던지듯 그녀를 대충 침대에 버려두었다. 그리고…….

"이 호텔은 왜 이렇게 추워……."

마구 버튼을 눌러 보일러를 30도까지 올린 이언이 머리를 짚으며 비틀거렸다.

"아……. 너무 많이 마셨나."

가까스로 의식을 부여잡고 있었던 이언마저도 몰려오는 술기운에 잠식되고 만 것이다. 결국 의식이 흐려진 이언은 몰려오는 수면 욕구를 이기지 못하고 잠시 눈을 붙일 생각으로 옆의 소파에 누웠다.

"커어어어……."

하지만 얼마 가지 않아 눈을 뜰 수밖에 없었다. 잠결에도 고막을 난도질하는 누리의 코 고는 소리에 일어난 이언은 비몽사몽간에 침대로 다가가 누리의 코를 움켜쥐었다.

"커억, 컥, 억."

이상한 소리를 내기에 다시 놓아주고 소파로 돌아왔는데, 1분도 채 지나지 않아 소음은 재발하였다.

"커어어어어어어……."

더 커다랗고 웅장한 데시벨로. 결국 열받은 이언이 침대로 다가가 누리를 머릿밑 베개를 빼서 아무렇게나 던졌고 그제야 코골이는 멎었다. 그리고 잠결에 아무 생각 없이 누리의 옆 침대에 누운 이언은 그대로 깊은 잠에 빠져든 것이었다.

"더워……."

머지않아 문제가 된 것은 이언이 30도까지 올려 놓은 보일러였다. 누리는 잠결에 허물 벗듯 입고 있던 옷을 벗어 아무렇게나 던졌다. 다 벗고 브레지어 호크까지 풀러 던진 후 대자로 뻗어 취침했다.

"으……."

마찬가지로 누리 옆의 이언도 원래 벗고 자는 습관이 살아나 잠결에 입고 있던 옷을 모조리 벗기 시작했다. 속옷만 빼고 전부 벗어던진 이언도 결국 반나체가 되어 침대에 누웠다. 그렇게 두 사람은 세상 모르게 편안히 아침까지 숙면을 청한 것이었다. 즉, 둘은 아무 일도 없었다.

이 사실을 까맣게 모르는 이언은 혼돈 그 자체였다.

'연누리를 호텔에 던져 놓은 것까진 기억이 나는데…….'

도무지 그 뒤의 기억이 나지 않아 미칠 지경이었다.

'2차 간 것까지는 기억나는데……!'

한편 누리도 마찬가지였다. 심지어 이언보다도 더 일찍 필름이 끊겨 호텔에 간 것조차 기억하지 못했다.

'대체 왜 이렇게 된 거냐고!'

두 사람 모두 기억이 온전치 않았기 때문에 아무 일도 없었다는 것을 알 길이 없었다. 그저 대충 정황상 어림짐작으로 말 못 할 일들이 벌어졌구나, 생각할 뿐이었다.

"야, 강이언."

"왜?"

"넌 진짜 내 가족 같은 친구다, 그렇지?"

"족에 엑센트 주지 마라. 뭐 같은 친구로 들리니까."

"……큼. 어쨌든."

흰 쌀밥을 그대로 국물에 풍덩 입수시킨 누리가 부자연스럽게 목을 가다듬었다.

"그…… 없었던 일로 하자."

"허, 이게 찔리니까 피하려고 하네?"

"뭐? 기껏 선처해 줬건만!"

"선처는 피해자가 가해자한테 하는 거고! 난 당한 입장이지!"

"당하긴 뭘 당해, 멍청아! 진짜 맞아 볼래?"

또 싸움이 시작되며 두 사람이 핏대를 세우고 씩씩거렸다. 하지만 1분도 채 가지 않아 체력이 소진된 누리와 이언은 말싸움을 그만두고 식사에만 열중했다.

"그나저나 여기 순댓국 무슨 일이야. 왜 이렇게 맛있어?"

"그러게. 속 제대로 풀리네."

모든 혼란을 잠재울 만큼 시원한 순댓국 국물은 그야말로 일품이었다.

"다음에 또 해장하러 오자."

"그래. 술은 좀 덜 마시고."

누리의 제안에 이언이 흔쾌히 고개를 끄덕였다. 역시 이십년지기 친구싸움은 칼로 물 베기. 볼꼴 못 볼 꼴 다 본 두 사람은 전날 그런 사달이 있었음에도 또 술 약속을 잡았다.

"야, 강이언. 이거 다 먹고 아이스크림 먹으러 가자."

"콜."

"난 민트 초코."

"절교하자."

민트 초코 성애자인 누리에 반해 이언은 치약 맛을 극도로 혐오했다. 이언이 농담으로 대꾸하자 누리가 박장대소하며 두 팔을 번쩍 들었다.

"드디어? 대박 신나! 빨리 먹고 절교하러 가자, 우리!"

"아오, 진짜 지겨워, 연누리."

쯧쯧 혀를 차자 누리가 깔깔 웃으며 테이블을 찰싹찰싹 내리쳤다. 매일 싸우기는 해도 나름 우애가 남다른 친구 사이였다.

"너 입술 옆에 뭐 묻었다."

"어디? 여기?"

이언이 스스럼없이 누리의 입가에 묻은 이물질을 닦아 주었다.

"여기."

물론 묘하게 전과 다른 기류가 흐르기 시작한 것도 같지만…….

"손은 닦았냐? 더럽다."

"시끄러워."

어쨌든 두 사람은 가장 편안한 친구였다. 무려 이십년지기 절친이니까.

+

달콤한 신혼여행

찬란한 축복 속에 결혼식을 마친 도희와 준원은 신혼여행을 떠나기 위해 비행기에 올라탔다. 두 사람의 신혼여행지는 도희의 버킷리스트 여행지 중 하나였는데, 바닷물이 투명하고 아름답기로 유명한 몰디브였다. 일등석 좌석 중 유일한 커플석에 앉은 두 사람은 들뜬 기분과 별개로 상당히 지친 상태였다.

"도희 씨, 피곤해요?"

"네, 조금요. 호텔에서 쉬고 내일 출발할 걸 그랬나 봐요."

"이리 와요. 안아 줄게요."

준원이 팔을 뻗자 도희가 배시시 웃으며 그의 가슴에 머리를 기댔다.

"출장 가는 거 빼고 해외 처음 가는 것 같아요. 항상 일 때문에 갔었는데."

"나도 그래요. 생각보다 시간을 오래 못 내서 아쉽지만."

하동현 대리는 퇴사하고, 도희는 다른 중추적인 부서로 이동했으니 현재 준원의 팀은 인력이 현저히 부족한 상황이었다. 오래 자리를 비울 수 없는 상태였기에 휴가를 길게 잡지 못한 것이 아쉬움으로 남았다.

"뭐, 나도 눈치 보여서요. 아직 새 팀에 적응 중이기도 하고."

전략기획팀으로 부서 이동한 지 얼마 되지 않은 도희도 신혼여행을 오래 다녀오기에는 무리가 있었다.

"대신 우리 그만큼 재미있게 놀아요."

"그래요. 난 도희 씨만 있으면 뭘 해도 좋으니까."

낮게 웃은 준원이 도희의 머리를 부드럽게 쓰다듬었다. 다정하게 감기는 손길을 느끼며 도희가 배시시 웃었다. 그 예쁘게 상승한 입꼬리를 지그시 주시하며 준원이 입술을 벌렸다.

"그나저나 우리 결혼도 했는데……."

나긋한 음성이 달콤하게 고막을 적셨다.

"호칭을 좀 바꿔 볼까요?"

"호칭이요?"

"네."

갑자기 부르는 방법을 바꾸겠다는 선언에 도희의 한쪽 눈썹이 올라갔다.

"여보."

뜨거운 숨이 준원의 입술을 타고 흘렀다. 커다란 손이 도희의 고운 뺨을 어루만지자 가느다란 속눈썹이 잘게 떨렸다.

"아……."

순식간에 열 오른 얼굴이 복숭아처럼 수줍게 물들었다. 조용한 기내에서 도희의 심장 소리가 고요하게 울려 퍼졌다. 느슨하게 뻗어진 손이 도희의 귓불을 부드럽게 만지작거렸다. 나긋한 손길에 숨이 멎는 듯한 기분이었다.

"나는 안 불러 줘요?"

은근하게 미소 지으며 속삭이는 목소리가 심장이 아릴 정도로 감미로웠다. 어쩐지 창피함이 몰려오자 입술을 꼬옥 옹송그려 물었다. 배 속에 지렁이 100마리가 꿈틀거리는 듯 오묘한 기분에 사로잡혔다.

"여……."

큰마음을 먹은 도희가 입을 열었다. 발그레하게 홍조가 그려진 얼굴을 준원은 귀엽게 바라보았다.

"여어……."

여보, 한마디가 왜 이렇게 어려운지 알 길이 없었다. 준원은 고전하고 있는 도희를 마냥 사랑스럽게 응시하며 잠자코 기다렸으나 뒷말은 쉽사리 들리지 않았다. 한참을 뜸 들이다 결국 도희가 포기한 듯 입술을 다물자 준원이 픽 웃음을 터뜨렸다. 유난히 붉어진 뺨을 한번 꼬집어 당긴 준원은 느슨하게 앞으로 고개를 돌려 앞에 꽂힌 책자를 주워 들었다.

"보."

약 1분 뒤, 들려온 음절은 다소 뜬금없었다. 준원이 고개를 돌리자 도희가 기어들어 가는 소리로 중얼거렸다.

"보…… 여……보."

"보여보?"

"……여……보."

"잘 안 들려요. 뭐라고요?"

"다 들어 놓고 못 들은 척하지 마요."

부끄러워진 도희는 얼굴을 반대쪽으로 홱 돌리며 툴툴거렸다. 그 모습조차도 못 견디게 사랑스러워서, 준원은 도희의 손을 부드럽게 잡아 올려 입을 맞추었다.

"……."

도희의 열 손가락에 일일이 하나, 하나, 정성스레 입을 맞춘 준원이 나른하게 웃었다. 뜨거운 입술이 손가락 마디마디를 키스하고 지나갈 때마다 도희의 가슴이 쿵쿵 뛰었다.

"……!"

돌연 살짝 새끼손가락 끝을 깨물리자 움찔 놀란 도희가 저도 모르게 준원의 얼굴을 퍽 쳤다.

"아……."

"헉, 미안, 미안. 괜찮아요?"

"……결혼 첫날부터 폭력적인 부인이라……."

"아니, 공공장소에서 이상한 짓 하니까 그렇죠!"

삐딱하게 고개를 들어 올린 도희가 따지듯 물었다.

"내가 폭력적이라 싫어요?"

"그럴 리가요. 세상에서 제일 좋아하는걸요."

"오, 유부남 되더니 능청이 좀 늘었어요?"

조금의 고민도 없이 변죽 좋게 대답하는 모양새가 꽤 유부남다웠다. 은근하게 시선을 교환하던 두 사람이 동시에 한바탕 웃음을 터뜨렸다. 농담 따먹기 같은 대화였지만 서로가 함께 있다는 것만으로도 웃음이 끊이지 않았다. 이륙한 비행기만큼이나 두 사람의 마음도 상공으로 떠올랐다.

그렇게 얼마 지나지 않아 기내식이 서빙되고, 도희와 준원은 모두 한식 메뉴인 비빔밥을 선택했다. 먼저 전채요리로 연어 샐러드가 서빙되고, 이후에 나물과 한우가 올라간 비빔밥이 주요리로 테이블에 올라왔다.

"내가 뿌려 줄게요."

고추장을 뿌리려는데 준원이 대신 뿌려 주겠다며 뺏어 들었다. 무언가를 끄적이기에 뭘 하려는 건가 싶어 잠자코 들여다보았다.

"이게 뭐예요?"

살포시 웃음이 터졌다. 안 어울리게 비빔밥 위에 하트 모양으로 고추장을 뿌려 준 것이었다. 서준원이 했다고는 상상도 안 갈 만큼 깜찍한 행동이었다.

"신혼여행인 거 티 내는 거예요?"

"후일을 위해 미리 꼬리치는 거라고 해둘게요."

표정 관리에 실패한 도희가 헤벌쭉 웃으며 핸드폰을 꺼내 들었다. 하트 비빔밥의 사진을 마구 찍어 대며 웃는데 준원이 옆에서 한마디를 툭 던졌다.

"도희 씨, 전주비빔밥에 반대말이 뭔 줄 알아요?"

"뭔데요?"

"이번 주 비빔밥."

"……."

"……."

웃던 도희가 정색하고 숟가락을 들었다.

"밥이나 먹죠."

"네."

하여간, 도희가 저 이상한 아재 개그 좀 하지 말라고 해도 준원은 계속했다. 어이없는 와중에도 피식피식 실소가 터지는 스스로가 황당했던 도희였다.

12시간의 긴 비행이 끝나고 준원과 도희는 현지에 도착해 지상을 밟을 수 있었다. 입국 심사를 마치고 짐을 찾은 뒤 공항을 나온 두 사람은 곧장 리조트로 향했다. 하늘은 푸르고 청아했으며 날씨도 구름 한 점 없이 맑았다.

“와, 물 색깔 봐요. 진짜 에메랄드색이네.”

“그러게요. 투명해서 아래까지 보여요.”

보트를 타고 리조트로 이동하는 동안 펼쳐지는 이국적인 풍경에 눈이 지루할 틈새가 없었다. 그렇게 보트를 타고 20분 정도 들어가자 두 사람이 묵을 리조트에 도착했다.

“오, 시설 너무 좋다.”

내부는 호화 휴양지의 표본처럼 인테리어는 고급스러웠고 사소한 소품들도 센스가 넘쳤다. 욕조 옆 통유리 창문으로는 바로 바다가 내다보이는 신기한 구조였다.

“욕조에서 반신욕 하면서 바다 보면 진짜 예쁘겠어요.”

“이따 같이 들어갈까요?”

그윽하게 바라보며 도희의 허리에 팔을 감는 의도가 다분히 음흉했다.

“글쎄요. 하는 거 봐서요.”

도도하게 답하자 준원이 픽 웃음을 흘렸다.

“옆에 수영장도 있어요. 이따 수영하면 되겠다.”

"도희 씨, 수영할 줄 알아요?"

"음, 아니요. 그냥 물에 떠다니는 정도? 준원 씨는요?"

"나는 어느 정도는 할 줄 알아요."

"그럼 빠지지 않게 준원 씨 붙잡고 늘어져야겠다."

장난스럽게 웃으며 준원의 손을 꼭 붙잡았다. 룸 구경을 끝낸 두 사람은 짐을 간단하게 풀고 옷을 갈아입었다. 함께 손을 잡고 룸과 연결된 바다로 나가서 영롱한 해변을 배경으로 사진을 찍었다.

"가오리 밥 먹는 거 좀 봐요. 꼭 강아지 같아요."

"가오리 꼬리에는 독이 있어서 조심해야 해요."

"그래도 귀엽잖아요. 안 그래요?"

불만스러운 표정을 지은 준원이 고개를 내저었다. 이제는 가오리한테까지 질투하기 시작한 준원이 우스워 도희가 웃음을 터뜨렸다.

구경을 마치고 한참 동안 소소한 이야기를 하며 바닷가를 거닐다 보니 어느덧 하늘이 석양으로 물들기 시작했다. 레스토랑으로 이동해 스테이크와 랍스터를 주문해 먹으며 해가 지는 몰디브의 풍경을 눈에 담았다. 만족스러운 식사를 마치고 호텔에 돌아온 둘은 후식으로 웰컴 과일인 오렌지를 먹기로 했다.

"자, 도희 씨 먹어요."

먹기 좋게 껍질을 깐 준원이 도희의 입술 앞에 상큼한 과육을 들이댔다. 하지만 입을 벌리자마자 도로 물러선 오렌지는 준원의 입속으로 들어갔다.

"이, 씨……."

전에 당했던 수에 또 당해 버린 도희가 씩씩거렸다.

"미안, 장난이에요. 다시 줄게요."

나직하게 웃으며 오렌지 하나를 더 깐 준원이 다시금 도희의 입술에 가져다 댔다.

"내가 까준 건데 안 먹을 거예요?"

도희가 입술을 꾹 다물고 안 먹겠다는 의지로 버티고 있자 준원이 픽 웃음을 흘렸다.

"안 먹으면 뽀뽀한다?"

움찔한 도희가 동그랗게 뜨여진 눈으로 준원을 바라보았다.

"근데 먹어도 할 거야."

순순히 벌어진 입술 틈으로 오렌지가 쏙 골인했다. 우물우물 먹는 모습이 무척 사랑스러워 준원은 커다란 손으로 도희의 뺨을 어루만졌다. 부드럽게 볼을 감싸 안은 준원이 조그마한 입술을 그대로 집어삼켰다.

"음……."

상큼한 오렌지의 과즙이 입술 틈새로 흘렀다. 호흡을 훔치는 열정적인 키스에 도희의 허리가 아찔한 곡선을 그리며 휘었다.

"……!"

순식간에 눕혀진 도희의 등 뒤로 푹신한 소파의 촉감이 닿았다. 섹시하게 웃으며 입술을 살짝 뗀 준원이 왼손으로는 소파를 짚으며 무너져 내려왔다. 벌어진 입술을 다시 입 안에 가득 머금은 준원이 도희의 허리를 강하게 끌어안았다. 뜨거운 형체가 안으로 깊숙이 파고들자 움찔한 도희의 몸이 화끈하게 달아올랐다. 무더운 숨결과 타액이 끈적하게 뒤섞이며 심장을 울렸다. 온몸이 녹아내릴 것만 같은 키스는 오래도록 이어졌다.

해가 저물고 수영복으로 갈아입은 두 사람은 오붓하게 밤 수영을 즐겼다. 수영을 잘하지 못하는 도희는 준원에게 거의 안긴 듯한 자세로 물 위를 떠다녔다. 그러는 와중에도 두 사람은 서로 눈만 맞으면 입을 맞추며 행복한 시간을 즐겼다.

"와인 마실래요?"

먼저 수영장에서 나온 준원이 도희의 허리를 잡고 물속에서 꺼내 올려 주며 물었다.

"응. 우리 별 보면서 마셔요."

수건을 가져온 준원이 도희의 젖은 머리의 물기를 닦아 주었다. 풀 한편에 미리 준비된 화이트 와인을 능숙하게 오픈한 준원이 투명한 잔에 와인을 따랐다. 선베드에 나란히 누운 두 사람은 짠, 가볍게 건배하며 몰디브의 아름다운 밤하늘을 감상했다. 서울에선 좀처럼 볼 수 없는 별들이 촘촘하게 하늘을 가득 메우고 있었다.

"와, 별 진짜 쏟아질 것 같다……."

늘 보았던 건물들에 둘러싸인 도시의 풍경이 아닌, 수없이 많은 별이 빛을 내는 몰디브의 밤이었다.

너무 행복하면 오히려 눈물이 난다고 했던가. 꿈만 같은 순간에 울컥 감정이 밀려왔다. 살짝 눈시울이 붉어진 도희가 활짝 웃으며 준원과 시선을 마주했다.

"준원 씨, 우리 결혼한 기념으로 서로 소원 하나씩 들어줄까요?"

"좋아요."

"그럼 준원 씨 먼저 말해 봐요."

잠시 고민하던 준원의 시선이 아래로 낮게 내리깔아졌다.

"글쎄요……. 나는 그냥."

단정한 입꼬리가 부드럽게 상승했다.

"도희 씨가 계속 내 곁에서 한결같이 웃어 준다면, 그걸로 충분해요."

새까만 눈동자에 담긴 진심에 도희의 심장이 빠르게 뛰었다.

"그게 내 유일한 소원이에요."

"……치사하다."

심쿵당한 걸 숨기기 위해 도희는 괜히 농담조로 딴청을 부쳤다.

"난 같이 브라질리언 왁싱 받으러 가자고 하려 했는데."

"……네?"

"왁싱하면 100m 달리기 0.1초 빨라진대요."

"……."

"하고 싶어졌죠, 그렇죠?"

진심으로 받아들였는지 흙빛이 된 준원이 귀여워 도희가 살포시 웃음을 터뜨렸다.

"으휴, 농담이에요. 표정 굳기는."

"……진심인 줄 알았잖아요."

쿡쿡 장난스럽게 웃으며 준원의 옆구리를 콕 찔렀다.

"그거, 내가 먼저 말하려고 했는데 선수 뺏겼네요. 나도 준원 씨만 행복할 수 있다면 아무래도 좋아요."

배시시 곱게 접히는 눈매가 준원의 마음을 끌어당겼다.

"그냥 평생 내 옆에만 있어 줘요."

고요하게 심장에 파문이 인 준원의 동공이 조금 흔들렸다. 잠깐 말없이 도희를 바라보던 준원이 숨소리 같은 웃음을 흘렸다.

"뭔가 신기한 기분이에요."

"어떤 게요?"

"우리가 이렇게 결혼해서 함께 잠들고…… 눈뜬 뒤 가장 먼저 보이는 사람도 서로일 거라는 게."

"……."

"이 마음 그대로 백발이 될 때까지 함께일 거라는 사실이……."

짙은 눈매가 부드럽게 휘었다.

"가슴 깊숙한 곳에서부터 벅차오르는 느낌이에요."

지금까지처럼 앞으로도 영원히 쭉 함께였다. 괴로울 때는 위로가 되고 행복할 때는 기쁨이 되는 존재로.

"할머니 된 도희 씨 모습까지 꼭 보고 눈 감을 거니까…… 그때까지 우리 오래도록 사랑해요."

그 말에 다시금 울컥한 도희의 눈시울이 붉게 달아올랐다. 이렇게 좋아도 되는 건지 싶을 만큼 무서울 정도로 행복했다. 삶의 이유를 찾지 못해 그저 기계처럼 살아왔던 세월이 떠올랐다.

"나……."

일자로 다물려 있던 붉은 입술이 느슨하게 벌어졌다.

"오늘이 삶의 마지막 날이었으면 좋겠어요."

"……."

"너무 행복해서…… 이대로 죽어도 나쁘지 않을 것 같아."

이런 생각을 하게 될 줄은 도희조차 꿈에도 몰랐다. 이 말로 형용할 수 없는 행복감과 사랑을 어떻게 표현해야 할지 도무지 알 길이 없었다. 가만히 도희를 응시하는 준원의 까만 눈동자가 더욱 진한 색을 띠었다.

"오늘이 만약 정말 생에 마지막 날이라면……."

옆의 테이블에 와인 잔을 내려놓은 준원이 하얀 손을 부드럽게 잡아끌었다.

"난 도희 씨 손을 한 번 더 잡을래요."

여린 속눈썹이 파르르 떨렸다.

"목소리를 한 번 더 들을 거고……."

커다란 손이 도희의 어깨를 끌어당겨 두 가슴에 꽉 끌어안았다.

"포옹도 한 번 더 하고 싶어요."

단단한 팔이 도희를 으스러뜨릴 듯 강하게 끌어안자 도희의 입술이 툭 벌어졌다. 그 입술에 부드럽게 입을 맞춘 준원이 소중하게 도희의 등을 쓸어내렸다. 달콤한 입술 안쪽을 헤집으며 말보다 더욱 진한 사랑을 쏟아부었다. 덩굴처럼 엉킨 감정을 타고 촉촉한 타액이 수없이 넘어갔다. 진한 입맞춤으로 인해 흐물흐물 녹아 버린 도희를 달래듯이 부드럽게 등을 쓸어내렸다.

"준원 씨……."

부드러운 맨살을 어루만지는 손길이 못 견디게 달콤해 정신이 아득해지는 것을 느꼈다. 발간 살갗이 준원의 손길 아래에서 뜨겁게 열이 올랐다.

"사랑해, 도희야."

"나도 사랑해……."

번쩍 도희를 들어 올린 준원은 키스를 퍼부으며 침대로 향했다. 몰디브의 영롱한 밤하늘을 배경으로 신혼부부의 은밀한 시간이 시작되었다. 여행의 첫날밤은, 이렇듯 넘치는 사랑으로 충만하게 저물어갔다.

+

위험한남자

꿈 같은 신혼여행에서 돌아온 뒤 준원과 도희가 함께 맞는 첫 번째 주말. 창밖에서는 봄의 기운이 만연했고, 따스한 아침 햇살이 커튼 틈으로 물밀듯이 쏟아져 왔다. 부쩍 더워진 날씨만큼이나 준원과 도희의 새 신혼집은 후끈한 열기가 넘쳐흘렀다.

"으음……."

비스듬히 눈을 뜬 도희는 아침부터 제 몸을 어루만지고 있는 엉큼한 손을 발견하고 움찔했다. 흘끔 돌아보니 준원이 나른하게 웃으며 내려다보고 있었다.

"일어났어요?"

아침에도 탄탄한 가슴 근육과 쩍쩍 갈라진 복근은 신이 공들여 빚은 듯 완벽 그 자체였다. 밤새 지칠 때까지 저 가슴에 안겼던 일들이 다시금 떠올라 머리에 열기가 올랐다.

"응, 잘 잤어요?"

그의 맨가슴에 얼굴을 묻은 도희는 얼굴을 비비며 히죽 웃었다. 쪽, 그의 가슴에 뽀뽀하자 준원이 웃으며 도희를 꽉 끌어안았다.

"아침부터 유혹하는 거야?"

붉은 머리카락을 쓸어내리며 준원이 그윽하게 속살거렸다.

"아니거든요. 웬 도끼 병이야."

"그래요? 유혹하는 거면 넘어가 주려고 했더니……."

은근하게 허리를 주물럭거리는 손은 목적이 분명한 듯 보였다. 밤새 녹초가 되도록 사랑을 나누었는데도 준원은 여전히 부족한지 더 애정을 갈구하고 있었다.

"아, 잠깐……."

도희가 움찔 몸을 떨었다. 살살 쓰다듬는 손길에 몽롱하던 신경이 순식간에 곤두섰다. 비스듬히 고개를 튼 준원은 야들야들한 입술을 한입에 머금었다. 아침이라고는 믿을 수 없을 만큼 진한 키스를 퍼붓자 도희의 심장이 바쁘게 요동쳤다. 이윽고 본능적으로 이어지는 은밀한 절차에 새하얀 침대 시트는 완전히 엉망이 되었다.

"준원 씨 때문에 온종일 침대에만 있겠어요……."

체력적으로 바닥이 난 도희는 손가락 하나 까딱하기 힘든 수준이었다. 그에 비해 아직 쌩쌩해 보이는 준원은 나직하게 웃으며 침대 헤드에 기대어 앉았다.

"난 침대에만 있어도 좋은데……."

섹시하게 내리깐 준원의 검은 눈동자에 도희의 가슴이 쿵쿵 울렸다.

"여보는 싫어?"

……어쩜 이렇게 섹시한 남자가. 식사를 마친 맹수처럼 나른하게 앉아 있는 모습에 도희의 목이 바싹 말랐다. 아침이라 조금 갈라진 듯 잠긴 목소리마저도 묘한 흥분을 불러일으켰다. 어딘가 퇴폐해 보

이는 자태로부터 떠오르는 것은 오래전 골목에서 담배를 피우던 준원의 모습이었다.

"그러고 보니 준원 씨, 담배는 이제 완전히 끊은 거예요?"

"네. 이제는 별로 생각 안 나더라고요. 가끔 술 마시면 좀 떠오르는 정도……."

담배를 끊기로 도희와 약속을 한 이후로부터 준원은 단 한 번도 담배를 피운 적이 없었다.

"완전히 금연해야죠. 도희 씨는 3년 전에 끊었다고 했죠?"

"네. 해 바뀌었으니까 이제 4년 됐네요. 20살 때부터 피우기 시작했으니까……."

"스무 살? 어쩌다가 배운 거예요?"

"음. 어렸을 때 술자리에서 어떤 남자를 만났는데요. 아마도 그 남자 때문에 피우기 시작했던 것 같아요."

기억을 더듬는 도희의 미간이 슬며시 좁아졌다.

"이름은 기억 안 나고 얼굴도 흐릿…… 아! 서연대. 서연대 학생이었던 것만 기억나요."

"서연대면 내가 나온 학교인데. 누구예요, 그 사람?"

"글쎄요. 두 살이었나 세 살 오빠였으니까, 아마도 준원 씨 또래일 걸요?"

"어떻게 생겼는데요?"

"으음…… 뭔가 반반하게 생겼던 것 같은데."

흐릿한 기억을 떠올리는 눈이 가늘어졌다. 고개를 들어 올린 도희가 이제는 까마득해진 오래전 일을 회상했다.

지금으로부터 11년 전, 이제 갓 성인이 된 스무 살일 때. 누리와 이언 외에는 그다지 막역한 사람이 없었던 도희는 대학교 동기 둘과 처음으로 친해졌었다. 종종 학교 근처에서 맛있는 걸 먹으러 다니며 놀았고, 그날도 그 동기 두 명과 함께 학교 주변의 술집에서 술을 마셨었다.

"어? 한나 아니야?"

"어, 오빠! 여긴 웬일이야?"

셋이 술을 마신 지 얼마 가지 않아 어떤 남자가 다가와 대학 동기인 한나에게 말을 건넸다. 서로 아는 사이였던 두 사람 때문에 분위기는 자연스럽게 합석으로 이어졌다. 남자 셋에 여자 셋이었기에 꼭 미팅 같은 분위기가 되었는데, 도희는 그게 여간 불편한 게 아니었다.

"근데 이분들은 누구? 한나 친구?"

"응, 우리 전부 같은 과. 이쪽은 민주 언니고, 얘는 우리 과 수석 도희."

"만나서 반가워요! 전 김민주예요! 스물한 살!"

"백도희입니다."

한나의 지인은 도희에게 유독 관심을 보이며 두 눈을 빛냈다.

"오, 다른 곳도 아니고 한국대 경영에서 수석을 하다니! 공부 진짜 잘하셨나 봐요."

너스레를 떤 그는 자신의 일행 둘을 차례로 소개했다.

"저희는 다 서연대 식품공학과 2학년이에요. 스물셋."

"만나서 반가워요. 세 분 다 진짜 예쁘시네요. 하하, 공부도 잘하시고 얼굴도 미인이시고, 이 자식은 어떻게 이런 미녀들을 알아서, 하하하하!"

한나의 지인은 적당히 분위기를 띄울 줄 아는 성격으로 보였다. 반면 다른 한 사람은 아주 말이 많아 골치가 아플 지경이었고, 나머지 한 남자는……. 조금 많이 이상했다. 원래 성격이 과묵한 건지, 시끄러운 친구들 틈에서도 입 한번 열지 않았고 그저 무표정으로 가만히 앉아 있을 뿐이었다. 하지만 그런데도 느껴지는 위압감이 대단해서 한나와 민주는 그를 보며 초조하게 침을 삼킬 뿐이었다.

그렇게 술자리가 한창으로 무르익고, 각자 화장실에 가기로 하고 잠시 쉬어가는 시간을 가졌다. 여자 화장실에 옹기종기 모인 한나와 민주는 꺅꺅 호들갑을 떨며 신나게 떠들었다.

"그 오빠 너무 잘생기지 않았어?! 진짜 양옆에 오징어 두 마리로 보이더라."

"진짜 멋있더라고! 말 한 마디 안 하는데 그게 오히려 매력적이야."

"한 번만 사귀어 봤으면……. 뭔가 분위기가 장난이 아니야. 그렇지, 도희야?"

"응? 뭐……."

잘생기긴 했지만 그다지 관심은 가지 않았다. 그저 술을 너무 많이 마셔서 찬 바람이라도 맞고 싶은 마음뿐이었다.

"둘 다 화장 고칠 거지? 나 잠깐 바람 쐬고 올게."

"응, 알겠어! 다녀와."

곧장 화장실을 빠져나온 도희는 알코올 냄새가 밴 입 안이 찝찝해 계산대에서 사탕 하나를 주워들고 가게 밖으로 나섰다. 상큼한 레몬 사탕을 입 안에 넣고 굴리며 시끄러운 술집 거리를 거니는데, 문득 골목에 서 있는 남자와 우뚝 눈이 마주쳤다.

"……."

아까 그 내내 과묵하던 묘한 남자였다. 여전히 무슨 생각을 하는지 알 수 없는 표정으로 담배를 피우고 있었다. 그 옆모습에 이끌리듯 가까이 다가간 도희가 살짝 그에게 말을 걸었다.

"여기서 혼자 뭐 하세요?"

말없이 사선으로 고개를 내린 그가 도희를 가만히 내려다보았다. 입술 사이에 물린 담배를 손으로 옮긴 그가 대답 대신 담배 쥔 손을 들어 보였다.

"그쪽 목소리를 못 들어 본 것 같은데…… 원래 말이 없는 타입이에요?"

도희가 앞에 있음에도 불구하고 그는 도로 입술 사이에 담배를 끼워 물고 깊게 빨아들였다. 후우, 내뱉어진 하얀 연기가 피어오르며 흩어지고 그의 입술이 느릿하게 벌어졌다.

"할 말이 없으니까요."

"……."

참 이상한 남자라는 생각이었다. 더불어 그가 흡연하는 모습을 보자 도희도 묘한 충동에 휩싸였다.

"담배 왜 피워요? 무슨 맛이길래."

"……맛없어요."

해괴한 대답에 도희의 얼굴이 구겨졌다.

"그럼 차라리 사탕을 먹는 게 낫지 않아요? 맛도 없는 걸 왜."

또 말없이 도희를 가만히 내려다보던 그가 사탕을 먹느라 작게 움직이는 입술을 주시했다.

"입 안에 사탕?"

"네?"

종잡을 수 없는 물음에 주춤한 도희가 작게 고개를 끄덕였다.

"무슨 맛이에요?"

"사탕이요? 레몬 맛……."

움찔한 도희의 속눈썹이 가늘게 떨렸다. 갑자기 그가 부드럽게 입을 맞춰 온 탓이었다. 너무 놀라 숨을 멈춘 채 가만히 서 있는데, 말캉하고 부드러운 것이 깊숙이 치고 들어와 입 안을 뒹굴던 사탕을 옮아매어 가져갔다.

"그러네요. 레몬 맛."

순식간에 빼앗아간 그가 도희의 타액이 묻은 사탕을 굴리며 무심하게 답했다.

"……."

순간 얼이 나간 도희는 화를 내야 하는 건지 따져야 하는 건지 종잡을 수가 없었다. 그저 놀란 가슴의 박동 소리만 점점 더 커지고 있다는 것만 알 수 있었다.

"해 볼래요?"

입 안에 남은 열기가 채 가시기도 전에 그는 하얀 담배를 도희의 입술 앞에 들이밀었다. 평생에 담배라고는 생각조차 한 적 없었던 도희인데 저도 모르게 홀린 듯 입술을 벌렸다.

"빨아요."

도희의 입술 사이에 담배를 끼운 그가 다소 차가운 어조로 말했다. 조금의 호기심을 안은 채 입 안 가득 머금은 도희가 후우, 하고 연기를 내뱉었다. 퀴퀴한 연기가 피어오르고 입 안엔 강한 향기가 맴돌았다.

"으, 이게 뭐가 맛있다고……."

"맛있다고 하진 않았지."

픽 웃으며 한마디 던진 그가 능숙하게 담배를 비벼 껐다. 타오르던 빨간 불꽃이 사라지는 것을 보며 도희는 괜한 오기에 사로잡혔다.

"돌려줘요."

"뭘?"

"내 사탕."

그 말과 동시에 까치발을 올린 도희가 그의 입술에 입을 포개었다. 길게 뻗어 안으로 침입한 도희가 내부를 훑으며 사탕을 찾아 제 안으로 끌어당겼다.

"……!"

시큼한 레몬 사탕 때문인지 축축해진 도희의 입 안을 꾹 누르며 들어온 남자의 것이 아찔하게 뒤엉켰다. 허리를 끌어당기며 내부를 헤집는 움직임이 예사롭지 않았다.

"하아……."

사탕을 빼앗아 오겠다는 의도로 시작된 키스는 이미 본래의 목적을 잃은 듯했다. 한참 만에 떨어진 입술 사이로 뜨거운 숨이 흘렀다.

"……."

묘한 감정이 일자 당혹감에 휩싸인 도희가 놀란 눈으로 그를 가만히 올려다보았다. 그런 도희의 머리를 쓰다듬은 그는 나직한 웃음을 남겼다.

"또 봐요."

여유로운 보폭으로 그는 골목을 따라 빠져나갔다. 다른 사람들에게 어떠한 인사도 하지 않고 술자리를 떠나는 행동은 꽤 괴짜 같았지만, 그의 성격을 생각하면 오히려 그편이 더 어울렸다.

"하……."

홀로 남은 도희가 화끈거리는 얼굴을 감싸며 한숨을 지었다. 곧장 홀린 듯 주머니를 뒤적인 도희는 편의점으로 향해 담배 한 갑과 라이터를 샀다. 갓 성인이 된 스무 살, 흡연을 시작했던 최초의 기억이었다.

"웃기죠? 처음 피워 봤을 땐 이딴 거 왜 피우나 싶었는데."

키스한 이야기만 쏙 빼놓고 준원에게 일화를 들려준 도희가 허탈하게 웃었다.

"이 말도 안 되는 계기로 시작해서 무려 7년을 골초로 살았어요."

처음엔 쉽게 중독되지 않았지만, 생각날 때마다 피우다 보니 후에는 완전히 습관이 되어 버렸었다.

"서연대 식품공학과라고요?"

"네. 키가 엄청나게 컸어요. 거의 준원 씨만 했던 것 같은데……."

"혹시 그 남자하고 키스했어요?"

흠칫한 도희의 동공이 뒤흔들렸다.

"……어, 음. 그렇긴 하는데, 그걸 어떻게 아는……."

"레몬 사탕?"

맛은 말하지 않고 사탕이라고만 말했던 도희의 눈이 커졌다.

"설마……."

"아무래도 나인 것 같은데."

말도 안 되는 일이 벌어졌다. 놀란 도희의 입이 턱 끝까지 벌어졌다.

"거짓말. 그게 준원 씨라고요?"

믿기지 않는 상황에 단정하던 눈이 한계까지 벌어졌다.

"완전 생양아치 같던…… 앗."

"……생양아치요?"

"큼……."

저도 모르게 본심이 나온 도희가 뻘쭘하게 헛기침했다. 그도 그럴 것이, 처음 본 여자에게 대뜸 담배를 물려 주질 않나, 입술로 사탕을 뺏어 먹질 않나. 보통의 상식으로는 이해할 수 없는 행동들을 했기 때문이었다.

"어떻게 이런 일이 있지……?"

아무리 11년 전 기억이라고 해도 어떻게 얼굴을 몰라봤을까. 살면서 도희를 긴장시킨 남자는 11년 전 그와 서준원이 전부였다. 그런데 두 사람이 동일 인물이었다니…….

"말도 안 돼! 그럼 내가 준원 씨한테 담배를 배워서 7년간 피운 거예요?"

"그걸 내 탓을 하면 조금 억울한데."

"억울하긴 뭐가 억울해요! 내가 더 억울하지!"

충격적인 진실에 적잖이 동요한 도희가 툴툴거렸다.

"너무 억울해서 안 되겠어. 우리 결혼 좀 보류해야 할 것 같은데요?"

"늦었어요. 이미 혼인 신고도 했는걸?"

장난으로 중얼거리자 준원이 낮게 웃으며 도희의 머리를 한 손으로 쓰다듬었다.

“우리 여보 7년간 힘들게 했으니까, 내가 그만큼 더 잘해야겠다. 그렇지?”

“알긴 알아서 다행이네.”

치, 혀를 찬 도희가 준원의 어깨에 느슨하게 머리를 기댔다.

“사실 스무 살 때, 뭣도 모르고 세 살 오빠가 담배 피우는 게 멋있어 보여서 시작했다고 생각했는데…….”

살포시 실소를 터뜨렸다.

“이제 보니까 나 그냥 그때 준원 씨한테 반했던 걸지도 모르겠어요.”

“그럼 그게 첫사랑?”

“에이, 첫사랑까지는 아니죠.”

“그럼 첫 키스.”

“안타깝지만 솔직하게 말해서 첫 키스는 아니었고.”

“스무 살인데 첫 키스가 아니라고?”

불만스러워진 준원의 눈이 가늘어졌다.

“무슨 조선 시대예요? 그러는 준원 씨도 스물셋 애송이 주제에 사탕 빼앗아 갈 정도의 기술을 갖췄잖아요.”

“난 3년 더 살았으니까 괜찮다고 봅니다.”

“웃기는 소리! 이 입술 가벼운 남자 같으니.”

불퉁하게 나오자 준원이 웃으며 도희의 머리를 끌어당겨 가볍게 입을 맞추었다.

“그래도 지금 내 입술은 전부 여보 차지인데?”

“……큼.”

살살 넘어가기 시작한 도희의 얼굴이 핑크빛으로 달아올랐다.

“그래요. 착한 내가 봐줬다.”

그런 도희를 귀엽게 보던 준원이 핑크빛 뺨을 잡고 꼬집어 당겼다.

“그런 의미에서 혹시 뽀뽀해도 됩니까, 부인?”

“그런 건 묻는 게 아니랍니다, 남편.”

대답과 동시에 벌떡 일어난 준원이 도희의 하얀 허벅지 아래를 잡고 번쩍 안아 들었다.

“앗……!”

열정적으로 키스하며 도희를 안아 든 채 욕조로 향했다. 아침부터 힘이 넘치는 신혼부부의 알콩달콩한 보금자리는 옷을 입을 겨를도 없이 달콤하게 흘러갔다.

“씻겨 줄게, 여보야…….”

섹시한 저음이 고막을 촉촉하게 녹였다. 괜히 부끄러워진 도희가 그의 가슴에 얼굴을 묻으며 고개를 끄덕거렸다. 서로가 있기에 마음에 기쁨이 충만한 시간. 영원히 잊을 수 없는 행복한 순간이었다.

그리고 이건 도희가 준원에게 말하지 않았던 11년 전의 기억.

“있잖아, 도희야. 저번에 그 오빠가 너랑 민주 언니랑 셋이 다시 보자는데 어때?”

그 술자리가 있었던 날로부터 일주일 정도가 지난 뒤, 한나가 도희에게 제안해왔었다.

“그 오빠 혼자?”

“아니. 저번에 나왔던 세 명 모두인 것 같은데, 확실하진 않고.”

"그럼 난 패스."

"응? 왜?"

대답 대신 어깨를 으쓱하며 대충 웃어넘기려던 도희였지만, 한나가 계속 재촉하며 이유를 물어왔다.

"위험해서."

도희는 짧게 대답하며 어깨를 움츠렸다.

"어딘가 위험해 보였어, 그 남자."

……또 만나면 큰일 날 것 같은 기분.

+

연인이 아닌 가족

사계절이 두 바퀴 지나간 뒤, 다시 맞은 느지막한 봄. 도희와 준원이 결혼한 지 어느덧 2년이 넘는 세월이 흘렀다. 그동안 많은 것들이 바뀌었는데, 가장 큰 변화는 다름 아닌 도희에게 있었다.

–대표님, 저번 달 매출분석표 보내드렸는데 확인하셨나요?

이번에 업무차 출장을 갔던 도희는 직원으로부터 전화를 받았다. 귀국하기 위해 캐리어를 끌며 공항으로 들어가는 도희는 이제 더 이상 백 과장이 아닌 대표님으로 불렸다.

"아니, 아직. 이따 비행기에서 확인할게."

어린 시절부터 성공만이 유일한 꿈이었던 도희의 최종 목표는 잘나가는 여성 CEO였다. 한 발짝 더 빠르게 꿈을 이루고자 용기를 낸 도희는 무려 8년간 몸담았던 KSS그룹을 과감히 그만두고 다이어트 식품 사업을 시작했다.

–네, 감사합니다! 근데 혹시 한국 들어오시면 바로 회사에 오시나요?

"진형 씨, 나 아직 한창 신혼이다? 집으로 들어가야지."

작은 규모로 시작했던 회사는 이제 꽤 많은 직원을 두고 나날이 흑자를 거두며 발전했다. 1년 6개월 만에 이룬 연 매출 50억 신화의 뒤에는 도희의 뼈아픈 노력과 준원의 살뜰한 외조가 있었고, 이제는 제법 큰 규모의 기업들과도 경쟁하는 위치까지 올라섰다.

"전화 한번 해 봐야겠다."

히죽 웃은 도희는 준원에게 전화하기 위해 핸드폰을 들었다.

"팀장님, 안녕하세요!"

팀원들이 출근한 준원에게 인사하자 그가 가볍게 고개를 끄덕였다. 회사를 그만둔 도희와 달리 준원은 계속 KSS그룹에서 팀장으로 재직 중이었다. 지난 2년, 팀 내에도 많은 변화가 있었는데, 인턴이었던 남아현은 정규직으로 전환이 되었고 사원이었던 새봄은 대리로 승진을 하였다.

"10분 뒤 회의 시작합니다. 모두 준비하세요."

언제나처럼 딱딱한 목소리로 기계처럼 말하는 준원에 팀원 모두가 분주하게 움직였다. 무표정으로 자리에서 일어난 준원은 사무실 밖으로 걸어 나가며 누군가와 통화를 시작했다.

"응. 여보."

전화 상대는 다름 아닌 도희. 출장 간 도희가 오늘, 원래의 일정보다 하루 먼저 도착한다는 소식을 전해 듣자마자 준원의 입꼬리가 부드럽게 상승했다.

"알겠어. 공항으로 데리러 갈게."

쪽. 전화기에 대고 가볍게 입 맞추는 소리를 내자 팀원들의 동공에 지진이 일어났다.

……뭐야? 지금 무슨 일이 일어난 거야?

흡사 인공지능 같은 남자의 두 얼굴에 충격받은 팀원들이 멀뚱멀뚱 넋을 놓고 준원을 바라보았다. 그 무뚝뚝한 서준원이 도희의 전화만 받으면 세상 사랑꾼으로 돌변하는 게 보통 놀라운 일이 아니었다.

"회의 준비 안 합니까?"

일시 정지 상태로 준원을 훔쳐보던 팀원들이 화들짝 놀라 황급히 업무를 하는 척했다. 준원과 도희가 결혼한 지 어느덧 2년째. 종종 통화할 때마다 닭털을 날렸지만, 팀원들은 그런 준원의 모습이 몇 번을 봐도 적응되지 않았다.

한편, 팀원들이 어떻게 생각하든 관심 없는 준원은 그저 이따 도희를 보러 갈 생각에 마음이 들뜰 뿐이었다. 회사에선 늘 무표정인 준원이었지만 지금만큼은 강제로 입꼬리가 상승 중이었다.

정시에 퇴근한 준원은 곧장 공항으로 향해 귀국하는 도희의 마중을 나갔다. 쏟아지는 인파 속에서 캐리어를 끌고 나타난 도희는 고개를 두리번거리며 준원을 찾았다.

"아, 여보!"

많은 사람 틈에서도 월등하게 키가 큰 준원을 단번에 알아본 도희가 빠르게 달려가 그의 품에 포옥 안겼다. 두 팔 벌려 작은 몸을 꽉 부둥켜안은 준원이 낮게 웃었다.

"잘 다녀왔어?"

"응응. 나 선물 사 왔어요."

팔에 걸린 쇼핑백을 들어 보인 도희가 배시시 웃었다.

"짠. 보드카! 주말에 같이 마시자."

"그래요, 좋아요."

자연스럽게 도희의 캐리어와 짐을 전부 받아든 준원이 커다란 손을 펼쳐 내밀었다.

"자, 손."

작은 손과 큰 손이 하나로 진득하게 맞물렸다. 부드럽게 손깍지를 낀 두 사람은 주차장으로 향하며 세상 닭살이 돋는 대화를 나누었다.

"일은 안 힘들었어?"

"응. 생각보다 잘 풀려서 괜찮아요."

"나는 안 보고 싶었고?"

"보고 싶었지. 여보 그리워서 죽을 뻔했는데."

도희가 장난스럽게 너스레를 떨었다.

"근데 언어 공부를 좀 더 하긴 해야 할 것 같아. 이번에 부족한 걸 확실히 느꼈어."

"어차피 통역 쓰잖아요?"

"그래도 직접 말하는 게 좋으니까. 불어 공부 좀 더 해 두려고요."

그 말에 시무룩해진 준원이 비 맞은 강아지 같은 표정을 지었다.

"왜 그래요?"

"매번 일하느라 바쁘고, 이젠 또 공부한다고 안 놀아 주겠네?"

투정 부리는 준원이 귀여워 도희가 웃음을 터뜨렸다.

"아니야. 적당히 하고 우리 남편이랑 놀아야지."

"바쁜 여보 두니까 힘들다."

"에이, 자기도 바쁘면서 괜히 내 탓 하긴."

픽 웃은 도희가 준원의 손을 잡고 이리저리 신나게 흔들었다. 무려 열흘 만에 준원을 봐서 들뜨는 기분을 숨길 수가 없었다. 마음 같아선 이 자리에서 다시 한번 끌어안고 마구 뽀뽀하고 싶은 심정이었다.

"맞다. 누리랑 이언이가 넷이 펜션으로 놀러 가자고 하는데, 여보는 어때?"

"음. 난 둘이 가는 게 더 좋은데."

"그럼 둘이 가자. 나도 여보하고 단둘이 가는 게 더 좋아."

"근데 강이언 씨는 지금 미국 아니었어요?"

"이번에 상 타고 귀국한다더라고요. 걔도 지금 비행기일걸요?"

이언은 올해 출전한 세계대회에서 또다시 우승을 거머쥐고 명실상부 대한민국의 최고의 스포츠 스타로서의 자리를 확고히 했다.

"어? 누리 새 영상 올라왔다."

그 순간 도희의 핸드폰이 진동하며 유튜브 알람이 울렸다. 누리가 만든 유튜브 채널에 올라온 새 영상의 알람이었다.

"참, 누리 구독자 수 이번에 백만 돌파한 거 알아요?"

"그래요? 벌써 백만이라니 빠르네요."

리포터를 그만두고 유튜브를 시작한 누리는 예쁜 외모와 특유의 거침 없는 입담으로 주목받아 현재 백만 명의 구독자를 보유하고 있었다.

"근데 강이언 씨와 연누리 씨는 대체 무슨 사이예요?"

"나도 몰라요. 아마 자기들도 잘 모를걸요?"

준원의 물음에 도희가 어깨를 으쓱했다. 누리의 유튜브가 대성한

데에는 모르는 사람이 없을 만큼 유명한 스포츠 스타인 이언의 도움이 있었기 때문이었다. 워낙 친한 두 사람이었기에 얼마 전 열애설이 보도되기도 했지만 둘은 모두 강력히 부인했었다. 물론 진실은 이언과 누리 두 사람만 알 터였다.

시간은 빠르게 흐르고 준원이 고대하던 주말이 다가왔다. 온종일 데이트할 생각에 설레던 준원이었으나, 명실상부 일 중독자인 도희는 주말에도 여전히 불어를 공부하느라 바빴다. 이번에 프랑스를 비롯하여 여러 불어 사용국에 제품을 수출하게 되면서 언어 공부를 새롭게 시작하게 된 것이었다.

"여보."

아침부터 지금까지 내내 서재에서 눈에 불을 켜고 공부하는 도희가 맘에 들지 않았던 준원이 그녀를 불렀다.

"도희야."

대답이 없자 하얀 볼을 콕 찔러 보았다. 콕콕. 계속 찌르며 방해 공작을 펼쳐도 도희는 엄청난 집중력을 보이며 굳건하게 공부를 이어갔다. 잠자코 기다리던 준원은 참다못해 섭섭함을 토로했다.

"주말엔 같이 시간 보내기로 한 거 아니었어요?"

"미안. 여기까지만 할게요. 여기까지만."

"저번에 면세점에서 사 온 보드카 같이 마시기로 했잖아요."

"아직 낮이잖아요. 조금만 더 할게요. 응?"

결국 도희의 설득에 넘어간 준원이 불만스럽게 고개를 끄덕이며 자리에서 일어났다. 방해하기를 그만두고 도희의 공부가 끝나기만을 바라며 거실로 향했다. 그 순순한 뒷모습을 보며 살포시 웃음을 터뜨린 도희가 불타는 의지로 펜을 꽉 쥐었다. 얼른 끝내고 준원과 데이트할 생각으로 맹렬하게 공부에 몰두했다.

"됐다. 오늘은 여기까지, 끝!"

그렇게 얼마나 시간이 지났을까. 불어책을 덮은 도희가 기지개를 켜며 찌뿌둥한 몸을 이완했다.

"벌써 시간이……."

어두워지기 시작한 창밖을 보며 도희가 작게 중얼거렸다. 서재 밖으로 나간 도희는 소파에 앉아 있는 준원에게 다가갔다.

"여보. 나 다 끝났는데……."

그러나 이미 준원은 지그시 눈을 감은 채 풋잠이 들어 있었다. 어쩐지 서운한 기분이 들어서 시무룩해진 도희가 준원의 어깨를 살살 흔들며 그를 깨웠다.

"이런 데서 자면 감기 걸려요. 안에 들어가서 자."

하지만 준원은 묵묵부답이었다. 결국 깨우기를 포기한 도희는 준원의 옆에 쪼그리고 앉아 그를 가만히 들여다보았다.

"누구 남편인지, 무서울 정도로 잘생겼네."

아주 가까운 거리에서 살펴보는 준원의 얼굴은 새삼스럽게도 멋있었다. 섬세하게 조각한 것처럼 우뚝 솟은 코며, 굳게 닫힌 입매며……. 철저한 자기관리로 늘 딴딴하게 유지하는 섹시한 근육들은 늘 도희의 가슴을 설레게 했다.

"우리 남편은……."

잡티 하나 없는 부드러운 피부와 잘생긴 입술을 바라보던 도희가 입을 열었다.

"쿨톤이다."

다소 뜬금없는 말이었다. 자리에서 일어난 도희는 화장대에서 핑크색 립스틱 하나를 가지고 거실로 돌아왔다. 장난스럽게 웃은 도희가 립스틱을 세워 그의 입술에 발라 주었다.

"응응. 역시 우리 여보는 쿨톤."

쿡쿡 악동처럼 웃으며 꼼꼼히 바른 도희는 만족스럽게 준원을 올려다보며 고개를 끄덕거렸다.

"멋있어……."

수십 시간을 지켜봐도 지루하지 않은 얼굴이었다. 그야말로 미모가 드라마고 영화고 화보 그 자체인 남자. 이 환상적으로 잘생긴 얼굴을 바라보고 있자 웃음이 자꾸만 새어 나왔다. 홀린 듯 빤히 들여다보고 있는데, 갑자기 굳게 감긴 준원의 눈꺼풀이 느슨하게 올라섰다.

"……앗."

흠칫 놀란 도희의 심장이 쿵 내려앉았다. 훔쳐보다 걸린 상황이 부끄러워, 당황한 도희가 벌떡 일어나려는데, 준원의 손길에 제지당했다.

"뭐 해?"

준원이 도희의 허리를 양손으로 번쩍 끌어안아 제 무릎에 사뿐히 앉혔다. 순식간에 가깝게 밀착되자 밀려오는 설렘에 도희의 가슴이 두근거렸다.

"으응. 아무것도."

"입에 이상한 걸 바르던데?"

"글쎄요. 난 모르겠는데?"

"모르면 알려 줘야겠다……."

섹시한 음성과 함께 도희의 귓가에 입을 맞춘 준원이 부드럽게 목덜미를 지분거렸다. 새빨갛게 양 볼에 꽃물이 든 도희가 움찔 몸을 떨었다.

"아, 갑자기 뭐 하는 거……."

살짝 고개를 돌리자마자 준원의 입술이 도희의 입술을 빈틈없이 막았다. 두 입술이 부드럽게 비벼지며 준원의 입에 발라놓은 립스틱이 도희의 입술에 끈적하게 옮겨졌다. 느슨하게 입술을 벌린 준원이 도희의 아랫입술을 물고 강하게 빨아들였다.

부드럽게 흡입하던 그가 이내 길게 내부로 침입해 왔다. 말캉하게 뒤섞이는 감각과 함께 커다란 손이 올라와 도희의 심장이 뛰는 부근을 어루만졌다. 두근, 두근, 빠르게 뛰는 심장을 손끝으로 느낀 준원이 나른하게 웃으며 입술을 뗐다.

"이제 나하고 놀아 주는 거지?"

도희의 입술에 마구 번진 립스틱을 엄지로 닦아 주며 물었다. 화끈 달아오른 열을 차마 식히지 못한 도희는 제 입술에 묻은 타액을 핥으며 고개를 끄덕였다.

오래간만에 배불리 저녁을 먹은 준원과 도희는 함께 거실에 누워 영화를 보며 평화로운 데이트를 즐겼다. 준원의 품에 안긴 채로 영화를 보던 도희는 아무 생각 없이 한마디를 뱉었다.

"공재현 진짜 잘생겼다."

무의식중에 흘러나온 한마디에 지진이 인 듯 동요한 것은 준원이었다. 그의 어깨가 움찔하는 것이 머리를 통해 느껴졌다. 못마땅하게 주인공을 바라보던 준원이 낮게 읊조렸다.

"……머리가 좀 큰데?"

"여자 주인공이 작은 거예요."

"콧구멍도 큰 것 같고."

"뭐가 커요? 저 정도면 괜찮지."

"너무 말라서 툭 치면 쓰러지겠어요."

"울퉁불퉁 근육질보다 저런 게 멋있는 거죠. 속 근육이잖아."

도희가 픽 웃으며 일일이 그의 말에 대꾸했다. 그의 질투가 귀여워도 너무 귀엽게 느껴지는 탓에 묘하게 계속 놀려 주고 싶었다.

"솔직히 말해요. 내가 좋아요, 공재현이 좋아요?"

세상 유치한 물음에 장난기가 발동한 도희는 잠시 고민하는 척을 했다.

"음. 둘 다 좋은데…… 양다리는 안 되나?"

"……."

"그럼 역시 공재현."

"……."

"보다는 우리 잘생긴 남편이지!"

애교스럽게 웃으며 도희가 준원의 뺨에 마구 뽀뽀를 날렸다. 삐진 척 가만히 있던 준원도 도희가 계속 뽀뽀를 날리니 결국 살포시 웃음을 터뜨리고 말았다. 도희의 팔을 끌어당긴 준원이 야리야리한 몸을 강하게 끌어안고 키스를 퍼부었다. 결혼 2년 차였지만 두 사람은 여전히 눈만 맞으면 입을 맞추는 뜨거운 커플이었다.

"나 여보한테 궁금한 게 있는데……."
"어떤 거?"
"첫 키스 언제예요?"
다소 뜬금없는 도희의 질문에 준원이 살짝 당황했다.
"……갑자기 그걸?"
당혹스럽게 내려다보자 도희가 의심스러운 눈초리로 준원을 올려다보았다.
"반응이 왜 그러지? 뭔가 좀 찔리나?"
"……뭐가요?"
"솔직히 불어요. 나 만나기 전까지 여자 몇 명 만났어요?"
준원이 대답하지 않고 딴청을 부리자 오기가 생긴 도희가 결국 리모컨을 들어 영화를 껐다. 자리에서 일어난 도희는 부엌 안쪽에 보관해 놓은 보드카를 꺼내와 식탁에 탕! 올려놓으며 전쟁에 나가는 장군처럼 선언했다.
"안 되겠다. 우리 진실 게임 해요."

호기롭게 시작된 술 게임이었으나 사실 말 못 할 약점은 도희가 더욱 많았다.
"지금까지 사귀었던 남자, 총 몇 명이야?"
"……음, 그게……."
20대 초반, 고백만 해 오면 적당히 다 사귀던 시절에 만났던 남자의 수는 누리에 필적할 정도였다. 그 수는 열 손가락으로 매겨지지 않는 정도였기에, 털어놓기보다는 차라리 술을 마시기를 택했다.

"크으……. 이제 내가 질문할 차례지?"

알코올에 젖은 입술을 닦고 반격의 의지를 다진 도희가 아까 하려던 질문을 던졌다.

"첫키스 몇 살 때에요?"

"아마도 고등학생 때? 기억이 확실하진 않네."

"으음……."

떨떠름했으나 일단 고개를 끄덕였다.

"그럼 이제 내 차례인가? 그러는 여보는 첫키스가 몇 살 때?"

"아, 그……."

차마 중학생 때라고 말하긴 뭐해서 입을 꾹 다물었다. 첫 키스 나이조차 준원보다 훨씬 빠르다니. 진실을 털어놓는 대신 또 술을 단번에 들이켰다.

그렇게 몇 번이고 질문을 주고받았으나 딱히 숨길 게 없는 준원과 달리 도희는 꽤 찔릴 게 많았다. 결국 완패하고 되레 손해만 입은 도희는 보드카 한 병의 대부분을 독박 써서 마시게 되었다. 그 결과 만취한 도희는 완전히 헤롱헤롱한 상태로 준원을 잡고 주정을 부렸다.

"그래서 내가 그 중국인 바이어한테 우리 남편이 KSS그룹 다닌다고 말을 했는데……."

"여보, 그 말 정확히 여섯 번째야."

했던 말을 반복하고 또 반복하고. 무려 여섯 번을 반복하자 준원이 한마디 제동을 걸었다.

"뭐?! 여섯 번째!?"

그리고 우리의 만취한 주정뱅이는 화들짝 놀라더니 이내 울상이 되었다. 붉게 술기운이 오른 얼굴이 일그러지더니 갑자기 훌쩍 눈물을 흘리기 시작했다.

"아니, 여섯 번째 말하는데 잠자코 듣고만 있어 주다니……."

갑자기 오열하기 시작한 도희에 당황한 준원이 그녀의 어깨를 감쌌다.

"너무 착하신 분이에요…… 흑, 흐윽……."

"……네?"

"요즘 같은 시대에 어떻게 이렇게 착하신 분이…… 결혼하실래요? 결혼해야겠어요."

"안 돼요. 우리 이미 결혼해서 또 못 해요."

"그래요?"

"그래요."

"감사합니다……. 복 받으실 거예요……."

평소처럼 똑 부러지는 구석 없이 횡설수설하는 도희는 못 견디게 귀엽고 사랑스러웠다. 저도 모르게 웃음을 터뜨린 준원이 뽀얀 이마에 입술을 맞추었다.

"우리 도희 완전히 취했네……."

해롱해롱한 도희를 귀엽게 보며 그녀의 뺨을 살짝 잡아당겼다.

"자기 전에 양치하러 갈까?"

순순히 고개를 끄덕거리는 도희를 번쩍 안아 든 준원이 욕실로 향했다. 제대로 몸도 가누지 못하는 도희의 이를 꼼꼼히 칫솔로 닦아 준 준원이 입안을 헹구는 것까지 살뜰하게 도왔다.

"이제 자러 가자."

제 목덜미에 아이처럼 매달리는 도희를 다시금 번쩍 안아 들고 침대에 부드럽게 눕혔다. 푹신한 매트리스에 눕자마자 도희는 언제 주정 부렸냐는 듯 금세 깊은 잠에 빠져들었다.

"우리 여보, 점점 더 귀여워져서 어떡하지……?"

나날이 사랑스러워지는 덕에 사랑하는 마음은 더욱더 커져만 갔다. 잠자코 자는 도희의 옆에 누워 그녀의 얼굴을 찬찬히 쓸어 주었다. 뽀얀 피부와 오뚝한 코, 자그마한 입술을 차례로 어루만진 준원이 살포시 웃음을 흘렸다.

"난 널 만나기 위해 태어난 것 같아."

넌 나를 다시 태어나게 해 주었으니까. 내게 행복과 웃음을 가르쳐 주었고,

슬픔과 눈물도 가르쳐 주었고……. 다른 사람을 위하는 마음도 모두 너에게 배웠어.

"무엇보다도……."

사랑이 뭔지 알려 주었으니까.

"……사랑해, 도희야."

도희의 뺨을 쓰다듬던 준원이 나지막이 속삭이며 눈을 감았다.

일요일 아침, 느지막이 일어난 도희는 멍한 얼굴로 주위를 둘러보았다.

뭐가 어떻게 된…… 아.

곧바로 전날의 제 횡포 아닌 횡포를 떠올리고는 사색이 되었다. 화들짝 놀라 튀어 나가듯 안방을 나온 도희가 주방에 있는 준원을

찾아가 곧바로 폴더폰처럼 허리를 접었다.

"여보……!"

"일어났어요?"

"미안해요. 내가 어제 또 너무 많이 마셔서 주정을……."

"콩나물국 끓여 놨으니까 같이 해장해요."

어제 무슨 일이 있었느냐는 듯 대수롭지 않게 말하는 준원에 도희가 제 입술을 꼼지락거렸다.

"식탁에 앉아요."

"응……."

얌전히 식탁 앞에 앉은 도희가 눈치를 보며 커다란 눈동자를 굴렸다. 이내 뜨거운 콩나물국을 한가득 퍼 올린 준원이 도희의 앞에 그릇을 놓아 주었다.

"와, 잘 먹겠습니다."

요리에 특출한 능력이 있는 준원은 이렇듯 식당에서 먹는 것보다 맛있는 음식을 해 주곤 했다. 시원한 국물을 한 모금 떠먹은 도희의 얼굴에 화색이 돌았다.

"너무 맛있어요. 진짜 우리 여보는 식당 차려도 된다니까."

너스레를 떨며 웃은 도희가 열심히 수저를 움직였다. 한 그릇을 뚝딱 비운 도희가 그릇을 치우기 위해 일어나려는 찰나였다. 준원이 도희의 손을 부드럽게 움켜쥐었다.

"이건 우리 여보한테 주는 선물."

식탁 아래 쇼핑백에 숨겨 두었던 꽃다발을 꺼내 도희에게 건네자 놀란 그녀의 눈이 커졌다. 갑작스러운 서프라이즈 선물에 놀란 도희가 얼떨떨하게 꽃다발을 받아들었다. 화려한 분홍색 장미가 한가득

풍성하게 묶여 있는 꽃다발은 바라만 봐도 가슴이 벅차올랐다.

"오늘 무슨 날이에요? 결혼기념일은 저번 주였고……."

아무리 생각해도 오늘은 기념일이 아닌데, 이렇듯 갑작스럽게 꽃 선물을 받고 말았다.

"나 생일인가?"

"아무 날도 아니에요. 그냥 주고 싶어서."

그 말에 피어오른 설렘이 도희의 가슴 속에서 아지랑이처럼 일렁였다. 천천히 손을 뻗은 준원은 도희의 뺨을 감싸며 미소 지었다.

"우리 결혼한 지 벌써 2년이 넘게 지났는데……."

지그시 눈을 맞춘 준원이 비스듬히 눈꺼풀을 들어 올렸다.

"여전히, 아니 전보다 더 사랑하고 있어요."

묵직한 숨이 도희의 가슴을 아릿하게 울렸다. 낮은 음성이 고막을 달콤하게 적시며 심장을 뒤흔들었다.

"백발 될 때까지 우리 눈에 넣어도 안 아픈 여보…… 평생 지켜 줄게."

파르르 떨리는 눈꺼풀 위에 부드럽게 입을 맞춘 준원이 속삭였다.

"사랑해, 도희야."

지그시 눈을 감은 도희가 살포시 웃음을 흘렸다.

"나도 사랑해, 여보……."

평생을 함께 살아갈 하나뿐인 동반자. 이제는 연인이 아닌 가족이라는 이름으로.

Fine

이건 우리의 일상의 기록이다.

지나고 나면 아픔이 아닌 추억이 될,

삶의 빛나는 한 페이지가 비로소 지나갔다.

칠흑의 어둠을 이기는 마음의 빛.

이건 아마도…… 당신이 있기에 가능했던 기적.

Writer's Letter

갓녀

오늘도 사랑합니다, 독자님들!

안녕하세요. '첫날밤만 세 번째'의 작가 갓녀입니다. 먼저 부족한 작품을 읽어주신 독자님들께 진심으로 감사드립니다.

도희, 준원과 함께 울고 웃으며 뜻깊은 시간 보내셨을지 모르겠습니다. '첫날밤만 세 번째'는 비슷한 아픔을 가진 남녀가 서로를 만나 오래된 마음의 상처가 아물고 흉터까지 치유되는 과정을 그린 소설입니다.

사랑할 줄도, 사랑을 받을 줄도 모르는 이들이 함께 의지하며 사랑을 배우고 행복으로 나아가는 이야기를 전하고 싶었습니다.

이 글을 접한 모든 독자님께서도 지난 아픔을 딛고 일어나 그저 환하게 웃을 수 있기를 바랍니다. 감사합니다.

2022.01.03.

갓녀올림

a tempo.

본래 템포대로.

da capo.

처음부터 다시.

al fine.

끝까지.

첫날밤만 세 번째 3

초판 발행 2022년 3월 24일

지은이 갓녀
펴낸이 최재호
펴낸곳 주식회사 에이템포미디어

편집 디자인 에이템포미디어 출판부 **표지 디자인** Manceb
교정 교열 에이템포미디어 출판부 **삽화** 케이

등록번호 2019년 2월 27일 제 2019-000012호
주소 경기도 부천시 조마루로385번길 92 부천테크노밸리U1센터 726호
전화 070-4100-0600

전자우편 atempo_media@naver.com
블로그 atempomedia.com
인스타그램 @atempomedia_books
트위터 @atempomedia

ISBN 979-11-6428-744-4